Falsas apariencias

Noelia Amarillo

TERCIOPELO

© Noelia Amarillo, 2010

Primera edición con esta cubierta: enero de 2015

© de esta edición: Roca Editorial de Libros, S. L.
Av. Marquès de l'Argentera, 17, pral.
08003 Barcelona
info@terciopelo.net
www.terciopelo.net

© del diseño de cubierta: Sophie Guët
© de la fotografía de cubierta:Robert Jones / Arcangel Images

Impreso por LIBERDÚPLEX, S.L.U.
Crta. BV-2249, km 7,4, Pol. Ind. Torrentfondo
Sant Llorenç d'Hortons (Barcelona)

ISBN: 978-84-15952-55-8
Depósito legal: B. 5.475-2014
Código IBIC: FRD

RT52558

Querid@s lector@s:

Falsas apariencias fue la primera novela que escribí. El libro con el que me lancé a las vertiginosas y agitadas aguas de la publicación, y con el que empezasteis a conocerme. También fue con el que yo comencé a conoceros.

Nació siendo un secreto que solo compartía con mis amigas: la aventura de escribir. Ellas me instaron a sacarlo a la luz, a intentar publicarlo y, cuando lo conseguimos, ellas fueron las primeras que gritaron de alegría conmigo.

Tengo un especial cariño a esta historia; fue mi primer hijo literario y como tal lo trato. Como el mayor de sus hermanos, el que me hizo sentir la felicidad de ver mi trabajo expuesto, el que me dio la posibilidad de llegar hasta muchas de vosotr@s a través de los comentarios y mensajes que me remitisteis por las redes sociales, blogs y correos electrónicos.

Han pasado cuatro años desde que puse la palabra «FIN» en su última página. En este tiempo he escrito más libros, mi escritura ha madurado, he aprendido mucho y, cada vez que vuelvo a leerlo, veo algunas cosas que me gustaría poder retocar... No me entendáis mal, me siento muy orgullosa de este libro, pero a la vez, con la sabiduría que da la experiencia (aunque aún me falta muchísimo por aprender), me queda una espinita clavada: el saber que puede ser una novela con una narración más fluida.

Terciopelo me ha dado la oportunidad de volver a publicarlo, de hacerlo tan perfecto como pueda y de llevarlo a vosotr@s, con una maquetación y un formato de calidad que resista el paso del tiempo y las múltiples lecturas. Y, de verdad, no tengo palabras para transmitir a la editorial y a mi editor la gratitud que en estos momentos siento.

1

Viernes 31 de octubre de 2008, 17.30 h

De: C3PO
Para: R2D2; Pasodestarwars
Asunto: No os lo vais a creer.
¿Te acuerdas de que esta tarde me has llamado al móvil? Pues estaba
en el baño de una gasolinera y un idiota empezó a responderme como
si hablara con él en vez de contigo…

*N*o se lo podía creer, era el día de Halloween, tendría que estar
de camino a la fiesta, vestida con un estupendo traje de metal dorado, perfecta imitación del que lucía C3PO en *Star Wars: Episo-
dio IV*, pero no. Estaba metida en una gasolinera de mala muerte
a las afueras del polígono Ventorro del Cano. Su estúpido Clio
había vuelto a jugársela. Bueno, a lo mejor no era culpa del coche
sino de ella misma. Hacía tiempo que sabía que la aguja del combustible se quedaba pegada, solo que normalmente calculaba bien
para no pasar de la reserva. Pero justo hoy se había olvidado; entre el trabajo, el disfraz y los nervios, se le había ido por completo
de la cabeza y no había echado ni una gota de gasolina.

Resultado: el Clio se había quedado tirado en mitad de ningún lugar.

Consecuencias: había tenido que andar durante media hora
hasta el polígono para comprar una botella de dos litros de coca-
cola llena de carburante. Después, otra caminata cargada con la
puñetera botella hasta el coche. Y, por último, echar la gasolina en

el depósito. Pero como nada podía salir bien, el combustible no había entrado limpiamente y se había puesto perdida del apestoso líquido.

Así que allí estaba ella ahora, en el servicio de hombres de la gasolinera —el de mujeres estaba averiado, cómo no—. El colofón perfecto al grandioso día que llevaba. Y no era que estuviera muy limpio, qué va, estaba como cualquier aseo de hombres. Olía mal, el suelo estaba mojado de Dios sabía qué —bueno ella sabía de qué estaba mojado, pero se negaba a pensarlo— y, por supuesto, no había en la puerta ni un maldito enganche para colgar el bolso ni la ropa.

«No pasa nada —pensó—. Soy una mujer de recursos.»

Colgó el bolso del picaporte, bajó la tapa del inodoro, se subió a ella, se quitó las medias empapadas en gasolina y las colgó de la puerta. Se negaba rotundamente a pisar el suelo descalza. De hecho, también se negaba a pisarlo calzada, pero no le quedaba otro remedio. Y justo entonces, cuando estaba con la falda arrugada por encima de las caderas y haciendo equilibrios, sonó el móvil.

—Hola, preciosa, ¿qué tal vas? Sí, me he enterado. Qué putada… —Luka sujetó el teléfono con el hombro, agarró los zapatos en una mano y apoyó la otra en un trozo más o menos limpio de la pared mientras se sostenía a duras penas sobre la taza del inodoro. Tan pendiente estaba de no caerse, que no escuchó el quejido de las bisagras ni las pisadas acuosas anunciando que ya no estaba sola en el aseo.

—¿Vas a ir a la fiesta de Halloween? —preguntó a su interlocutora.

—Ya que me invitas, estaré encantado de ir —comentó una voz masculina.

—Sí, cerca de mi casa —continuó Luka su conversación, haciendo caso omiso a la persona que estaba tras la puerta.

—Me haría falta la dirección completa —solicitó esa misma voz, que ahora sonaba divertida.

—¡Joder, de qué vas, tío! —increpó Luka a la impertinente voz—. No, no es a ti… —explicó a quien estaba al otro lado del teléfono—. Sí. En el Centro Cívico Los Pinos. Donde el Víctor Ullate.

—¿El que está en Alcorcón? —preguntó claramente divertido el hombre sin rostro del otro lado.

—Serás idiota… —bufó Luka, que, entre hacer equilibrios sobre la taza del retrete, agarrar los zapatos con la mano, sujetar el móvil con el hombro, atender a Ruth que estaba al teléfono y hacer oídos sordos al loco del otro lado, estaba al borde de un ataque de nervios—. No, no es a ti, perdona. Sí, en Alcorcón. Yo iré de C3PO.

—¿En serio? Eso suena divertido. Por cierto, ¿qué hacen aquí estas medias? —inquirió el imbécil al otro lado de la puerta. Un segundo después, las medias que colgaban de la parte de la puerta correspondiente a Luka desaparecieron.

—¡Devuélveme las medias! ¡Ya! No, no es a ti; oye, luego te llamo, sí… Es un idiota, yo qué sé… ¡Dame la medias!

Y en ese mismo momento, para dejar claro que ese no era su día, el inodoro se tambaleó hacia un lado, ella resbaló hacia el otro, el teléfono móvil salió volando y Luka se estampó todo lo larga que era sobre la puerta del aseo, la cual, cómo no podía ser de otro modo, no aguantó el golpe, y Luka se desplomó contra el suelo.

Luka se precipitó sobre la puerta, sin medias, con la falda levantada por encima de la cintura, la camisa descolocada por la caída y el pelo totalmente extendido sobre el suelo mojado de… bueno, de lo que estuviera mojado el suelo. Uno de los zapatos que llevaba sujeto de la mano hizo un arco perfecto en el aire y acabó cayendo sobre su cabeza, el otro golpeó el suelo un poco más allá con un *chof* asqueroso. Mejor no pensarlo.

Unas Nike se acercaron a ella acompañadas de unos pantalones vaqueros bastante gastados que enfundaban unas piernas musculosas y un paquete impresionante. Un poco más arriba, una camisa blanca con varios botones desabrochados a la altura del cuello dejaba ver una clavícula marcada y bronceada; sobre la clavícula un cuello grueso acababa en una cara de rasgos afilados, labios gruesos, ojos verdes y nariz importante. Enmarcando el rostro del pecado, unos rizos rubios tapaban la ancha frente. Los labios estaban abiertos en una gran sonrisa.

Una mano apareció en el campo de visión de Luka. Alguien, posiblemente el bromista que contestaba cuando ella estaba hablando por el móvil, le estaba ofreciendo ayuda. Y seguramente también se estaba divirtiendo bastante.

—¿Te encuentras bien? —dijo la misma voz de antes. Solo que ahora tenía cara y cuerpo. Un cuerpo divino.

Luka miró agresivamente al hombre. Le dio un golpetazo en la mano y se levantó por sí misma.

—Me encuentro perfectamente, gracias.

Cogió sus zapatos y el bolso del suelo, se ajustó más o menos la falda y salió cojeando del servicio. El tacón de uno de sus zapatos se había roto, más concretamente, el del zapato que había caído al suelo haciendo *chof*. Estaba visto que su cabeza era más blanda que el suelo.

Llegó hasta el pasillo, se detuvo y se dio la vuelta. Volvió a entrar en los aseos. El hombre esperaba sonriente con una mano alzada, de la que colgaban sus medias. Se las arrancó indignada al mismo tiempo que se daba la vuelta rápidamente, sin percatarse de que la traicionera puerta se había cerrado a sus espaldas.

Se golpeó contra ella.

—¡Joder!

Abrió, salió y caminó cojeando hasta el coche. Quería matar a alguien, más concretamente al hombre que se reía a carcajadas en el servicio. Pero no era cuestión de cargarse a un tipo tan guapo... sería un desperdicio.

De: R2D2
Para: C3PO; Pasodestarwars
Asunto: Re: No os lo vais a creer

Te pasa cada cosa... Yo lo hubiera matado. Menudo idiota. Eso sí, daría lo que fuera por una foto tuya tirada en el suelo de esa guisa...
¿Sales ya para el Víctor Ullate? Nos vemos allí.

De: Pasodestarwars
Para: C3PO; R2D2
Asunto: Re:re: No os lo vais a creer.

Eso es porque «la fuerza no te acompaña», quizás deberías pasarte al «lado oscuro» y dejarte de tonterías. O mejor aún, usar tu «sable láser» para batirte en duelo con el tipo del servicio. Nos vemos en el Víctor Ullate.

De: C3PO
Para: R2D2; Pasodestarwars

Asunto: Ja ja ja

Llevaré mi sable láser al Víctor Ullate y te haré picadillo por lo que has dicho.

Viernes 31 octubre 2008, 21.30 h

Tras salir de la gasolinera, humillada, con el pelo mojado de no quería saber qué, sin medias y con un zapato sin tacón, enfiló directa a casa, se duchó durante más de media hora con el agua más caliente que pudo soportar, se lavó el pelo una docena de veces y tiró los zapatos y las medias a la basura.

Ahora caminaba hacia el Centro Cultural Víctor Ullate, vestida con su traje de C3PO brillando a la luz de las farolas.

Estaba helada.

Debajo del disfraz solo llevaba las bragas y el sujetador. El traje constaba de unos *leggings*, un bodi de licra y muchas cartulinas; todas las prendas eran de color dorado, imitando el aspecto robótico del androide. Y eso no frenaba en absoluto el frío invernal se cernía sobre ella. Para colmo la maldita máscara de C3PO le aplastaba el pelo y hacía que le picara la nuca. «¡Mierda!», pensó.

Cuando llegó, la fiesta ya había empezado. Vampiros, brujas, Frankensteins de pacotilla y demás seres raros inundaban la entrada al centro cívico.

Tenía que buscar a sus amigas, aunque no sería difícil. Una iría de R2D2 y la otra de bruja. Las vio apoyadas cerca del mostrador de información, se reían a carcajadas, imaginó que de ella. Se acercó y les dejó que se carcajearan un rato más. ¡Qué remedio!

Poco después, ya sosegadas las risas, recorrieron la sala en busca de presas con las que socializar. Charlaron con Nosferatu, rieron con Obi Wan Kenobi y bailaron con un aquelarre de brujos. Estaban a punto de irse para seguir la fiesta en casa de Pili, cuando el conde Drácula tocó el hombro de Luka.

—No está muy logrado el disfraz, la verdad. No te favorece —manifestó un tipo guapísimo con unos sorprendentes ojos verdes.

—¿Qué? —«¿Y este menda de qué va?», pensó Luka.

—Casi te prefiero sin medias y con la falda levantada —dijo con tono irónico mientras le guiñaba un ojo.

—¿Qué? ¡Tú! Vete a la mierda y déjame en paz —bufó irritada ¿Qué narices hacía él allí?

—Vaya modales. ¿Me invitas a venir y ahora me mandas a la mierda? Estoy desolado. Como mínimo creo que merezco un baile. Al fin y al cabo recuperé tus medias.

—No las recuperaste, me las robaste.

—¿Yo? En absoluto. Estaban colgadas sobre la puerta. Cualquiera podía haberlas cogido.

—¡Cualquiera no! Tú me las robaste.

—Solo las rescaté del olvido.

—¿Pero de qué vas?

—De conde Drácula. ¿No lo has notado por los colmillos y la capa?

—¿Eres idiota?

—No, soy Drácula —afirmó él inclinándose en una reverencia tan exagerada que la capa barrió el suelo. Luka no pudo evitar echarse a reír.

—En fin, ya nos íbamos. Hasta luego —se despidió Luka intentando recuperar la compostura (y la mala leche) a la vez que se giraba hacia sus amigas, que la observaban asombradas.

—Qué va, no hay prisa —refutó R2D2 justo antes de susurrarle a Luka al oído—: ¿Este es el tipo del servicio? ¡Está para hacerle un favor! Me alegro de que no lo matases.

—Yo también me alegro. Aunque los vampiros sean inmortales, yo no lo soy —afirmó él sonriendo.

Luka miró fijamente a Pili, alias R2D2; le había dicho mil veces que no susurrara, más que nada porque sus susurros solían ser solo un poco más silenciosos que un grito.

—Está bien. «Que la fuerza nos acompañe.» Nos quedamos —dijo rindiéndose finalmente.

—Entonces este baile me pertenece. —Drácula la agarró por la cintura, sus fuertes manos casi rozándole el inicio de las nalgas.

—Draculín, solo por si no lo has notado, este no es un baile agarrado —se defendió ella dándole golpecitos con el índice en su fantástico brazo recubierto de poderosísimos bíceps. ¡Guau!

—No pretenderás que el conde Drácula baile *hip-hop*, ¿verdad? —replicó él, tan estirado como un aristócrata de la regencia.

—No, por supuesto. —Luka sonrió dejándose llevar.

La verdad era que Drácula estaba como un tren, ya se había dado cuenta en la gasolinera, pero con el enfado no se había fijado en detalle. Ahora, apretada contra él, podía ver esos maravillosos ojos verdes, tan claros como el agua del Caribe. —«Seré cursi», pensó—. El pelo rubio medio despeinado le caía en ondas hasta los hombros. Los labios carnosos estaban listos para ser besados… mmm.

Charlaron, bromearon, rieron y, cuando la fiesta terminó, continuaron charlando, riendo y bromeando en el bar de la esquina. En un momento de la noche, Pili, alias R2D2, y Ruth, *la bruja Piruja*, desaparecieron. En realidad desapareció todo lo que los rodeaba. Solo había sitio para ellos dos. Las risas y las bromas dieron paso a las miradas y los roces y, antes de que se dieran cuenta, era tan tarde que el bar estaba cerrando y ellos salían a la calle abrazados.

Una vez en la acera, Drácula agarró al robot por la cintura en un apretado abrazo, le arrancó la máscara y, bajando la cabeza, comenzó a lamerle los labios.

—Drácula, debes estar más borracho de lo que pensaba si a estas alturas de la noche no eres capaz de encontrar el camino hasta mi yugular —se burló Luka exponiendo su cuello.

Él no contestó, en su lugar dejó una estela de besos desde sus labios a su cuello y una vez allí se entretuvo mordisqueando y lamiendo hasta encontrar ese punto que la hizo estremecer. Luka se apretó más a él y notó contra su vientre un «sable láser» hecho de carne que no estaba nada, pero que nada mal.

¡Caramba! Prometía, y mucho.

Estrechamente abrazados dieron bandazos a lo largo de la calle hasta que, de repente, Drácula la levantó y la apoyó sobre el capó de un coche. Las cartulinas doradas del disfraz cayeron al suelo desparramadas y se quedó vestida solo con los *leggings* y el bodi. No sentía ni gota de frío; de hecho, tenía bastante calor… en ciertas partes.

Notó las manos del vampiro deslizándose bajo la cinturilla de los *leggings*, acariciándola sobre la tela del bodi, buscando desesperadamente el final de este y el inicio de la piel. Abrió las piernas a la vez que con las manos recorría los duros contornos del abdomen masculino siguiendo la flecha de vello que señalaba el tesoro oculto. Encontró el cinturón, lo desabrochó, bajó la cremallera de los pantalones, introdujo la mano bajo el bóxer y tanteó (no tuvo que tantear mucho) hasta encontrar lo que buscaba. Lo rodeó con los dedos y apretó ligeramente.

¡Vaya!

A Luka siempre le habían dicho que tenía dedos de pianista, largos y finos, por lo que él no tenía que estar mal dotado porque apenas si podía abarcarlo. Dispuesta a investigar, los deslizó por todo el tallo, solazándose con su suavidad y tersura.

Drácula jadeó excitado y satisfecho, por fin había encontrado el elástico del bodi y en esos momentos recorría perezosamente la piel resbaladiza que se ocultaba debajo. Deslizó el dedo anular lentamente por la vulva, extendiendo la humedad hasta acabar trazando círculos sobre el clítoris mientras con la mano libre acariciaba sus pechos sobre la tela dorada.

Luka sentía el calor expandirse por todo su cuerpo. Oprimía y recorría sin cesar el pene con manos ansiosas, disfrutando de su dureza de terciopelo. Él liberó su clítoris dejándolo insoportablemente abandonado y comenzó a bajarle los *leggings*.

—No aquí. Estamos en plena calle —jadeó ella, asustada y excitada, apartando las lujuriosas y exquisitas manos del ficticio conde.

—Vamos a otro sitio. ¿Vives cerca? —preguntó él volviendo a acariciarla.

Luka vivía justo cruzando la calle, pero ni loca ni drogada por el sexo como estaba iba a invitar a su casa a un desconocido al que llamaba Drácula porque no sabía siquiera su nombre.

—No, vivo lejos —contestó apoyando las manos en el pecho del hombre, intentando poner un poco de distancia. La necesitaba para poder pensar.

—Vamos al hotel que hay en Parque Oeste, tengo aquí el coche —propuso él mientras intentaba meterse de nuevo bajo sus *leggings*.

Luka intentó pensar durante unos segundos. Irse en coche con un desconocido a un hotel no era el súmmum de la inteligencia, pero por otro lado, joder, Drácula sabía perfectamente lo que hacía —que en esos momentos era colarse en sus bragas y atacar su clítoris—. Ella estaba ardiendo y, por primera vez en mucho, muchísimo tiempo, sentía la imperiosa necesidad de acostarse con un hombre… y el hotel del que hablaba estaba a diez minutos como poco. Demasiado lejos.

—Sé un sitio perfecto. ¿Dónde tienes el coche?

—Estás sentada sobre él.

—Dame las llaves. —Él enarcó una ceja, pero al cabo de un segundo quitó la mano de los pechos de Luka y la metió en el bolsillo del pantalón; cuando la sacó, las llaves colgaban de sus dedos.

—Adelante —le instó Luka, cogiéndolas.

En ese momento se dio cuenta de qué coche era. Un Kia Carnival grande y, sobre todo, muy cómodo. ¡Perfecto! Se montó sin perder un segundo y, en el momento en que él cerró la puerta, arrancó y enfiló hacia la calle de las Hayas.

En menos de dos minutos estaban en un descampado abarrotado de edificios en construcción. Vacío, oscuro y muy, pero que muy solitario. En esos dos minutos las manos de Drácula habían continuado masajeándole la entrepierna y Luka apenas había sido capaz de cambiar de marchas; de hecho, habían realizado el corto trayecto en primera mientras él le mordisqueaba la clavícula, le besaba el lóbulo del oído y le acariciaba los pechos con la mano que no estaba ocupada más abajo. Luka no tenía ni idea de cómo había sido capaz de llegar hasta las obras.

En cuanto detuvo el coche —no se molestó en estacionarlo, solo lo dejó parar en mitad de un aparcamiento sin luces a medio construir—, Drácula pasó a los asientos traseros llevándola con él, enganchándole sin querer los pies en la palanca de cambios y dejando sus zapatos enredados en el volante. Una vez atrás le quitó los *leggings* dorados de un tirón mientras mordisqueaba sus pechos por encima del bodi.

Ella por su parte tampoco permaneció ociosa, dando tirones consiguió bajarle los pantalones y el bóxer hasta las rodillas, mientras que con la boca intentaba erradicar los botones de la antaño impoluta camisa que le cubría el impresionante y musculado torso.

Él no tuvo tantos remilgos (al fin y al cabo era su camisa); se la arrancó, haciendo que los botones volaran por todo el coche, momento que Luka aprovechó para acoger entre las manos su pene endurecido, acariciar con el pulgar el glande terso y húmedo, y recorrer con los dedos las gruesas venas sumamente apetecibles que bajaban por todo su tallo. En definitiva, disfrutó de lo que tenía al alcance de la mano.

Impaciente, Drácula rompió el bodi a la altura de la ingle a la vez que devoraba la boca de la mujer. Ella empezó a masturbarle, al principio despacio, casi con reverencia, luego más fuerte, rítmicamente. Él, por su parte, rasgó el cuello del bodi —«¡Mierda!», pensó Luka; le había costado una pasta— y comenzó a mordisquearle el sujetador, bajándolo hasta dejar al descubierto sus pezones inhiestos, y logrando que diera un respingo cuando sintió su húmeda lengua sobre ellos. Era una sensación divina.

Los firmes dedos de Drácula se posaron sobre los pliegues resbaladizos de su vulva, abriéndolos para él. Introdujo el corazón en la empapada vagina, lo curvó y comenzó a entrar y salir de ella mientras jugaba con el pulgar sobre el clítoris.

En la quietud de la noche solo se oían los gemidos desacompasados y su respiración agitada. A través de los cristales velados por el vaho y el calor que emanaba de los sudorosos cuerpos, solo se distinguían sombras moviéndose a un ritmo tan antiguo como la vida.

Luka estaba a punto de correrse gracias a esos dedos que hacían maravillas en su interior; los dientes trazaban estelas ardientes en sus pechos, que, al segundo después, su lengua se ocupaba de refrescar. Ya ni siquiera era capaz de masturbarle, tanto placer le estaba robando las fuerzas.

Él paró súbitamente y se alejó de ella dejándola helada; un gruñido afloró de su femenina y enrojecida garganta, ¡estaba a punto!

Drácula buscaba algo en el suelo, en los bolsillos de su pantalón. Cuando lo encontró, se incorporó bruscamente y acto seguido se escuchó el sonido de algo al rasgarse, el envoltorio de un condón. «¡Joder!», maldijo Luka entre dientes; ni siquiera se había acordado de la protección. Él se lo puso rápidamente, la cogió de los tobillos y se los colocó sobre sus poderosos hombros. Un instante después, la penetró.

Ella estaba totalmente expuesta en esa postura y al sentir su embestida casi se volvió loca.

Drácula se apoyó sobre un codo, deslizó la mano libre hasta la empapada vulva y comenzó a acariciarla de nuevo a la vez que la penetraba lentamente.

Luka sintió el calor recorrer todo su cuerpo hasta que estalló en su cabeza. Su vagina se contraía contra la verga invasora a la vez que todo su cuerpo temblaba. Cuando se desvanecieron las sobrecogedoras sacudidas de su orgasmo notó que él seguía duro en su interior. Le miró, él sonreía, solo le faltaban los colmillos para ser el Drácula verdadero. Parecía un depredador, orgulloso de haberla llevado al límite y seguir aguantando. Esperó hasta que ella volvió a respirar con normalidad, y entonces inició un ritmo lento a la vez que comenzaba a adorarle el clítoris otra vez.

«¡Dios! Va a volver a hacerlo», tuvo tiempo de pensar Luka, antes de caer de nuevo en las redes del placer.

A la vez que él bombeaba con fuerza, ella se estremecía, arqueando la espalda y alzando las caderas, permitiéndole que jugara con su sexo tanto como quisiera. Sus dedos y su polla la estaban excitando más que nunca en su vida. Llevó las manos hasta el pecho descubierto del vampiro y, casi sin ser consciente de lo que hacía, le rozó las tetillas con las uñas, haciéndole emitir un fuerte gemido de placer. Luego le pasó los brazos por el cuello y se abrazó a él para morder y succionar sus perfectos labios, ya hinchados por los besos anteriores.

Drácula respondió al ataque penetrándola con más ímpetu y profundidad, a la vez que deslizaba con fuerza no exenta de dulzura el pulgar sobre el hipersensible clítoris.

Luka sintió que los espasmos de placer regresaban con inusitada energía, comprimiendo su vagina, haciendo que temblara cada uno de sus músculos. Él lo percibió y embistió con ferocidad, ella jadeó, él rugió, ella le exprimió salvajemente la polla a la vez que el orgasmo la hacía gritar. El aulló.

Se quedaron relajados, casi dormidos en la parte trasera del Kia Carnival, los corazones recobrando poco a poco su ritmo. Él pesaba bastante así que Luka le empujó, él sonrió y se levantó sobre sus codos. Luego se inclinó hacia el suelo del coche y rescató de sus pantalones un paquete de tabaco. Sacó un cigarrillo y se lo ofreció, ella aceptó. Y, como en las películas, los dos amantes fumaron un cigarro relajados.

—Es tarde —afirmó la joven una vez terminado el ritual.

—¿Tienes prisa?

—Sí —mintió ella—. Mañana tengo que levantarme temprano.

—Bien. Te acerco —declaró Drácula, y comenzó a vestirse.

—¿Me acercas? ¿Adónde? —Luka le miró confusa.

—A tu casa… a no ser que prefieras venir a mi hotel.

—Eh, no, no hace falta que me acerques a ningún lado, vivo… —Se calló de golpe; a él no le importaba un pimiento dónde vivía; de hecho, no se lo pensaba decir. Bastante peligroso era follar con un desconocido en mitad de un descampado en un coche, como para encima decirle dónde vivía. Debía de haberse vuelto loca. «Sí, de pasión», pensó con locura.

—Vives… —le instó él a acabar la frase. Si no recordaba mal la conversación del aseo de caballeros de la gasolinera, ella supuestamente residía cerca del centro cívico.

—Vivo lejos, y no tienes por qué perder tu tiempo llevándome.

—¿Qué más da? No pierdo el tiempo, te lo aseguro; estoy encantado con tu compañía —aseveró guiñándole un ojo. Era consciente de que ella mentía, pero no pensaba decírselo.

—Esto… Es que vivo superlejos, uf, ni te lo imaginas… Lejísimos… —contestó dramatizando ligeramente, apenas…

—¿Sí? ¿Cómo de lejos? —Él enarcó una ceja, divertido.

—¿Cómo de lejos? Eh, mmm. Hasta el infinito y más allá.

—Entiendo. —Él estalló en una sonora carcajada—. No quieres que te lleve.

—Acertaste. Además, ya sabes la leyenda; el conde Drácula no puede entrar en tu casa si no le invitas y, compréndelo, no invitaría a un vampiro a mi piso; me puede dejar sin sangre… —sentenció divertida, pero diciendo sinceramente lo que pensaba.

—Muy inteligente. Yo tampoco dejaría entrar a un desconocido en casa… aunque no se puede decir que seamos desconocidos.

—Llévame a la parada de taxis, a partir de ahí me ocupo yo —le pidió, cambiando de tema con rapidez.

Ahora que la calentura había desaparecido, la razón estaba instalándose en su cerebro gritándole: «Luka la loca, sal de aquí pitando».

—Perfecto, dime cómo llego.

—Sal del aparcamiento y toma la carretera, luego la primera a la derecha.

—¿Cómo te llamas? —preguntó él, al darse cuenta de que ni siquiera sabía su nombre.

—Luka. Ahora, toma esa calle a la derecha.

—¿Luka? ¿Por Luke Skywalker? —intuyó él, claramente divertido.

—¡No! Luka de Pilar. Ves la estación de Renfe, pues ahí mismo está la parada.

—¿Luka de Pilar? —Aparcó en doble fila al lado de un taxi.

—Sí, Pilar, Pili. Pili, Piluca. Y Piluca, Luka.

—¡Qué rebuscado! ¿Por qué no lo dejaste en Pili?

—¿Te acuerdas de R2D2?

—Sí —respondió extrañado; ¿adónde quería llegar?

—Pues R2D2 es Pili. Mi mejor amiga. Yo soy Luka.

—Comprendo. —Una hermosa sonrisa se dibujó en su rostro de adonis, se lo estaba pasando en grande con las locuras de esa mujer.

—Bueno, aquí nos despedimos. Ha sido un placer —afirmó ella, y eso sí que no era un eufemismo.

—El placer ha sido mío. —Él sonrió pensativo—. Dame tu móvil. Te llamaré.

—No.

—¿Por qué no?

—Si te doy mi móvil estaré esperando una llamada y si no llamas me sentiré fatal.

—¿Así que no me das tu número por si no llamo? Eso es una incongruencia.

—Ya lo sé. Pero prefiero saber de antemano que no me puedes llamar porque no tienes mi móvil a que no me llames aunque lo tengas —explicó ella; lo cierto es que aborrecía los teléfonos, los odiaba con todas sus fuerzas. Cuando un teléfono sonaba solo significaba broncas y excusas, enfados y gritos.

—Perfecto. Pues entonces dame tu correo electrónico. Así no esperarás una llamada.

—Es lo mismo.

—No, no lo es. Esperar una llamada telefónica lleva asociada una rutina, una leyenda negra de las citas. Pero los correos no los esperas, los miras a menudo para leer mensajes chorras, hablar con tus amigas o trabajar con ellos. Si te llega un correo mío, será una sorpresa y, si no te llega, entonces habremos inaugurado una nueva leyenda negra en la historia de las citas fallidas. En vez de teléfonos que no suenan, correos que no llegan.

—Eso es una tontería.

—Puede ser, pero no te cuesta nada. Dámelo —exigió él acercándose a ella para besarla—. Vamos. No te cuesta nada. —Le lamió lentamente los labios, se los separó con la lengua y comenzó a mordisqueárselos—. Venga —susurró con excitación.

—Bien, vale —aceptó ella separándose, porque, tal y cómo iban, se veía otra vez sudando en el asiento trasero—. C3PO@gmail.com —dijo saliendo del coche y acercándose a un taxi cercano. Él la siguió.

—¿Cómo lo escribo? Todo letras o con el número.

—Búscate la vida —contestó riendo a la vez que se montaba en el taxi.

Drácula sujetó la puerta antes de que se cerrara.

—Lleve a la señorita donde le diga —ordenó a la vez que le daba al taxista un billete de veinte euros—, y quédese con el cambio. —Estaba seguro de que ella vivía cerca, muy cerca… Si el taxista se llevaba una buena propina, quizás haría caso omiso del coche que pensaba seguirle…

—¡Eh! No hace falta que me pagues la carrera —rechazó Luka desde su asiento.

—Permítemelo, por favor. Es lo mínimo que puedo hacer ya que no me dejas llevarte a casa.

Se despidió de ella lanzándole un beso.

El taxi comenzó a alejarse.

Drácula se montó en el Kia, arrancó y esperó a ver qué dirección tomaba el taxista; luego le siguió a distancia. Como suponía, ella vivía cerca, tan cerca que el taxista solo tuvo que pasar la Renfe, cruzar la calle y parar de nuevo. Desde el coche, la vio meterse en el portal. Sonrió para sí mismo. Mañana le mandaría un mensaje por correo electrónico. No pensaba dejar que una chica divertida y apasionada se le escapara de las manos si podía evitarlo. Quién le iba a decir que aquella equilibrista de la gasolinera iba a ser una mujer hermosa, sensual y muy, muy divertida. El mundo estaba lleno de sorpresas.

2

Sábado 1 de noviembre de 2008, 12.30 h

De: R2D2
Para: C3PO; Pasodestarwars
Asunto: ¿Cómo acabó la noche?
¿Merecía tanto la pena como parecía? No te guardes nada. CUÉN-TALO TODO.

De: C3PO
Para: R2D2; Pasodestarwars
Asunto: Acabó en mitad del descampado de Las Hayas.
Joder, tías, ni que tuviera 18 años. Acabamos follando como locos en su coche, en el aparcamiento a medio hacer. Está claro que bebí demasiado.
P. S.: Sí, merecía la pena tanto como parecía, y más.

De: Pasodestarwars
Para: R2D2; C3PO
Asunto: Estás loca.
¿¿Cómo se te ocurre hacer «eso» en mitad de la calle?? Estás peor de lo que pensaba. Propongo reunión en Lancelot para verificar que sigues en tus cabales. Hoy a las 15.00 h.
P. S.: De paso nos evitamos cocinar, allí dan buenas tapas.

De: R2D2
Para: C3PO; Pasodestarwars
Asunto: Lancelot.

Perfecto. Nos vemos allí, para INDAGAR los prolegómenos del acto «cocheril». Quiero pelos y señales.

P. S.: No hace falta verificar nada, Luka jamás ha estado en sus cabales.

De: C3PO
Para: R2D2; Pasodestarwars
Asunto: Re: Lancelot.

Prometo contar con pelos y señales.

P. S.: Sí que estoy en mis cabales, al menos eso creo…

*S*e había despertado con resaca, pero nada que no pudiera solucionarse con dos cafés bien cargados y una buena ducha. Por cierto, Drácula necesitaba un afeitado. Le había dejado zonas enrojecidas alrededor de los pezones con su incipiente barba, pensó sonriendo mientras se miraba en el espejo.

Se conectó a Internet por enésima vez a las 14.45 h. Nada, ningún mensaje. No debería haberle dado su correo electrónico, ahora estaría pendiente del ordenador durante una semana. ¡Mierda! Apagó el PC y se marchó, el Lancelot estaba a escasos cinco minutos andando. Vio el coche de Ruth, un AX con más años que la Cibeles, aparcado frente a la cafetería; las chicas ya estarían dentro. Se preparó mentalmente para lo que la esperaba.

El Lancelot estaba ambientado como si fuera una taberna medieval, paredes imitando piedra, techo con vigas de madera, taburetes de roble de tres patas y mesas bajas y alargadas formadas por tablas. La barra ocupaba la pared entera de un lateral y las mesas se hallaban dispersas por el resto del local. Los camareros, vestidos con vaqueros y camisas rojas, se movían acelerados entre los clientes, sirviendo tanques de cerveza y platos con choricitos al vino, butifarra asada, patatas bravas, calamares a la romana, huevos rotos, y los domingos —lástima que fuese sábado— la paella más rica que se pudiera comer en Alcorcón.

Sus amigas estaban sentadas en la mesa del fondo. Dos cocacolas *light* y una fuente de huevos rotos adornaban la mesa. Luka se sentó y pidió un refresco. Ellas la miraron calladas durante un segundo y luego comenzaron a hablar a la vez.

—¡Cómo se te ocurre! Estás loca —dijo Ruth, alias *Bruja piruja*, alias *Pasodestarwars*.

—Qué morbo hacerlo en el coche, ¿no? Como cuando éramos crías. —Esta, por supuesto, era Pili, alias R2D2.

—Podía haber pasado alguien y haberos pillado. Imagina que un loco os hubiera atacado… Jopelines, imagina que Drácula fuera un loco —la reprendió Ruth, la lógica.

—¿Cómo sorteasteis la palanca de cambios? Recuerdo que siempre se me clavaba en el culo, y el volante en la espalda, aunque hay momentos en que un poco de incomodidad no se nota… ¡Oh, Dios mío! No lo haríais en tu Clio, ¿verdad? Pobre Drácula. No me lo imagino metiendo sus casi dos metros en tu mini coche, acabaría agarrotado… —soltó Pili, la práctica.

—¿Casi dos metros? Exageras, no llegaba al metro noventa. Aun así, ¡no tienes cabeza! ¡Ay, señor! Dime que usasteis condón, en los tiempos que corren el sida está a la orden del día —bufó Ruth, la alarmista.

—Sí. Usé condón. No, no me fijé en cuánto medía. No, gracias a Dios no fue en mi Clio; fue en su coche, un Kia Carnival. No, no estuvimos incómodos. No, tampoco era un loco. Sí, da mucho morbo hacerlo en un coche. No, no estoy loca. Creo que he respondido a todas vuestras preguntas —contestó Luka, que se sentía como en un partido de tenis, mirando a un lado y a otro según quién fuera su interlocutora.

Se hizo el silencio. Las tres amigas se quedaron mirando y luego…

—Bueno, pues cuéntanoslo «todo» con pelos y señales.

Y Luka se dispuso a contar casi todo con pocos pelos y ninguna señal, no era cuestión de contar hasta lo más íntimo. Mientras hablaba, Pili y Ruth escuchaban y, de vez en cuando, hacían preguntas más concisas que, por supuesto, Luka ignoraba. Cuando les contó que se había negado a darle su número de móvil, ambas suspiraron; era una lástima, pero conociendo a Luka y su historia no les extrañó en absoluto. No obstante, se animaron al saber que le había dado su correo electrónico. Volvieron a suspirar al saber que no había noticias todavía. Y por supuesto despotricaron de los hombres a la vez que le daban esperanzas sobre cuándo le escribiría. De ahí pasaron, cómo no, al trabajo, la familia y los amigos.

Pili trabajaba, al igual que Luka, de secretaria en una empresa de venta al por mayor de cristal. Se llevaba bastante bien con su jefe y este se aprovechaba de ello haciéndola quedarse hasta las tantas sin cobrar las horas extra. Por si fuera poco se estaba empezando a notar un bajón, la crisis comenzaba a ser un hecho.

Ruth era secretaria de la directora de recursos humanos de una centro de día para mayores dedicado al cuidado de ancianos con problemas de memoria, alzhéimer y demencia senil. Un trabajo muy duro, que a ella la llenaba por completo. Lástima que el gobierno no se lo tomara muy en serio… Desde septiembre habían suspendido parte de los pagos, un breve aplazamiento de un par de meses, decían. La crisis, se excusaban.

Luka, por su parte, trabajaba en una pequeña empresa familiar que se dedicaba a vender cristal para cuadros y tiendas. Estaba hasta las narices de uno de sus jefes y adoraba al resto del personal. La crisis también les estaba afectando.

Las tres se conocían desde hacía casi un cuarto de siglo. De hecho desde que Luka tenía cuatro años y ella y su amiga Enar entraron en el colegio. Pili y Ruth estaban en primero. En cuarto ya eran amigas, vivían en el mismo barrio y jugaban juntas al rescate. Para cuando Pili y Ruth acabaron octavo, Luka y Enar estaban en sexto. Durante dos años, se separaron. El colegio une y desune, pero en el verano que Luka terminó octavo volvieron a juntarse y desde entonces eran inseparables. Habían pasado veinticuatro años.

Pili y Luka se veían todos los viernes sin falta al terminar el trabajo, iban a la cafetería y hablaban de todos los temas habidos y por haber. Con Ruth era más complicado, sus horarios eran más flexibles y solía acabar demasiado tarde y agotada para quedar con nadie. Los sábados, si no quedaba con ellas, se iba a la sierra para recorrer kilómetros de montañas heladas, olvidarse de todo y acabar molida —esto último solo lo pensaba Luka, cuyo deporte favorito era el levantamiento de libros en el sofá—. Pero lo cierto era que Ruth era una persona muy centrada aunque, a decir verdad, esto se debía a circunstancias personales que no podía, ni quería, eludir. Luka era todo lo contrario: su vida era un caos y se enorgullecía de ello. Pili, por su parte, era el término medio. Vivía en pareja con su chico de toda la vida, y era todo lo feliz que podía ser. De hecho estaban pensando en casarse. ¡Uf!

Pasaron la tarde del sábado hablando sin cesar de mil y una cosas, hasta que el reloj marcó las ocho y Luka regresó a casa caminando tranquilamente mientras observaba los escaparates de las tiendas. Se paró en el de la peluquería; habían rebajado los precios. Genial. Tenía que darse mechas con urgencia. Lo malo era que, aunque hubieran rebajado los precios, seguían siendo prohibitivos. Cuarenta euros solo por dar cuatro mechas… ¡Madre mía!

Se le ocurrió una idea. Había visto cerca de donde trabajaba una tienda de venta al por mayor de artículos para peluquería. Iría, se presentaría como compañera de polígono y compraría lo que le hiciera falta para ponérselo ella en casa. Seguro que se ahorraba una pasta; entre la hipoteca del piso —sí, era de protección oficial, pero aun así había que pagarlo—, comida, luz, agua y gas, apenas si le llegaba para ir al cine una vez cada tres meses… Si se hacía mechas en la *pelu*, no volvería a salir hasta el verano… Sí. Se las haría ella misma.

Conectó el ordenador en cuanto llegó a casa y esperó la media hora de rigor hasta que el aparato se quiso poner en marcha. Algunas personas disfrutaban de portátiles. Otras, más afortunadas, se recreaban con ordenadores de último modelo. Unas pocas con ordenadores algo antiguos que funcionaban a la perfección. Sin embargo, ella tenía una antigualla de mil años con una banda de desafinados músicos callejeros viviendo en su interior. Si algún día se decidía a grabar los sonidos que hacía su PC al arrancar, quizá se hiciera millonaria: música *new age* mezclada con *heavy metal* rotundo y un constante ruido de cacharros chocando entre sí. Impresionante.

Se sentó frente a la mesa, sobre una antigua silla de la cocina de su madre, una que sus padres habían pensado tirar al «punto limpio» y que ella recicló para «su propia casa». ¡Dios, qué bien sonaba eso! Repitió para sí misma otra vez: «mi propia casa». Su propio hogar —a medias con el banco—, lleno de muebles que los demás habían tirado a la calle.

Tamborileó con las uñas sobre la mesa —la que antes era de su abuela— y esperó. Por fin el PC soltó un horrible pitido y en el monitor apareció su página web favorita. Una página de novela romántica, con todas las novedades que no podía comprar y con un foro lleno de gente alucinante con la que pasaba horas hablando. Pulsó en el Mozilla Thunderbird y espero a que se actualizara el correo.

—Semana fantástica en El Corte Inglés —leyó en voz alta—.

Genial, a ver si es tan fantástica que me regala las cosas... Pues va a ser que no, solo venden.

Siguió bajando la barra de mensajes, deteniéndose de vez en cuando para hacer algún comentario para sí misma.

—eBay ofrece grandes ventajas si quieres vender lo que no te sirve. Estupendo, cuando tenga algo que no me sirva lo venderé... Xtendedor, el mejor aparato para hacer de su pene el objeto de deseo de las mujeres. Bien, cuando tenga pene lo usaré. ¡Por favor! ¿Para qué quiere C3PO extender un pene que no tiene? ¡Hay que joderse con los *spam*! Tropecientos avisos de un nuevo virus... Mensajes en cadena, si no los reenvías se te acabará la suerte. Perfecto, no tengo suerte, así que no puede terminarse. Eliminado. Mi madre. —Y se detuvo en uno de los mensajes—. Veamos este.

De: mpgr
Para: C3PO
Asunto: Estamos en la playa.
Hola, cariño, tu padre y yo hemos pensado que, como os habéis emancipado, aquí no hacemos nada y nos hemos ido a pasar unos días a la playa. Hace un tiempo estupendo, estoy en bañador tumbada en la orilla del mar y tu padre da largos paseos. Por cierto, ¿cuándo te vas a cambiar de correo? Odio pensar que mi hija se hace llamar como un robot listillo de hace treinta años.
Te quiere, mamá.
P. S.: Le he dado tus llaves a Feli.

—Cojonudo, mis padres en la playa disfrutando y yo aquí, en fin... —Continuó mirando el correo—. No quiero un chef de cocina... Supuestamente me ha tocado un premio de Ibercaja, y ni siquiera soy cliente... Un tal Drácula quiere chuparme la sangre, ¡sí, claro! Un momento, ¡Drácula! —dijo casi gritando. Abrió el mensaje.

De: Drácula6969
Para: C3PO
Asunto: Quiero chupar todo tu cuerpo y beber tu sangre.
Hola. No pienso ser parte de la leyenda negra de las citas. Aquí estoy. He escrito. ¿Tienes planes para esta noche?

P. S.: La sed de sangre me mata, pienso comerte entera cuando te vea.

De: C3PO
Para: Drácula6969
Asunto: Llevo puesto un collar de ajo.
Siento decepcionarte, pero el collar de ajo impedirá que puedas acceder a mi sangre.
Esta noche estoy libre. Había quedado con Bruce Willis, pero he decidido dejarle en la estacada por ti. No me decepciones.
P. S.: Drácula… ¿6969? ¿Eres tan presuntuoso que lo pones por partida doble?

De: Drácula6969
Para: C3PO
Asunto: Ven a mí vestida solo con el collar y tu piel, yo me ocuparé del resto.
Drácula estaba cogido, Drácula 69 también, así que Drácula6969. Si dudas, te lo puedo demostrar cuando quieras, al principio, al final y en el medio. A todas horas.
¿Te parece bien que quedemos esta noche en el Víctor Ullate? Sobre las 21.00 h, y allí ya decidimos adónde vamos.
P. S.: Bruce Willis no es nada comparado conmigo, ¿o no recuerdas sus fotos desnudo que circulan por Internet? Has hecho la mejor elección.

De: C3PO
Para: Drácula6969
Asunto: ¿Con el frío que hace? Tú estás loco. Me vestiré con bufanda… de ajos.
Perfecto, allí estaré.
P. S.: Palabras, palabras, palabras. Tendrás que demostrarme con hechos que he acertado con mi elección.

De: C3PO
Para: R2D2; Pasodestarwars
Asunto: ¡¡¡¡¡¡¡¡¡DRÁCULA HA ESCRITO!!!!!!!
Síííí, Drácula ha escrito. Ha escrito, ha escrito. Hemos quedado para esta noche. Mañana os cuento.
P. S.: No me lo puedo creer, se me ha olvidado preguntarle cómo se llama…

Sábado, 1 de noviembre de 2008, 20.50 h

Luka llegó diez minutos antes de la hora. Normalmente acostumbraba a ser puntual, pero, cuando estaba nerviosa, más que puntual era impaciente.

Paseaba frente al Centro Cívico Los Pinos deteniéndose de vez en cuando ante las puertas cristaleras para observar distraída las estatuas que adornaban el vestíbulo. Le llamaba especialmente la atención una escultura hecha de madera, o ese material le parecía a su ojo inexperto, que tenía la forma de una persona, pero como si fuera de chicle. Estaba estirada hasta el límite, con los pies y las manos en contacto con el suelo y dejando el torso y las piernas al aire, como retorcidos. Era una especie de silla para dos, de esas en las que uno se sienta al lado y de espaldas al otro… Si ella tuviera que ponerse en esa postura acabaría descoyuntada. Se preguntaba de dónde demonios había sacado el artista la inspiración y el modelo para hacer esa obra. Pegó más la cara al cristal mirando detenidamente la escultura. Su nariz chocó contra el frío vidrio. Laminar 6+6+6 antibalas, reconoció la parte de su cerebro que se ocupaba del trabajo.

Unas manos se posaron sobre el cristal justo al lado de su cabeza mientras una voz le susurró junto a la nuca, mandando exquisitas punzadas de placer a través de su piel.

—Interesante asiento —comentó una voz masculina poco antes de besarla en el lóbulo de la oreja.

—Sí. —Luka se quedó quieta esperando más caricias. Drácula había vuelto.

—Llegas pronto.

—No tenía nada que hacer y me aburría en casa; estuve tentada de poner a Bruce Willis en la tele, pero me resistí con uñas y dientes… Había quedado con el conde Drácula y no era cuestión de serle infiel.

—Has hecho bien, me han contado que el conde Drácula tiene un genio temible. No creo que le hubiera gustado recibir plantón por culpa de un poli borracho —le siguió el juego, divertido.

Luka se volvió y le miró. Su magnífico conde Drácula había cambiado la capa y la camisa de chorreras por unos vaqueros y una cazadora de cuero. Estaba todavía más impresionante. Y sí, definitivamente medía algo más de metro noventa; tenía que acordarse de decírselo a las chicas.

—¿Y bien, qué has pensado? —le preguntó; al fin y al cabo ahí parados no hacían nada.

—¿Te apetece ir al Wok? Hay uno cerca, en Parque Oeste.

—Mmm… comida asiática. ¡Estupendo! —Y el hotel pilla justo enfrente. Este hombre sabe montárselo, pensó Luka, alerta y excitada a la vez.

—¿Vamos en tu coche o en el mío?

—Yo tengo un Clio, tú verás…

—El mío, sin dudarlo. En los Clio me siento como en una lata de sardinas.

Era una mujer preciosa, pensó Drácula mientras conducía.

No podía evitar mirarla de reojo cada vez que había un tramo recto de carretera. Joven, de unos treinta años, alta, no tanto como él, pero sí que rondaría el metro setenta y cinco, y con buenas curvas a las que agarrarse. Así, a ojo de buen cubero, le echaba más o menos una talla 40/42, con buenas caderas y un culo importante; también tenía un poco de barriguita, no demasiada, pero sí la justa para que fuera una delicia recorrer su ombligo con la lengua, cosa que pensaba hacer esa noche sin falta. Muslos mulliditos, perfectos para reposar la cabeza en ellos, y además tenía, para qué negarlo, un buen par de «aldabas». Sí, señor, talla 105/110, copa C. Labios gruesos y maquillados; ¡maldita sea!, odiaba los labios pintados, sabían a rayos. Ojos grandes y un poco achinados, de color marrón miel, preciosos. Nariz pequeña y respingona y el pelo de un espléndido color castaño que le caía en ondas hasta casi la mitad de la espalda. Exquisito, ojalá nunca se lo cambiara de color. Le encantaba ese tono.

Sus amigos lo mirarían raro si le vieran con Luka, pensó Drácula, pero ellos eran unos esnob salidos que tenían la absurda creencia de que él tenía que salir con anoréxicas rubias de bote y tetas siliconadas. Y no es que tuviera nada contra ellas, ojo; es solo que a él le gustaban las chicas blanditas, cómodas y mullidas. Y Luka era, físicamente hablando, su mujer ideal. Pero ahí no acababa la cosa; además tenía una inteligencia ágil y rápida, no era fácil pillarla desprevenida, soltaba verdaderas perlas por su boquita y discutía por casi cualquier cosa. Imposible aburrirse con ella. Y como colofón, era una bomba sexual. Sabía lo que quería y lo tomaba, y su polla era testigo excepcional de ese punto. Joder, ¡cómo lo agarraba!; se ponía duro solo de recordar la noche pasada.

Intentó concentrarse en la carretera, pero imágenes de ella desnuda, tumbada en los asientos del coche, le pasaban una y otra vez por la cabeza, poniendo su miembro cada vez más duro.

Luka miraba la carretera, consciente en todo momento de lo que la rodeaba. El vampirito no conducía mal, aunque a veces le daba la impresión de que la miraba demasiado, como si estuviera un poco distraído, y, bueno, eso era halagador pero, ¡leches!, hacerlo justo cuando se va conduciendo es suicida. Así que, cuando de repente Drácula le cogió la mano y se la llevó hasta su regazo, dio un respingo. Vaya, estaba duro, bien duro. Tan duro como probablemente estaría el camión que iba delante de ellos si él se despistaba y chocaban.

Así que Luka hizo lo único que podía hacer.

Bajó la mano a lo largo de toda la verga y le cogió los testículos. Los fue apretando poco a poco. Al principio él sonrió, pero luego una mueca de terror le pasó por la cara. ¿Quizás estaba apretando demasiado? Pobrecito.

—Me pasa una cosa muy rara cuando voy en coche —comentó como quien no quiere la cosa—. La tensión se apodera de mí, me da pánico tener un accidente y a veces no puedo evitar agarrarme a lo que sea. Me aferro tan fuerte que hasta clavo las uñas; uf, me horroriza ver que el conductor se despista… Pueden suceder accidentes. Y eso hace que quiera sujetar algo con mucha, muchísima fuerza y retorcerlo. Retorcerlo hasta que se rompa… Espero que no te importe. Son los nervios, ¿sabes?

—No pasa nada, entiendo. —Drácula tragó sonoramente mientras intentaba con mucho cuidado separar la mano crispada de sus testículos.

—Huy… Vaya, no me había dado cuenta —se disculpó ella con ojos demasiado inocentes.

—He cogido la idea —afirmó él sonriendo. Sí, señor, esa mujer tenía genio y figura. No cabía duda.

Cuando aparcaron frente al Wok, a Drácula no le quedaba ya

nada de su erección. Nada como un buen apretón para bajar los humos.

Salieron del coche y se encaminaron a las cochambrosas escaleras de metal que ascendían a la segunda planta, en la que estaba el restaurante. Cogieron mesa, pidieron sendas coca-colas —«ni loca me vuelvo a emborrachar», pensó Luka con la resaca mañanera aún muy presente en su cabeza—, y atacaron el bufé asiático. Un poco de *sushi* por aquí, algo de arroz por allá, una mezcla estrambótica de verduras y algas para hacer en la cocina en vivo y unos pocos langostinos a la plancha. Perfecto.

Él tomó un buen montón de cada cosa, y ella se asombró de que un tipo tan bien formado, con nada de barriguita y esos increíbles abdominales, pudiera comer tanto sin preocupación. Claro que ella tampoco es que se preocupara mucho, pensó comiendo su tercer rollito de primavera.

—¿A qué te dedicas? —preguntó Drácula engullendo su segundo plato de tallarines fritos.

—Soy cristalera. Sobre todo para cuadros.

—¿Haces cuadros?

—Ya no; antes me dedicaba a montar para galerías, pero dependía demasiado de que hubiera exposiciones. Ahora soy secretaria, chica de la limpieza, descargadora de camiones y chivo expiatorio en una cristalería.

—¿Chivo expiatorio?

—Sí, ya sabes: que alguien se equivoca, pues lo pagamos con Luka. Que un cliente no paga, pues le gritamos a Luka. Que el hijo del jefe lleva una semana sin follar, pues abroncamos a Luka. Ese tipo de cosas.

—Dios, qué gráfica eres —dijo Drácula atragantándose por la risa—. Quizá fuera más fácil si siguieras dedicándote a las exposiciones.

—Mmm, más fácil no sé, más divertido seguro.

—¿Sí?

—Sí, recuerdo una vez que tuvimos que montar una exposición fotográfica…. Sobre penes. Penes de todo tipo, grandes, pequeños, empalmados, flácidos, negros, amarillos, azules, rojos…

—¿Azules, rojos?

—Sí, hombre; tipo Andy Warhol.

—Joder.

—No lo sabes tú bien; tras enmarcar más de cien pollas, teníamos unas ganas locas de eso mismo, de joder —dijo con una sonrisa pícara.

Y así, entre pitos y flautas, y también penes, Luka fue contándole los pormenores de su trabajo. Parecía mentira, jamás había hablado tanto de sí misma. Drácula preguntaba y ella respondía, y poco a poco el tiempo se fue pasando sin darse cuenta, hasta que una mujer asiática se acercó a su mesa con la cuenta en una bandejita de plata y muy amablemente les comentó, como quien no quiere la cosa, que estaban a punto de cerrar. Miraron el reloj, eran casi las dos de la madrugada. Drácula se apresuró a pagar como buen caballero que era mientras Luka preguntaba tímidamente si ponía la mitad: no, gracias, contestó él. Luka respiró aliviada, aún no había cobrado el sueldo del mes de noviembre y el de octubre había desaparecido en combate.

Ya en el exterior, fueron conscientes de que la noche había caído y con ella el frío de invierno. Corrieron hasta el coche y una vez allí se miraron. Tenían tres opciones claramente definidas.

Opción A: cada uno a su casa y Dios en la de todos.

Opción B: buscar un garito abierto y tomarse la «penúltima».

Opción C: cruzar la carretera y pasar la noche en el hotel de enfrente.

Se miraron sopesando las opciones mentalmente. Drácula dirigió su mirada al hotel y enarcó un par de veces las cejas. Luka por su parte posó su mirada en el Kia Carnival y arqueó otro par de veces las cejas. Se miraron fijamente uno al otro. Aquello prometía ser una lucha de voluntades.

—¿Y bien? —comenzó Drácula—. ¿Dónde vamos ahora?

—Qué te parece si nos acercamos al polígono —contestó ella optando directamente por la opción B.

—¿Al polígono? —Drácula se acercó, mirándola como un vampiro sediento de… sexo.

—Sí, seguro que hay algún sitio abierto donde tomar la penúltima. —«Eso es, Luka —pensó ella—; mantente fuerte, no puedes irte a la cama dos veces seguidas con un tío al que apenas conoces, ¿no?»

—¿La penúltima? —susurro él apretándose contra ella a la vez que la abrazaba deslizando las manos hacia sus nalgas.

—Sí, la penúltima. ¿Me estás repitiendo? —preguntó Luka

sintiendo como el calor comenzaba a recorrer su cuerpo. Ese hombre tenía unas manos diabólicamente deliciosas.

—¿Te repito? —coreó él un segundo antes de lamerle los labios para luego mordisqueárselos lentamente hasta que ella rendida los abrió. Y él, que de tonto no tenía un pelo, aprovechó ese momento para introducirse en su boca y jugar con su paladar, recorrer sus dientes y succionar su lengua cálida y picante por las especias de la cena.

—Sí, repítelo —pidió ella.

Y él lo repitió. Le acarició lentamente la espalda, logrando que el calor de sus manos traspasara el vestido y alcanzara cada una de sus terminaciones nerviosas, haciendo del beso una tortura interminable.

La decisión de Luka de ir a tomar la penúltima se fue a dar un paseo, desplazada por la locura y la pasión. Las opciones A y B quedaron descartadas en favor de la opción C, que en esos momentos parecía de lo más interesante.

Cruzaron sin saber cómo y entraron en el hotel íntimamente abrazados. El conserje los miró arqueando una ceja, pero, cuando Drácula pidió una habitación para esa noche y entregó su DNI junto con 100 euros y el aviso de que lo que sobrara, lo tomara como propina, al conserje se le bajaron las cejas y les dio la llave de una habitación. Una en la planta baja, por supuesto. Esa pareja era del tipo que no espera a llegar a la habitación y hace uso del botón «Stop» del ascensor sin pensar en lo sucio que después quedaba todo con el semen.

Recorrieron los pasillos del hotel besándose y abrazándose como dos adolescentes ante su primer polvo. Una vez llegaron a la puerta de la habitación, les costó tres intentos introducir la llave en la cerradura. Quizá fuera porque estaban pensando en introducir otras cosas en otros sitios, y, claro, eso desconcentra. Entraron, cerraron la puerta y empezaron a desvestirse sin ni siquiera encender las luces. Las manos de ambos se movían con tal rapidez que no hacían más que chocar entre sí, dificultando el trabajo. El tanga por supuesto acabó roto.

¡Joder! Tanto tiempo para elegir la ropa interior perfecta y todo para que acabe desgarrada sin ser siquiera valorada. «La próxima vez me pongo bragas de cuello vuelto, son más baratas y es más difícil romperlas», sentenció Luka en su cabeza, sabiendo de sobra que jamás se las pondría para una cita con Drácula. Y ese fue el último pensamiento que logró enlazar en un rato.

Un rato bastante corto, porque, todo hay que decirlo, cuando por fin se pusieron de acuerdo para usar las manos en los lugares adecuados, es decir, los botones y las cremalleras, todo fue como la seda. Los pantalones y el bóxer cayeron al suelo, el vestido pasó la frontera de la cintura, y el tanga… bueno, ya se sabe lo que había pasado con el tanga.

El hombre la apoyó contra la pared, Luka le envolvió la cintura con las piernas y él la penetró sin más preámbulos; cuando se tiene prisa no hay nada que hacer.

Luka se derritió y Drácula se detuvo en seco.

—Joder. ¡El condón!

Hubo un momento de pánico y luego el inevitable roce de un pene largo y duro saliendo de ella, un sonido rasgado, «algo» que se enfunda, de nuevo penetración y vuelta a empezar… Al fin y al cabo todo tiene arreglo en esta vida… Pero el momento erótico, casi sicalíptico, había pasado, y Luka se encontró apoyada contra la pared con Drácula penetrándola apasionadamente, mientras ella no podía dejar de pensar en el presupuesto que tenía que hacer el lunes sin falta para el cliente que no paraba de cambiar de medidas. Un rollo, porque el cliente llevaba ya más de cinco presupuestos distintos en lo que iba de semana y no parecía que tuviera las cosas muy claras.

«Uf, qué postura más incómoda», pensó sujetándose a los hombros de Draculín.

Cuando una está en lo que está, es decir en follar salvajemente contra la pared, no se notan las incomodidades. Pero cuando se está a un presupuesto mientras te penetran contra la pared, pues se nota el cansancio en las piernas, se nota que la pared está más dura que… una pared, y que el tío que te folla no hace más que resoplar en tu oído.

Un verdadero fastidio, porque además, con el pelo revuelto, tanto resoplido acaba mandándote el flequillo a los ojos y es muy molesto. Así que a Luka no le quedaba otro remedio que fingir como buenamente podía —era muy mala actriz— y esperar a que el vampirito acabase de una buena vez. En fin, quizá si cambiase una de las medidas de los cristales, podría abaratar un poco el coste, y si no…

—Luka…

—Eh…

—¿Dónde estás?

—Hum… ¿Apoyada en una pared?

Colmillitos enarcó una ceja, la miró detenidamente y salió de ella.

Luka, aliviada, soltó las piernas de la cintura masculina y las apoyó en el suelo. ¡Qué descanso!

—En fin… —Esperaba que él se hubiera corrido. Entre cristales y medidas ni se había fijado. ¿Había terminado o no?

Draculín no dijo nada, la cogió en brazos, atravesó la habitación y la tumbó en la cama. Se apresuró a desnudarla mientras ella buscaba a toda prisa una excusa para irse de allí; estaba claro que se había equivocado de cabo a rabo… sobre todo en el rabo.

—Estoy pensando que… —Luka frunció el ceño a la vez que buscaba una excusa.

—Sí, estoy seguro de que ese es el problema. No deberías pensar.

—¡Oye! Yo pienso lo que quiero, cuando quiero y como quiero.

—Perfecto. Pues, si tuvieras la amabilidad de pensar en voz alta, me harías un gran favor; así sabré por dónde me ando…

—Por supuesto —gruñó Luka enfurruñada, aunque sabía perfectamente que, si alguien tenía derecho a estar enfadado, ese era Draculín—. Estaba pensando que ya es bastante tarde y es hora de regresar a casa, tengo tareas pendientes.

—A las… —Él miró el reloj—. ¿Tres menos cuarto de la mañana tienes tareas pendientes? ¿Acaso un negocio que no puede esperar? —Resopló dando un manotazo al aire, como espantando una mosca.

—Pues mira, sí. Justo eso.

—¿Me estás diciendo que mientras estábamos follando contra la pared has recordado que tenías trabajo pendiente?

—Pues sinceramente, sí.

—Y… ¿A cuento de qué te ha venido eso a la mente?

—Eh… —¿Cómo le explicaba que por culpa del parón se le había ido la cabeza a otro lugar?—. Pues, mira, yo… Verás, mientras te «acoplabas» de nuevo se me ha venido a la mente eso mismo, ¿cómo «acoplar» las medidas de unos cristales para cuadrar un presupuesto?

—Ah, tienes razón, tiene mucho que ver —aceptó Drácula cociéndose en la humillación.

Mientras él se esforzaba por «acoplarse» a ella y proporcionarle placer, ella se esforzaba por «acoplar» cristales. Su orgullo maltrecho pedía compensación.

—Es algo muy importante —explicó Luka sin saber qué decir.

—Sí, claro. ¿Y cómo va el tema?

—¿Perdona?

—¿Cómo va el presupuesto?

—Bueno… pues, la cuestión es que tengo que cortar una serie de cristales —le explicó, no porque tuviera el más mínimo interés en que él lo supiera, sino porque realmente no sabía qué decir, y esa era una manera igual de buena que cualquier otra para llenar el incómodo silencio.

Drácula se tumbó de costado mientras ella hablaba, sin prestar la menor atención a la cháchara. Estaba al lado de una hermosa mujer que le atraía poderosamente y no pensaba quedarse de brazos cruzados.

Fue girándose hasta quedar echado a lo ancho del colchón con la cabeza apoyada en el tierno estómago femenino. Sí, definitivamente estaba tan blandita como había pensado, mullidita, suave y, además, olía estupendamente. Reposó la cabeza justo a la altura del ombligo y lo lamió.

En ese momento Luka paró su monólogo.

—¿Qué haces…?

—¿Cómo consigues «acoplar» los cristales? —la distrajo él.

—Pues, verás, todo es cuestión de… —Luka siguió explicando a pesar de notar que la cabeza de él estaba tibia sobre su tripa y que le hundía la lengua en el ombligo.

¡Hombres! Si Colmillitos creía que, con unas cuantas caricias la iba a encender, iba listo. Se concentró más todavía en cuadrar cristales, que aunque no lo parezca puede resultar algo verdaderamente adictivo… Ni de coña.

Drácula dejó la lengua quieta y aprovechó para observar las piernas de Luka desde la increíble perspectiva que tenía apoyado en su vientre. Tenía unas piernas larguísimas, con buenos muslos, redonditos y bien formados. Se veía algo de vello en ellos. Sonrío para sí. Luka se depilaba de rodilla para abajo, pero la pelusilla de los muslos estaba intacta. Deliciosa. Era de un color mucho más claro que el castaño de su cabeza, casi transparente, y muy fino, tanto que, si no hubiera estado tumbado como estaba, no lo hubiera visto.

No lo pudo resistir, pasó las yemas de sus dedos por esa pelusilla encantadora. Apenas se notaba. Fascinante. Le recorrió los muslos una y otra vez, excitándose más y más cada vez que la acariciaba y sentía ese suave vello bajo sus dedos.

Ella enmudeció de nuevo, inhaló, y comenzó a hablar con un tono de voz más enérgico.

—Por tanto, si la medida de serie es de 400 x 300 mm lógicamente nos viene mejor las planchas de… —¿Pero qué le había dado a este vampiro con sus muslos? Quizá que tenían algunos pelillos, pero llevaban con ella desde que había nacido y no pensaba depilárselos por mucho que a él le molestara, apenas se notaban. Además la cera dolía horrores.

—¿Y si la serie fuera de 425 x 365? —Drácula se lo estaba pasando de maravilla acariciándola, así que mejor entretenerla con más medidas de esas.

—Pues entonces lo que interesaría; espera que calculo…

—Ajá…

Draculín oía su voz pero no escuchaba las palabras. Estaba totalmente inmerso en el misterio oculto en la unión de sus piernas.

Una nube de rizos castaños cubría su sexo, impidiéndole vislumbrar el clítoris y realmente se moría por verlo. Sí, la había acariciado ahí la noche pasada, pero con la oscuridad reinante en el coche no había podido ver cómo era. No es que le hubiera importado nunca ver el clítoris de sus amantes, pero con Luka la curiosidad y el deseo le estaban matando. De hecho, aún tenía la polla dura como una piedra y enfundada en el preservativo. No se había corrido, verla distraída cuando estaba dentro de ella le había bajado la libido al instante. Y ahora sentía un dolor atroz en los testículos, y una curiosidad indecente por conocer sus «secretos».

Los rizos de su femenino pubis estaban húmedos, sopló sobre ellos. Ella se calló de nuevo, inspiró, y volvió a la carga con las medidas de los cristales.

Desde luego era una mujer muy tozuda.

—Además en nuestra empresa no tenemos máquinas de corte, lo hacemos todo de forma artesanal… —estaba diciendo aferrada a los prolegómenos de su trabajo.

—¿De forma artesanal?

—Sí, ya sabes, artesanal, con las manos. De forma manual.

—Ah.

—Es mejor, y no ensucia el cristal con el aceite de coco porque…

—Manual… Interesante.

Drácula dejó que sus dedos subieran por los muslos de Luka hasta llegar al origen de su curiosidad.

Lo manual estaba bien. Era lo más adecuado para ese preciso momento.

Comenzó a peinar los rizos suavemente, estaban muy mojados. Lentamente los fue separando hasta que descubrió el clítoris; se veía rosado, medio oculto entre los pliegues.

Luka se movió inquieta.

—¿Qué haces?

—Trabajo manual —replicó él muy serio.

—Ah… pues como te decía, si se usan máquinas —continuó ella, empuñando férreamente su explicación… Que el vampiro lo intentara, ya vería lo que era bueno.

Él le apoyó una mano en el muslo, haciendo presión hasta conseguir abrirle un poco las piernas; el movimiento anterior había ocultado lo que estaba tan encaprichado en ver… ¡Sí! Ahí estaba de nuevo, tan pequeño y radiante; aún seguía oculto aunque parecía algo más hinchado. Deslizó un dedo a lo largo de la abertura, separando un poco los pliegues. Sí, definitivamente se estaba tensando por momentos. Sopló sobre él otra vez; ella se movió de nuevo, esta vez separando un poco más las piernas; él rozó el botón lentamente con su índice; era muy suave y estaba muy terso. Continúo acariciándolo, trazando círculos cada vez más pequeños. Los pliegues que guardaban la entrada de su vagina resplandecían. Le llegó un delicioso aroma. La esencia especial de Luka.

¿Qué sabor tendría?

Sin poder resistirse, colocó la cabeza entre los muslos de la joven, que por cierto eran tan esponjosos como pensaba, y comenzó a lamer su clítoris. Dulce. Salado. Embriagador.

Ella cesó al momento su interminable cháchara.

Drácula sonrió.

—¿Y qué pasa si se usa aceite de coco?

—¿Qué? —preguntó ella totalmente sorprendida ¿De qué estaban hablando?

—En las máquinas… ¿Qué pasa si se usa ese aceite?

—Ah, se mancha el cristal… nada importante

—Creía que sí era importante…

—Ah, sí, bueno —¡Demonios! ¿Qué narices le importaba a ese maldito hombre el puñetero aceite de coco?—. Importa, pero da igual.

—No, claro que no da igual; estoy seguro de que has dicho que era importante —replicó él, vengativo. Si quería pensar, él se ocuparía de que lo hiciera.

—Bueno, sí, verás… —Estaba claro que no iba a hacer nada hasta que no le contara el tema del aceite de los cojones—. El aceite de coco…

«Bien. ¿Por dónde íbamos? —pensó Drácula— … Embriagador. Exactamente.»

Volvió a recorrer con sus dedos la vulva hasta que los labios vaginales estuvieron henchidos y el clítoris apareció en toda su majestuosidad. Estaba hinchado, terso, dispuesto. Le propinó lánguidos azotes con la punta de su lengua y, cuando ella comenzó a gemir, apoyó los labios y lo succionó, despacio al principio y más fuerte según aumentaban los jadeos femeninos. ¡Dios! Sabía delicioso. Los dedos recorrieron los pliegues arriba y abajo, una y otra vez, hasta que el índice, juguetón, se coló en la vagina, totalmente empapada. Empujó y lo hizo girar a la vez que la lengua azotaba con fuerza el clítoris.

Ella jadeó casi sin respiración.

«Un momento… ¿Qué pasaba con el aceite de coco?», pensó burlón.

Luka estaba a punto, la lengua de Draculín hacía maravillas, su dedo trabajaba magistralmente el punto G, que por cierto acababa de descubrir que sí existía, y en ese momento, en el momento exacto en que él no tenía que parar, paró.

—¿Y no se puede limpiar el aceite de coco? —preguntó él a la vez que se chupaba el dedo que había estado dentro de ella.

—¿Qué? —«¿De qué coño está hablando este gilipollas?»

—El aceite de coco, ese que ensucia, ¿no se puede limpiar?

—Dios, se la veía muy enfadada, y eso le encantaba.

—Ah, sí, claro… —¿Pero qué mosca le ha picado?

—Y, entonces, ¿cuál es el problema? —preguntó de nuevo para fastidiarla un poquito más.

—¿El problema?

—Sí. Si se puede limpiar, no veo ningún problema.

—El puto problema es que es una mierda limpiarlo. ¿Vale? ¿Alguna cuestión más? ¿Algún puto asunto de vida o muerte? ¿Alguna duda?

—No —dijo él enarcando las cejas, travieso—. Solo pensaba…

—Pues no pienses —le exigió ella agarrándole del pelo para acercarle y besarle salvajemente.

Drácula sonrió, se incorporó, se colocó entre sus piernas, hundió la cabeza en su ingle y se dio un festín. Lamió, succionó, metió un dedo, metió dos y, cuando ella empezó a temblar, la penetró. Como aún tenía el condón puesto no hubo ningún parón.

Luka notó el primer envite y se estremeció, le ciñó la cintura con sus piernas pero él se las agarró y las colocó sobre sus hombros; luego mordisqueó sus pechos a la vez que una mano complaciente se deslizó entre los dos y comenzó a enredarse con su clítoris. Ella arqueó la espalda, clavó los dedos en sus bíceps —muy bien formados, por cierto— y se corrió.

Al sentir el primer apretón de la vagina, Drácula se dejó ir.

La respiración jadeante de ambos se mezcló. Él la abrazó y se tumbó de lado, aún dentro de ella. Se miraron extasiados.

—Y si el aceite de coco se puede limpiar… ¿Qué problema hay? —señaló él muy serio.

Luka soltó una carcajada y le estampó la almohada en la cara.

Drácula no se quedó atrás.

Y así fue como un conserje avispado que no quería encontrar semen en su ascensor se encontró al día siguiente con una habitación llena de relleno de almohada desparramado.

3

*E*ra de madrugada y el sol debía de estar todavía durmiendo porque no se veía ni un solo rayo de luz. Luka estaba en la cama con los ojos abiertos, pensando. De nuevo tenía tres opciones:

Opción A: quedarse en la cama con Draculín hasta que saliera el sol, y luego ya se vería… Y de paso le preguntaría su nombre.

Opción B: levantarse sigilosamente y salir de la habitación sin decir esta boca es mía. Pero entonces seguiría sin saber su nombre. Y quizás Mr. Colmillos se enfadaría.

Opción C: realmente no se le ocurría una opción C.

«Recapitulemos —pensó Luka sin dejar de darle vueltas a la cuestión—: si elijo la opción A me despertaré a su lado, él tendrá un aspecto impresionante y yo le asustaré con mi mal aliento, mi pelo asqueroso y, como el maquillaje ya ni siquiera existe, con mis ojeras portentosas y el rímel corrido. Además me despertaré muerta de hambre y mi estómago rugirá dejándome en una situación vergonzosa. Y, por si fuera poco, tengo un despertar bastante malo, pésimo. Así que el pobre Drácula se despertará al lado del Yeti y toda la magia que hay entre ambos desaparecerá…

»Por otro lado, si elijo la opción B seguro que le sienta mal despertarse y ver que me he ido sin decir ni pío. Se enfadará, pero no me verá las ojeras, ni olerá mi aliento apestoso, ni oirá rugir a mi impaciente estómago. No se llevará una mala impresión de mí y no huirá asustado ante mi mal humor mañanero…

»Y si elijo la opción C… Pero no se me ocurre una opción C.»

Entonces el asunto estaba entre quedarse y horrorizarle o largarse y enfadarle. Difícil elección, aunque…

«Opción C: me largo sin que se dé cuenta, pero le dejo una nota diciéndole que tengo asuntos urgentes que solucionar. ¿Cuáles? Ni idea, ya me los inventaré.»

Así que se levantó sigilosamente, se vistió más o menos, porque partes de su ropa o bien estaban rotas o bien habían desaparecido, y con el lápiz de labios dejó un mensaje en el espejo del cuarto baño. Esto lo había visto hacer en una película y resultaba impactante.

Domingo 2 de noviembre de 2008, 9.30 h

Drácula se despertó, la habitación estaba vacía. Tenía un aspecto horroroso, mal aliento matutino, pelo enredado, le rugía el estómago por el hambre y gozaba de una imponente erección matinal. Bueno, eso exactamente no era horroroso, era interesante. Se levantó extrañado buscando a Luka, pero su vejiga reclamó atención, atención urgente.

Entró distraído en el cuarto de baño y pegó un salto de medio metro hacia atrás, para después tropezar con sus propios pies y caer todo lo largo que era en el suelo, dándose un buen golpe en la cabeza. Se incorporó lentamente apretándose la testa con las manos. Se acercó despacio a la puerta, se asomó muy lentamente por un lateral y miró… Los ojos se le salieron de las órbitas y la boca se le abrió en una mueca espantada que pronto dio paso a un fulminante cabreo.

Allí, en el espejo del cuarto de baño, en letras enormes y deformadas que recordaban poderosamente a las usadas en la película *El resplandor*, de color rojo sangre, torcidas y absolutamente aterradoras, habían dejado un mensaje que a simple vista parecía de ultratumba.

HA SIDO UNA COSA URGENTE. TENGO QUE IRME.

Con el corazón latiéndole acelerado en el pecho entró receloso en el aseo, la adrenalina corría por sus venas. Endemoniada Luka, y nunca mejor dicho, le había pegado un susto de muerte. Se sentó en la taza del retrete y suspiró desconcertado.

—No hay quien entienda a las mujeres. Primero piensa en presupuestos, y luego me deja un mensaje que, más que avisar, aterroriza… Cuando vuelva de Barcelona tendremos unas cuantas palabras —dijo mirando el espejo con los ojos entornados.

Domingo 2 de noviembre de 2008, 19.30 h

De: C3PO
Para: R2D2
Asunto: Ay ay ay.
Ay, Pili, me parece que he metido la pata. Pasé la noche con Drácula y me fui de madrugada sin decir nada; bueno, dejé un mensaje… ¿crees que se habrá enfadado?

De: R2D2
Para: C3PO
Asunto: Re: Ay ay ay.
Uf… muy educada no has sido… Lo lógico es esperar a desayunar para desaparecer. ¿Por qué te fuiste? ¿Dónde dejaste el mensaje?

De: C3PO
Para: R2D2
Asunto: Re: re: Ay ay ay.
Me fui por el mal aliento. El mensaje lo dejé en el espejo del baño.

De: R2D2
Para: C3PO
Asunto: Re: re: re: Ay ay ay.
Joder, ¿¿¿tan mal le olía el aliento??? Mira, esto hay que hablarlo detenidamente. Pásate a tomar un café y hablamos. Estoy sola en casa. Hoy hay fútbol.

Así que Luka cogió su coche y partió en busca de amistad y consejo.

La casa de Pili, alias R2D2, estaba a escasos diez minutos en coche. En la radio sonaba *It´s raining men*, 'llueven hombres'; lástima que, para uno que le había llovido, no lo hubiera sabido manejar muy bien que se diga. En fin, más se perdió en Cuba… o eso decía su abuela.

Aparcó el coche en el único hueco que quedaba vacío en toda la barriada y se encaminó hacia la casa de su amiga. Las deportivas que llevaba pisaban en la acera sin hacer el menor ruido, de hecho ningún sonido perturbaba la quietud esa tarde.

Reinaba un silencio denso, inquietante; no había nadie en la calle y la noche caía cubriendo con su manto de oscuridad el barrio desierto. Luka aceleró un poco el paso, el portal de Pili estaba justo al lado de un bar, en menos de tres minutos habría llegado. No era una persona miedosa, más bien se consideraba cautelosa, pero ese era un barrio familiar, siempre había gente paseando por la acera y no ver a nadie la estaba poniendo de los nervios. De repente oyó un susurro contenido que venía de todas partes y de ninguna.

—Ya estoy cerca —comentó en voz baja para sí. Cualquier cosa con tal de romper el inquietante silencio—, en dos segundos me planto delante del bar. Seguro que dentro hay gente que me protegerá, porque ahora es casi de noche, y por la noche suceden cosas… Hay gente mala, asesinos, ladrones, violadores, hombres lobo… Bueno, estos últimos no; quizá me esté dejando llevar por mi imaginación. —Frunció el ceño, pensativa. ¿Por qué había pensado esa chorrada?—. Los hombres lobo no existen, así que no me pueden atacar. Y si viene un ladrón, seguro que le doy tanta pena que hasta me hace un donativo… Lo peor sería un violador o un asesino. A un violador podría hacerle frente, tengo buenos pulmones para gritar y según el Vinagres doy buenas hostias, pero un asesino… Uf, a ver cómo escapo de eso. Además, ¿por qué narices no hay nadie en la calle?

Dejó de hablar consigo misma, estaba totalmente sumida en sus pensamientos. Pensamientos repletos de hombres lobo asesinos que habían matado a todo el barrio y que la seguían sigilosamente… Que estaban a punto de lanzarse sobre ella y no podría hacer nada; jamás ganaría a esos seres en una carrera. Jadeó.

—Dios, esto es increíble —recapacitó en un momento de madurez—. Que la mente humana pueda pensar semejantes chorradas y, peor aún, que yo sea capaz de asustarme por ellas.

Y aunque sabía que estaba haciendo el idiota más espantoso, empezó a correr.

Solo pretendía llegar hasta el bar y mirar a través de las ventanas. Asegurarse de que la raza humana seguía existiendo. Además, tenía prisa; bueno, quizá no la tuviera, pero nadie lo sabía, ¿no? Si la veían correr pensarían que llegaba tarde a algún lado, no que estaba asustada por los hombres lobo.

—Prometo solemnemente que jamás volveré a ver películas de miedo —afirmó en voz alta.

Y en el preciso momento en que se situó de un salto frente al bar, un rugido atronador rompió el silencio. Un alarido que salió de miles de gargantas a la vez. Tan coordinado, tan enérgico, que a Luka le dio un vuelco el corazón. Fue tal el susto que tropezó, perdiendo el equilibrio, y se estampó contra la puerta cerrada del bar para, a continuación, rebotar y acabar tumbada sobre la acera mientras el aullido seguía sonando sin parar desde todos los puntos del barrio. Era un rugido atronador que repetía una y otra vez la misma palabra.

—¡Goooooooooooooooooooool! ¡Goooooooooooooooooool!

—Joder, joder —repitió en perfecta sincronía, desmoronada en la acera. En ese mismo instante, un hombre salió del bar y se agachó a su lado.

—Luka, ¿estás bien? Vaya golpe que te has dado, ha retumbado todo el bar. ¿Qué mosca te ha picado?

—Hola, Javi; encantada de verte. —Luka asió la mano que le ofrecía para levantarse.

De entre todas las personas desconocidas que podían haber visto su ridícula caída, tenía que ser Javi, el novio de Pili, el que la observara. ¡Se iba a reír a su costa una semana entera!

—¿Estás bien?

—Sí. Gracias, resulta que…

—Ya, ya, Pili está en casa. Oye te dejo, el Madrid acaba de marcar un gol y nos ponemos en cabeza. Eh… ¡Eso es falta! —gritó mirando la pantalla del televisor a través de los cristales—. Te veo luego.

—Chao —se despidió Luka, aunque Javi ya había entrado en el bar, totalmente pendiente del partido—. La madre que le parió al puñetero fútbol. ¡Qué susto me ha dado!

Llegó al portal con un ligero dolor de cabeza, al día siguiente tendría un buen chichón en la frente en el lugar exacto en que se había encontrado con la puerta del bar. Llamó al telefonillo y subió; Pili había dejado la puerta abierta, así que entró sin más. Su amiga estaba en el salón, acabando de hacer una labor en punto de cruz; se le daba de maravilla. Estaba sentada en el sillón, tan delgada que apenas si ocupaba la mitad del asiento; sus manos de dedos largos y finos daban con facilidad diminutas puntadas en la tela. Levantó la mirada y le sonrió mostrando sus labios gruesos, la nariz respingona y el pelo rubio y liso cayendo en cascada por su espalda y resbalando por sus hombros.

Luka se quitó el abrigo y entró en la cocina a servirse un café. Cuando conoces a alguien desde hace un cuarto de siglo no esperas a que te pregunte qué quieres tomar, lo coges directamente. Se puso uno bastante cargado y regresó al salón. Pili esperó hasta que su amiga se sentó. Luego disparó.

—¿Tan mal le huele el aliento? ¿Qué te ha pasado en la frente?

—No. Me he explicado mal. Me refería a que, si me despertaba junto a él, se daría cuenta de las ojeras, el aliento mañanero y todo eso. Sería horrible. Y en la frente, nada, un golpe sin importancia.

—Ah.

Y Luka procedió a contarle todo lo que había pasado.

Su amiga escuchó atentamente, preguntando cuando algo no le quedaba lo suficientemente claro, y cuando acabó la narración se quedaron calladas un instante mientras Pili recapacitaba. Luego emitió su sentencia.

—¿Sabes lo que te pasa? Que llevas tanto tiempo sin salir con un hombre «normal» que no sabes cómo actuar.

—¿Un hombre «normal»? Perdona, bonita, pero siempre he salido con hombres normales.

—No. Has salido con dos hombres, tres si contamos a Drácula. Por cierto, a ver si averiguas su nombre. Y esos dos hombres eran raros hasta decir «basta».

—Qué va, eran de lo más normales; solo tenían sus cosas.

—A ver, el primero de los dos: Emilio *el Zombi*. Incapaz de pronunciar dos palabras seguidas.

—Eso es mentira. Pronunciaba muchas palabras seguidas.

—Sí, pero de diez palabras que pronunciaba solo tenían sentido dos. Por tanto las demás no cuentan. Además no tenía cerebro.

—Sí tenía cerebro.

—Vale, pues tenía cerebro. Lleno de tanta mierda que los pensamientos se quedaban pegados con la cola o se destruían con la coca.

Luka torció los labios recordando. Lo cierto era que el Zombi había sido uno de los grandes errores de su vida. Empezó a salir con él a los diecisiete años y lo dejó tres meses después, pero la experiencia fue tan aterradora que los tres años siguientes se había visto incapaz de salir con ningún hombre y, como las mujeres no le gustaban para eso, pues su vida sentimental se había vuelto inexistente.

El Zombi no era mala persona. Al principio había resultado divertido, un tipo sin cabeza que hacía tonterías, y a Luka le gustaba reírse, así que cuando aquel día en la discoteca él la había besado —su primer beso, a las gorditas no solían besarlas muy a menudo— ella le había correspondido. Lo malo fueron los noventa días siguientes. Al tercer día descubrió que la mitad de las tonterías que él decía provenían de su adicción a la coca y que la otra mitad venían de su apego por esnifar pegamento cuando no tenía coca a mano. Era incapaz de completar una frase de forma coherente y no recordaba jamás que le había prometido no volver a meterse mierda. A los diez días lo mandó a la mierda por primera vez, él lloró un poco, prometió un mucho y volvieron a empezar. Al mes lo dejó por segunda vez, él volvió a llorar otro poco y a prometer otro mucho; Luka ya no esperaba nada, pero se lo seguía pasando bien con el grupo así que siguió adelante. Además, normalmente él estaba tan ido que no había ningún problema con el sexo; directamente no se le levantaba. Aguantó dos meses más, aunque no se puede decir que salieran como pareja. Ella iba con el grupo y, de vez en cuando, el Zombi se acordaba de que tenía novia. A los tres meses él recordó de golpe que tenía novia, también recordó que había un apéndice de su cuerpo al que si se le prestaba atención incluso podía llegar a levantarse y usarse, y se puso pesado para conseguir esa atención. Ese día Luka lo dejó por tercera vez. De su relación obtuvo un odio tremendo hacia cualquier droga, un recelo descomunal hacia los hombres, su virginidad intacta y los nudillos desollados. El Zombi, por su parte, se ganó un ojo morado que jamás recordó cómo se golpeó y, si consiguió algo más, pues lo olvidó a los cinco minutos; al fin y al cabo no tenía muy buena memoria.

—Sí, la verdad es que no fue una buena elección —dijo Luka volviendo al presente.

—Y luego, tras unos cuantos años de secano vas y te lías con el Vinagres. Joder, saliste de la sartén para caer en las brasas.

—Bueno, tampoco fue tan malo.

—No. Fue peor.

Vicente, alias *el Vinagres*. Lo conoció en una discoteca cuando tenía veinte añitos. Era un tío serio, sereno, inteligente y más aburrido que una ostra. Luka empezaba a sentir de nuevo la revolución de las hormonas, y ya era hora. Así que, cuando decidió que necesitaba sexo —«veinte y virgen», parecía el título de una canción—, se dedicó a buscar a su hombre ideal. Eso implicaba que fuera un tío limpio, que no se metiera drogas. Inteligente, que pudiera articular más de mil frases coherentes. Con memoria, que se acordara de que ella existía. Serio y trabajador. En fin, no era pedir mucho, ¿verdad?

Luka llevaba un par de años trabajando con galerías de arte montando exposiciones y no tenía muchas oportunidades de conocer hombres de ese tipo. Sus jefes y compañeros eran del tipo soñador, más inmersos en sus creaciones que en lo que pasaba por el mundo. Gente muy agradable y divertida, pero con ataques de creatividad que les hacían olvidar el resto del mundo, y Luka estaba incluida en ese mundo. Así que, cuando conoció al Vinagres en la discoteca y se cercioró de que cumplía los requisitos, se tiró de cabeza al río. Lástima que antes no hubiera probado cuán profundo era.

El Vinagres resultó ser un tipo soso los días normales y un tipo obsesivo los días anormales. Al principio todo había sido miel sobre hojuelas. Quedaban cuando ella acababa de trabajar, que nunca solía ser a la misma hora porque dependía de cómo se desarrollara el montaje. Salían a tomar unas coca-colas y luego cada uno a su casita. Todos los sábados iban al cine y luego a cenar al *burger* y los domingos, paseo por el parque hasta las diez de la noche, porque al día siguiente el Vinagres madrugaba (ella no, qué va). A los tres meses exactos de comenzar a salir cambió la rutina de los sábados. Hicieron el amor por primera vez. Un beso, cinco minutos de sobeteo, penetración, unas cuantas embestidas, orgasmo (masculino), esperar media hora, sobeteo y otra vez penetración, bombeo durante quince minutos (la segunda vez era más lento), orgasmo (masculino) y a vestirse que había que llegar a casa a una hora prudencial. La primera vez le dolió un poco, pero entre bostezo y bostezo tampoco se enteró demasiado. No es que fuera el polvo de su vida, ni de la de nadie. Pero bueno, tampoco era tan malo. Estaba a gusto con él, no se pasaba de listo y en el cine echaban buenas películas.

A los seis meses de relación, la rutina de los sábados volvió a cambiar. Luka decidió que, mientras él bombeaba, ella podía acariciarse y así fue como, tres meses después de empezar a hacer el amor, llegó al orgasmo por primera vez. Nada del otro mundo, pero, bueno, quince minutos de «comba» daban para bastante en la imaginación. Además, estaba de moda la película de Brad Pitt, *Troya*, y ella la había visto en el cine, así que tenía el cuerpo de Brad muy presente, siempre y cuando tuviera los ojos cerrados.

Al cabo de año y medio, y después de innumerables sábados de sobeteos, penetraciones y bombeos perfectamente cronometrados y, por qué no decirlo, después de muchos Brad Pitt, Eric Bana, Hugh Jackman, Heath Ledger, Orlando Bloom, Vigo Mortensen, un par de Batman y, joder, hasta un Harry Potter —¡Dios!, lo que hace el aburrimiento; hasta con yogurines se lo montaba, de tan desesperada que estaba—, el Vinagres decidió que había llegado el momento idóneo para irse a vivir en pareja. Alquiló un estudio y Luka sin saber bien cómo —imaginaba que estaba tan aburrida que cualquier cosa distinta le pareció en ese momento una aventura— se encontró viviendo en pareja. Tenía veintidós años y el aburrimiento de una ameba.

El primer año de convivencia no fue malo, solo aburrido. En el segundo año el Vinagres empezó a ser todavía más avinagrado. Ya no solo cronometraba los polvos, sino que cronometraba cada segundo del día. A las dos comida, a las cinco merienda, a las diez cena, a las once en la cama. Si era viernes, película en la tele hasta las doce y luego cama y, si era sábado, pues un polvo de doce a doce y cuarto y luego a dormir. Ya ni siquiera echaban el segundo.

Luka dejo sus montajes de exposiciones porque el Vinagres se enfurecía cuando ella no era puntual, y montando jamás se puede ser puntual. Estuvo un tiempo en paro y fue a peor, porque entonces debía tener la casa perfectamente simétrica. Los paños de cocina tenían que ser del mismo color que la encimera, las toallas del baño del mismo color que los toalleros, las sábanas solo blancas, la ropa de diario solo vaqueros y camisa; si era algo más elaborado levantaba sospechas en el Vinagres y tenía que someterse a su interrogatorio. Los fines de semana únicamente eran admitidos camisones y estaba prohibido salir a la calle a no ser que fuera primero de mes y tocara cine. Por supuesto la casa debía estar impoluta a cualquier hora del día, si no trabajaba fuera entonces debía trabajar dentro. Los lunes filetes de pollo, los martes lentejas, los miércoles filetes de ternera, los jueves puré de verdura, los viernes garbanzos. Los sábados y domingos el Vinagres traía comida de fuera; el sábado del chino, el domingo del turco. Y jamás había variación. A no ser que Luka quisiera bronca.

Lo único en lo que Luka jamás cedió fue en su tarde de los viernes con Pili.

A los veinticuatro años estaba hasta las narices, encontró trabajo en una cristalería y esperó a que con ello el Vinagres se diera cuenta de que volvía a ser productiva —según los cánones del Vinagres, porque sinceramente curraba más una mujer en casa que fuera—. Pero el Vinagres se había acostumbrado a la buena vida y exigía que todo siguiera como hasta entonces. Eso sí, Luka debía trabajar también fuera de casa; no iba a ser solo él quien se matara a trabajar. Bueno, a trabajar fuera, porque en casa no hacía nada de nada.

Los gritos, las broncas, el tirar las sillas al suelo, golpear muebles y empujones varios empezaron a estar a la orden de día. Luka chillaba como la que más y, si había que empujar, empujaba. Podía aburrirse, podía pasar sin orgasmos, pero en una discusión desde luego jamás se dejaba pisar. Estaba harta.

Una soleada tarde de viernes, de esas tardes veraniegas en las que parece que el tiempo no corre, a Luka se le pasó la hora de volver a casa. Estaba sentada en una cafetería charlando con Pili cuando sonó el móvil. Al ir a cogerlo vio la hora, las diez de la noche; debería haber estado en casa a las nueve, miró a Pili asustada sin atreverse a coger el teléfono, era el número del Vinagres. Si contestaba empezarían los gritos y los insultos y ya no tenía ganas de responder con más violencia. Por una vez tenía miedo de esa violencia. Dejó sonar el teléfono hasta que este se calló. Luego miró a su amiga.

—Me he asustado al ver quién llamaba.

—El Vinagres es un mierda, no te conviene nada.

El teléfono volvió a sonar, era él de nuevo. Luka miró fijamente el odiado aparato y tomó una decisión; jamás le había puesto una mano encima, aparte de empujones que ella devolvía religiosamente, pero hasta ahí habían llegado. No estaba dispuesta a asustarse cada vez que sonara el móvil, temiendo llegar tarde y provocar una bronca. Así que dejó sonar el aparato durante toda la noche y no regresó a casa hasta la mañana siguiente. Él estaba hecho una verdadera furia, pero a Luka le dio lo mismo; sacó su maleta, recogió su ropa y se marchó. Puede que el Vinagres hubiera intentado convencerla por las buenas o por las malas, pero no era tonto y Luka era muy lista.

Esa mañana cuando fue a la casa a por sus cosas, no fue sola. Javi, el novio de Pili, y Pepe, su hermano pequeño, la acompañaban para ayudarla a cargar con todo. Nada más. El Vinagres medía un metro setenta, estaba flaco como un palillo y el trabajo más pesado que realizaba se limitaba a abrir ordenadores. Javi era un tiarrón enorme de casi dos metros de altura, con los hombros tan anchos como largo era, trabajaba de albañil y estaba dotado con bastantes músculos. Pepe, por su parte, se quedaba en el uno noventa y entrenaba para jugar al fútbol tres veces a la semana, de tal forma que los músculos se le marcaban bajo la camisa al moverse.

El Vinagres sería aburrido, malicioso y algo violento pero no era idiota y sabía cuándo tenía las de perder en una pelea. De hecho tenía las de perder en cualquier pelea en que se mezclaran hombres. Y así fue como terminó su última historia de ¿amor?

Y ahí estaba ahora, cuatro años de sequía amatoria después. Sentada en casa de su mejor amiga y hablando de un tipo al que había conocido dos días antes y con el que ya se había acostado dos veces. ¡Qué cambio!

—Pues entonces, creo que está claro lo que ha pasado. No tienes costumbre de estar con nadie y has perdido el norte —afirmó Pili continuando con la conversación.

—¿He perdido el norte?

—Sí, ya no estás en la onda, no tienes la información ni la pericia necesarias para soslayar esos pequeños problemas cotidianos que se dan al pasar la noche con alguien.

—Joder, Pili, habla en cristiano.

—Hay ciertos trucos —dijo Pili susurrando, dando énfasis a un secreto que todo el mundo femenino conocía menos Luka.

—Y tú, que llevas diez años saliendo con el mismo tipo, que de hecho vives con el mismo hombre desde hace cinco, ¿sabes perfectamente cuáles son esos trucos?

—Pues sí —contestó Pili orgullosa.

—¿Y cómo lo sabes si siempre duermes con Javi? ¿Eh?

—Lo sé. Leo mucho.

—Ya. ¿Y eso qué tiene que ver? Hablamos de despertar no de leer y en las novelas románticas —Pili también era una aficionada a ellas, igual que Luka— jamás se menciona el mal aliento matutino.

—En las novelas no, pero en el *Cosmopolitan* sí —afirmó su amiga, triunfante.

—¿En el *Cosmo*? No jorobes tía, eso no hay quien lo lea.

—¿Ah, sí? Pues, mira tú por dónde, según el *Cosmopolitan* hay varias reglas imprescindibles en una relación eventual.

—¿Relación eventual? Yo no tengo una relación.

—Bueno, pues entonces digamos que hay normas para los polvos eventuales.

—Vale.

—La primera norma, los artículos a llevar en el bolso: un cepillo de dientes para el mal aliento mañanero, un bolsito de maquillaje para el tema ojeras, un cepillo para el pelo, una caja de condones —aquí Pili enarcó varias veces las cejas— y unas galletitas por si surge hambre. Yo creo que llevando esas cosas estarás prevenida para cualquier eventualidad que pudiera surgir.

—Pues, mira tú por dónde, y en contra de todo pronóstico viniendo de esa revista, me parece una idea estupenda.

—¡A que sí! Mañana sin falta tienes que pillarlo todo. Por si acaso —dijo enarcando más las cejas.

—Buf, eso será si se acuerda de mí.

—Tienes que pensar en positivo. Ahora que has empezado no puedes parar. Mira, llevas cuatro años de sequía. Draculín ha sido como un chaparrón. Si ahora no llama no pasa nada, buscamos una buena tormenta en otro lado y listo.

—¿Una buena tormenta?

—Sí. Ay, hija, hay que explicártelo todo. Si Drácula no llama, pues te buscas a Batman. Y listo. Lo que no puedes es volver a la sequía, ¿no? No me digas que no te lo has pasado bien.

—Sí, la verdad es que me lo he pasado genial.

—¿Y quieres volver otra vez a los deditos y los penes artificiales? —preguntó Pili con mirada inquisitoria.

—Joder, tía, mira que eres gráfica.

—Gráfica no, práctica. Llevas años sin catarlo, ahora te has lanzado y te lo has pasado bien, ¿no? Pues si este tío no te escribe te buscas otro. No hace falta que sea hoy ni mañana, pero, si surge algo, no lo espantes.

—Mmm. Vale. Y hablando de otra cosa, ¿te ves capaz de echarme unas mechas si me compro los productos?

—Claro, no parece tan difícil.

—Pues entonces, creo que voy a darme un cambio de imagen.

—Genial. ¿Cuándo?

—El viernes que viene. Mañana compraré los potingues en el polígono.

Cuando Javi regresó, lo hizo con una sonrisa de oreja a oreja; el Madrid había ganado. Pidieron unas *pizzas* y Javi comentó el partido enfrentándose como un jabato a la indiferencia futbolera de las chicas. Pero cuando le tocó el turno al chichón de Luka junto con la explicación de esta, las risas llenaron la casa.

Domingo 2 de noviembre de 2008, 23.30 h
Barajas, T4

Drácula esperaba su avión, en media hora estaría de camino a Barcelona. Había encontrado una nave industrial en el polígono Ventorro del Cano que se adecuaba a las necesidades de su empresa. Con la crisis habían bajado los precios y este polígono estaba bien situado, tenía buenos accesos a las carreteras principales y estaba cerca de Madrid, pero no tan cerca como para que el precio de compra fuera abusivo.

Vivía en Barcelona desde que nació hacía ya treinta años. Trabajaba en la empresa familiar y ahora que habían pensado ampliar el negocio en Madrid les hacía falta una nave en la capital. Y allí estaba él, buscando una buena inversión.

Sonó el aviso de embarque para su vuelo, cogió su equipaje de mano y sonrió. En una semana estaría de regreso, compraría la nave y comenzaría a buscar un piso para trasladarse y poder dirigir la sucursal. El piso, por supuesto, estaría ubicado en Alcorcón, cerca del trabajo y a ser posible en los alrededores del portal de Luka. No era cuestión de desaprovechar la información ganada espiando al taxista. Mientras tanto, viviría en el hotel que había descubierto en Parque Oeste. Le traía buenos recuerdos.

Colocó su equipaje y se sentó, se abrochó el cinturón y esperó agarrándose a los brazos del asiento con manos en forma de garras. No le daba miedo volar, le impresionaba el despegar. Jamás podría comprender cómo era posible que un cacharro tan pesado pudiera alejarse del suelo y surcar los aires.

El avión dio un par de tumbos y se elevó, Drácula respiró de nuevo, pidió un periódico a la azafata e intentó leer, pero las letras escapaban a su compresión; estaba demasiado distraído. Guardó el periódico, se recostó en el asiento y, cerrando los ojos, rememoró el fin de semana. Había sido perfecto; bueno, casi perfecto. Lástima que ella hubiera desaparecido dejando ese mensaje. Preparó mentalmente la planificación de la semana. Hablaría con sus padres, les convencería de que había encontrado el sitio ideal, prepararía todo y regresaría. Una semana como mucho. No más. Y mientras tanto, Internet era una buena forma de contacto.

4

Lunes 3 de noviembre de 2008, 9.05 h

*L*a llave no entraba, siempre pasaba lo mismo cuando llegaba cinco minutos tarde. La puñetera llave siempre se atoraba, se negaba a abrir la puerta y, cuando eso sucedía, inevitablemente desde dentro de la nave se oía sonar el teléfono una y otra vez. «¡Mierda!» Si hubiera llegado diez minutos antes hubiera entrado sin problemas y el teléfono no sonaría hasta las nueve y media. Pero si llegaba tarde, entonces todo lo que podía ir mal iba mal.

Cuando por fin logró abrir la puerta, el teléfono había sonado tres veces y, por supuesto, en ese momento estaba en silencio.

«¡Maldita ley de Murphy!»

Atravesó corriendo los cincuenta metros que separaban la puerta de la nave de la de su oficina, esquivó un par de mesas de corte, dos contenedores de vidrio, una estufa de butano, las estanterías de cristal y, haciendo una mueca de asco, saltó por encima de las treinta cucarachas que se habían colado por el sumidero ubicado en mitad de la estancia, pensando que allí encontrarían el paraíso, sin tener en cuenta que alrededor del desagüe habían vaciado una botella entera de cucal.

Cuando por fin llegó a la oficina, el teléfono empezó a sonar de nuevo. Soltó el bolso en el suelo y se lanzó a la mesa como si fuera Casillas haciendo un paradón.

—Cristal Express, buenos días. —Había que joderse con el nombrecito del negocio, en vez de cristalería parecía de limpiador.

—¡Dónde estabas! Llevo llamando media hora.

—La llave decidió no entrar en la cerradura. —Tenía que ser el jefe, «¡qué suerte la mía!»

—¡Excusas! Eso solo te pasa a ti.

—Lo siento.

«¡No son excusas, es tacañería! Arregla la puerta de una vez y no se atascará la llave, no te fastidia», pensó con rabia.

—Pues no lo sientas, es importantísimo que estés en tu puesto de trabajo a la hora exacta, cualquier cliente puede llamar. ¿Qué van a pensar si no hay nadie para contestar?

—De verdad que lo siento muchísimo. —«Claro, culpa a la secretaria cuando tú jamás llegas a tu hora», pensó Luka, cuidándose muy mucho de decirlo.

—¿Está acabado el presupuesto para Calcografía?

—No, el viernes volvieron a cambiar las medidas.

—¿Qué más da? Sabes que eso es prioritario. Ponte a ello ahora mismo. En mis tiempos si había que trabajar en fin de semana se trabajaba. Lo quiero para dentro de media hora.

—Sin problemas. —«Total, no vas a venir hasta mediodía; no hay prisa, que ya nos conocemos», se dijo con sorna—. Lo tendrás en media hora.

—Más te vale.

Luka frunció el ceño al escuchar la brusca despedida. Por el tono de voz de su jefe, estaba claro que no había tenido suerte con las carreras del día anterior. ¿Por qué siempre le tocaba a ella pagar los platos/caballos rotos/lentos?

Encendió el ordenador y, mientras este terminaba de arrancar, sacó los presupuestos pendientes, las facturas por cobrar, las órdenes de pagos… ¡Menudo montón de papeles! Esperó a que se cargara el administrador de correos y, cuando lo hizo, revisó los correos. Calcografía había vuelto a cambiar de medidas el domingo; menos mal que no había hecho el presupuesto en casa, hubiera sido perder el tiempo.

Se abrió la puerta, entró Gabriel, el hijo del jefe. Esperaba que a él le hubiera ido mejor que al padre durante el fin de semana.

—Luka, he llamado a las nueve y no estabas, ¿qué coño ha pasado? —gritó desde la puerta.

No. Decididamente no le había ido mejor que al padre.

—La llave no entraba en la cerradura… —Bla bla bla.

—No me cuentes rollos. Si no llegas a tu hora, te quedas más tarde para recuperar.

—Sí, Gabriel. —«Todos los días me quedo más tiempo, no fastidies.»

—Y a ver si adelgazas un poco que ya no cabes en la silla, joder; vaya mala impresión que se llevan los clientes al verte, te he dicho mil veces que la imagen vende.

—Sí, Gabriel —contestó Luka mientras hacía como que miraba los correos. ¡Su puta madre! Que le dijera eso un tío que gastaba una talla 60 y llevaba un peluquín…

—Y en el servicio se ven chorretones de mierda, límpialo.

—En cuanto acabe los presupuestos. —«Si no fueras tan guarro no habría chorretones.»

—Déjala en paz, Gab; si no has follado no es por su culpa. Hola, preciosa; me encanta tu conjunto —la defendió el otro hijo del jefe, Daniel, entrando en la oficina.

—Hola, Dani; ¿qué tal el fin de semana? —le preguntó Luka sonriendo; adoraba a Dani. Era un tipo excepcional y uno de sus mejores amigos, por no decir el mejor.

—Perfecto, conocí a un yogurín que entendía —afirmó enarcando las cejas.

—Dani, no empieces con eso. Me voy a tomar café, paso de vosotros. —Gabriel salió de la oficina de mal humor.

Había batido su récord, entrar a trabajar a las nueve y cuarto y salir a las nueve y veinticinco, quién fuera hijo del jefe.

—¿Y qué tal con el yogurín?

—Divino de la muerte, creo que me he enamorado.

—Sí, como todos los fines de semana.

—Ay, preciosa, tú aún eres muy joven y buscas el amor eterno pero yo estoy más resabiado y prefiero enamorarme todos los días echando un buen polvo que enamorarme para siempre y despertarme cada mañana del resto de mi vida mirando la misma cara. —Hizo una mueca de asco—. ¡Qué horror!

Luka no pudo evitar reírse. Dani era la bomba, divertido, encantador, cariñoso y homosexual. Lástima, hubiera sido su hombre ideal. Comentaron un poco el fin de semana entrando en algunos detalles con cierto vampiro y, cuando él vio que no podía sonsacarle nada más, la dejó hacer su trabajo. Poco después entró el último de los trabajadores; todos habían llegado tarde, pero ninguno recibió bronca. A veces odiaba ser mujer en una empresa de hombres.

A mediodía tenia listo el maldito presupuesto. Una hora más tarde habían vuelto a cambiar las medidas.

A las siete en punto de la tarde, harta de rehacer el mismo presupuesto una y otra vez, recogió sus cosas, apagó el ordenador y cogió el bolso.

—¿Adónde te crees que vas? —la reprendió irritado Gabriel, sacudiendo la cabeza y haciendo bailar el peluquín sobre su frente.

—Son las siete, mi turno ha terminado.

—Esta mañana has llegado tarde, te toca quedarte.

—Gabi, Gabi, no seas malvado. Es su hora de irse y se va —refutó Daniel colocándole a Luka un mechón de pelo tras la oreja.

—Tú te callas, mariposón —replicó el del peluquín con desdén.

—Huy lo que me ha llamado… —Dani sonrió burlón, pero sus ojos mostraron claramente que la pulla le había dolido.

—Que te den. Luka, tú a tu puesto, que tienes que recuperar.

—Mira, Gabriel —empezó Luka, dispuesta a poner los puntos sobre las íes al imbécil de su jefe. ¡Nadie hería a Dani en su presencia y seguía vivo para contarlo!

—No, no, cariño, tranquila, cielo, que yo se lo explico a mi queridísimo hermano. —Dani pasó el brazo sobre los hombros de Gabriel para molestarle—. A las dos en punto acaba el turno de Luka, pero, justo un poco antes, Calcografía ha vuelto a dar por culo y se ha tenido que quedar trabajando durante su tiempo libre para almorzar. De hecho ha comido un bocadillo que yo personalmente le he traído. Por tanto, si ella te debe quince minutos por llegar tarde, tú le debes sus dos horas de descanso. Ah, y a mí me debes cinco euros del bocadillo y la coca-cola, ya que el convenio interno especifica que, si el trabajador desempeña su tarea en sus horas de comida, el empresario debe pagarle media dieta. Seguro que no te habías dado cuenta, ¿verdad? —continuó a la vez que le daba un leve pellizco en la mejilla a Gabriel—. Pero no pasa nada. Luka acepta tus disculpas. Luka, cielo, vete tranquila que ya te apunto yo tus horas extras. Y —esto lo dijo susurrando al oído de Luka—, si te escribe cierto vampiro, quiero saberlo todo, absolutamente todo. Chao, cielo —la despidió con un beso en la mejilla.

Al salir del trabajo Luka se dirigió a Rubio, la tienda de venta al por mayor de productos para peluquería, con una sonrisa en la boca y dos horas extras apuntadas en nómina. Esperaba que se las respetaran, aunque lo más probable es que desaparecieran de su ficha por arte de magia.

—A ver si me aclaro —le dijo a la vendedora con un tremendo lío en la cabeza—, mezclo medio bote de agua oxigenada veinte volúmenes con un sobre entero de estos polvos y muevo bien. Me lo pongo en el pelo, en los mechones, los envuelvo en papel plata y luego espero veinte minutos y miro a ver si ya están del color que quiero. Eso para las mechas rubias. Si las quiero rojas, mezclo medio tubo de tinte con medio bote de agua oxigenada de treinta volúmenes, me pinto todo el pelo y lo dejo puesto como media hora.

—Exacto —suspiró la vendedora, que estaba hasta las mismísimas narices de explicarle lo mismo durante los últimos treinta minutos.

—Ahora la cuestión es saber si las quiero rubias o rojas. Pues como no lo sé, me llevo las dos cosas y ya veré lo que decido.

—Perfecto. Recuerda bien las mezclas de agua oxigenada. Ten en cuenta que es distinto para tinte que para mechas, y no olvides los tiempos. ¿Quieres que te lo apunte?

—No, no hace falta —rechazó Luka pensando que se acordaría; no era tan complicado, ¿no?

Lunes, 2 de noviembre de 2008, 23.30 h

De: C3PO
Para: R2D2; Pasodestarwars
Asunto: Sin noticias de Drácula.
No ha llegado nada… ¿Qué hago? ¿¿Le escribo yo??
1 besote, Luka.

De: R2D2
Para: C3PO; Pasodestarwars
Asunto: Re: Sin noticias de Drácula.

No sé, espera un poco, lo mismo escribe mañana.
Besitos, Pili.

De: Pasodestarwars
Para: R2D2; C3PO
Asunto: Re: Sin noticias de Drácula.
Puedes esperar, pero tampoco pasa nada si le escribes tú. Por cierto, Luka, has hecho un plagio descarado de Eduardo Mendoza y *Sin noticias de Gurb*.
Un abrazo, Ruth.

Martes, 3 noviembre 2008, 23.30 h

De: C3PO
Para: R2D2; Pasodestarwars
Asunto: El misterio del vampiro embrujado.
Sin noticias de Drácula.
¿Escribirá o no escribirá? Y si no escribe… ¿escribiré yo o no escribiré? Esa es la cuestión…
1 besote, Luka.

De: R2D2
Para: C3PO; Pasodestarwars
Asunto: Re: El misterio del vampiro embrujado.
No escribas, que va a parecer que estás desesperada. Ya sabes lo que hablamos; si escribe él, quedáis y, si no, te buscas otro.
Besitos, Pili.

De: Pasodestarwars
Para: R2D2; C3PO
Asunto: Re: El misterio del vampiro embrujado.
Sigues plagiando a Eduardo Mendoza… Y por favor, no uses el nombre de Shakespeare en vano, es peor que una herejía.
Un saludo, Ruth.
P. S.: Tampoco pasa nada malo porque le escribas tú, estamos en pleno siglo XXI. No por eso vas a parecer desesperada.

De: C3PO
Para: R2D2; Pasodestarwars

Asunto: Re: El misterio del vampiro embrujado.
Chicas, poneos de acuerdo: escribo o no escribo. Ains, no sé qué hacer...
1 besote dudoso, Luka.

De: R2D2
Para: C3PO; Pasodestarwars
Asunto: Re: re: El misterio del vampiro embrujado.
NO LE ESCRIBAS.

De: Pasodestarwars
Para: R2D2; C3PO
Asunto: Re: re: El misterio del vampiro embrujado.
ESCRÍBELE.

Miércoles 4 de noviembre de 2008, 23.30 h

De: C3PO
Para: R2D2; Pasodestarwars
Asunto: Drácula y las elecciones primarias.
Sin noticias de Drácula... tres días... tres...
Chicas, lo he meditado, lo he pensado y repensado y... he hecho mi elección.
«El destino es el que baraja las cartas, pero nosotros somos los que jugamos.»
Si mañana no escribe, escribiré yo.
1 besote decidido, Luka.

De: R2D2
Para: C3PO; Pasodestarwars
Asunto: Re: Drácula y las elecciones primarias.
Tú misma. Tampoco es mala opción...
Besitos indecisos, Pili.
P. S.: Ruth, si la caga es culpa tuya y de tu consejo.

De: Pasodestarwars
Para: R2D2; C3PO
Asunto: Re: Drácula y las elecciones primarias.
Bien pensado. Pero no te eches atrás mañana, ¿eh?, que te lo pienso recordar.

Por cierto, te ha dado fuerte con Mendoza.

Te perdono por usar la cita de Shakespeare, al menos no la has modificado... puf.

P. S.: Pili, aquí la única que da malos consejos eres tú, que estás aposentada en el siglo pasado. Luka no va a pifiarla.

Un abrazo, Ruth.

Jueves 5 de noviembre, 22.30 h

De: C3PO
Para: R2D2; Pasodestarwars
Asunto: La verdad sobre el caso Drácula.
No ha escrito.
Espero hasta las once en punto y escribo... Aaaay...
Un besote aturrullado, Luka.

De: Pasodestarwars
Para: R2D2; C3PO
Asunto: Re: La verdad sobre el caso Drácula.
¡Escribe ya!
Un abrazo animoso, Ruth.

De: C3PO
Para: R2D2; Pasodestarwars
Asunto: El último trayecto de Luka Dos.
Mmmm... Son en punto... Espero hasta y cuarto.

De: R2D2
Para: C3PO; Pasodestarwars
Asunto: Re: El último trayecto de Luka Dos.
Al final te rajas... jijiji...

Jueves 5 de noviembre de 2008, 23.14 h

De: Drácula6969
Para: C3PO
Asunto: ¿Nos vemos?
Hola, Luka, he estado fuera toda la semana, pero mañana regreso a Madrid. ¿Nos vemos?

Tu vampiro favorito, Drácula.

De: C3PO
Para: Drácula6969
Asunto: Ok.
Vale, no tengo nada planeado. ¿Qué tienes pensado?

De: Drácula6969
Para: C3PO
Asunto: Cena, baile y sexo.
Cenar en un italiano, bailar en alguna discoteca y luego noche en el hotel.
¿Nos vemos a las 20.00 en el Víctor Ullate?

De: C3PO
Para: Drácula6969
Asunto: Mejor a las 20.30.
Acepto cena y baile. La noche en el hotel depende…
Nos vemos.

De: C3PO
Para: R2D2; Pasodestarwars
Asunto: MUCHO RUIDO Y POCAS NUECES.
¡¡¡Sí!!! ¡¡¡HA ESCRITOOOO!!!
Pili, el viernes voy a tu casa a comer y me haces las mechas. Hemos quedado para cenar, bailar y sexoooooooooooooo… ¡Quiero estar guapa!

De: R2D2
Para: C3PO; Pasodestarwars
Asunto: Re: MUCHO RUIDO Y POCAS NUECES.
Ponte en mis manos y quedarás cual princesa de cuento.

De: Pasodestarwars
Para: R2D2; C3PO
Asunto: Ay, dios…
Sin comentarios…

Viernes 6 de noviembre de 2008, 16.25 h

La comida fue deliciosa, guisantes con jamón y chorizo de primero y pechuguitas de pollo empanado con ajo y perejil de segundo. De postre una tartita del Mercadona y un café bien cargado. El ágape en casa de Pili además estuvo amenizado con risas y charlas basadas en cierto vampiro cuyo nombre no conocían, en lo que iba a suceder, en lo que debería suceder y en lo que no debía suceder… Un tema apasionante que dio para más de dos horas de conversación.

Entre las dos habían ideado unas mil posturas distintas para hacer el amor, algunas tan complicadas que serían imposibles de realizar sin al menos un par de vértebras más en la columna. También habían comentado largo y tendido los artículos imprescindibles para la mañana después. De hecho, eran tantos que no cabían en el bolso de Luka y Pili tuvo que prestarle uno. Luego pasaron al tema mechas: ¿rubias o caobas? Al final y, tras media hora de debate, decidieron que mejor rubias para suavizar y dar dulzura a las facciones —Pili últimamente estaba leyendo mucho el *Cosmo*— y, en vez de incontables mechas finas, mejor unas pocas muy gruesas y estratégicamente colocadas.

Así que ahí estaba Luka, sentada en el taburete del cuarto de baño, vestida con un chándal viejo de Javi —no era cuestión de que se estropeara su ropa si sucedía algún accidente—, una toalla vieja sobre los hombros y el pelo separado en mechones con pinzas de color rosa fosforito.

—A ver, hacemos una grande que ocupe todo el flequillo para enmarcarte la cara y luego otras pocas, así como quien no quiere la cosa —estructuró Pili, muy segura de sí misma.

—Y que queden bien rubitas.

—Ok. ¿Cómo dices que se mezclaba esto?

—Mmm —Luka se mordió el labio—. ¿Cómo demonios me dijo la chica de la tienda? Ya sé. Mezclas todos los polvos con el agua oxigenada de treinta, lo untas en el pelo, pones el papel de plata y lo dejamos media hora.

—Vale.

Tras mezclar y remezclar, Pili empapeló el pelo de Luka hasta que pareció salida de una película de extraterrestres cutres y esperaron.

Diez minutos….

—Parece que se está aclarando.

Veinte minutos….

—Oye, esto está quedando bastante rubio….

Veinticinco minutos…

—Míralo, yo creo que ya está…

—¿Parece bastante rubio, verdad?

—Yo diría que sí. ¿Lo quitamos?

—Vale.

Tras ducharse y lavarse la cabeza empezaron a asomar mechones de color naranjita mezclado con rubio pollo. Mechones tan gruesos que parecía que se había pintado el pelo con una brocha de pintor…

—Mmm… Algo ha fallado…

—Sí, eso parece, pero quizá cuando se seque queda… mejor.

—Intentémoslo.

Pili procedió a secar, alisar y, porqué no decirlo, a rezar. Ese desastre no lo arreglaban ni yendo a Lourdes a pedir un milagrito.

—Pues no está mal del todo.

—Podría ser peor.

—¿Cómo?

—No lo sé.

Eran las siete de la tarde, faltaba una hora para su cita con Drácula y parecía la hija desquiciada de Chucky, el muñeco diabólico. ¡Joder!

Pili miró a Luka y Luka miró a Pili.

—No da tiempo a ir a una peluquería, ¿verdad? —preguntó Luka desviando la mirada del espejo. No quería verse, ¡se daba miedo a sí misma!

—Me temo que no…

—Ay dios… Y si le escribes y le dices que he sufrido un accidente de tráfico y estoy a las puertas de la muerte —propuso Luka desesperada.

—No dramatices. Todo tiene solución en esta vida.

—¿Me has visto el pelo?

—Sí… Seguro que algo se nos ocurre…

—¿Como qué?

—Te lo puedo cortar…

—¡No! —gritó Luka dando un salto y haciendo la señal de la

cruz frente a su amiga—. No te ofendas, pero creo que con este experimento ya tengo suficiente. Mañana iré a la pelu a recuperar mi color. Si me lo cortas, eres capaz de dejarme calva. Quita, quita.

—Ya sé —Pili frunció el ceño, pensativa—, podemos ponerte un turbante.

—¿Un turbante? ¿Para qué?

—Es muy chic, la última moda. Y además con el turbante no se te verá el pelo. Lo único negativo es que esta noche tendrás que estar a régimen. —Pili formó un círculo con los dedos índice y pulgar y metió el índice de la otra mano dentro de él—. No te puedes arriesgar a ir a la cama y que te quite el turbante, te vería el… pelo.

—Mmm… no hay problema, veamos el turbante.

Y dicho y hecho, se pusieron manos a la obra. Con un pañuelo grande crearon un turbante y, bueno, podría haber quedado peor. Una vez encontrada la solución para el pelo, pasaron al siguiente problema. La ropa que Luka se había puesto para la cita no pegaba ni con cola con el turbante: un vestido negro, ajustado, la verdad es que no combinaba con un turbante hecho con un fular *hippie*…

—Podrías ponerte unos vaqueros —murmuró Pili poco convencida.

—La única ropa que tengo aquí es este vestido. Quizá si salgo corriendo y voy a casa…

—No llegarías ni de coña. Son las ocho, tienes media hora para vestirte y llegar al Víctor Ullate, y solo en llegar a tu casa tardas mínimo veinte minutos…

—Ay, ¿qué hago?

—Ponte unos vaqueros míos.

—¡Tuyos! ¡Gastas dos tallas menos que yo! Imposible.

—Tengo unos que me quedan un poco grandes, quizá esos te vayan bien.

—Probemos.

Los vaqueros iban a la perfección con el turbante hippie, lo malo era que para metérselos había tenido que dejar de respirar. Le quedaban tan ajustados que parecían elásticos, pero no lo eran; no podía doblar las rodillas ni mucho menos respirar; de hecho, no había sido capaz de abrocharse el jodido botón de las narices.

—No hay manera, tía; no se abrocha, le falta como poco dos centímetros…

—Mmm… ya sé qué haremos. Con hilo grueso de punto de cruz atamos un nudo entre el botón y el ojal, y listo.

—Dios, eso es supercutre.

—Sí, pero funcionará —afirmó Pili atándole el hilo.

—Pero si tengo que ir al servicio…

—No pasa nada, te meto unas tijeras e hilo en el bolso, así solo tienes que cortarlo y volver a hacer el nudo y ya está.

—Pero se ve…. Y queda horrible… —aseveró señalando el hilo y de paso la tripita que sobresalía cohibida sobre la cinturilla de los pantalones.

—Mmm… Podemos ponerte una camisa por encima…

—No tengo camisas aquí y ni de coña se te ocurra pensar que una tuya me vale, se me escaparían las tetas en cuanto respirara.

—Pues te pones una de Javi.

—¡De Javi! Si mide dos metros de hombro a hombro.

—Claro, así das un estilo *grunge* al conjunto. Te remangas la camisa hasta los codos y te la atas por debajo de la cintura —dijo Pili dando vueltas alrededor de Luka, cavilando.

—Voy a pasar un frío de muerte y además estaré ridícula…

—Qué no, mujer, tú tranquila.

—En fin. De cobardes está lleno el mundo.

Y con un turbante en la cabeza, una camisa ocho tallas más grandes y unos pantalones dos tallas más pequeños, Luka salió a la calle, dispuesta a enfrentarse al mundo. Si Charles Chaplin lo había logrado, ella no iba a ser menos.

Y recordó aquellas palabras de Chaplin:

La vida es una obra de teatro que no permite ensayos…
Por eso, canta, ríe, baila, llora
y vive intensamente cada momento de tu vida…
… antes que el telón baje
y la obra termine sin aplausos.

5

Viernes 7 de noviembre de 2008, 20.47 h

*L*legaba tarde.

Pasaban casi veinte minutos de la hora en que Luka debería haber estado allí y no estaba. Se estaba retrasando mucho… O lo mismo ni siquiera se iba a molestar en aparecer.

Drácula paseaba tranquilamente mientras observaba sin ver la fachada del centro cívico con aspecto indiferente (o eso creía él). Miraba el reloj cada cierto tiempo (cada tres minutos exactamente), no por nada, solo para saber la hora, porque, de todos modos, saber en qué hora vivía era algo importante. ¿O no?

Frunció un poco el ceño, paró su andar tranquilo (más bien inquieto), y buscó un lugar que le permitiera vigilar todo su entorno sin tener que girar la cabeza; al fin y al cabo no era necesario que la gente se diese cuenta de que observaba cada entrada con ánimo depredador. Encontró el lugar idóneo cerca de una farola. Tenía todo el horizonte diáfano para acechar a su antojo. Se apoyó en ella y se dispuso a esperar diez minutos más. Como mucho. Sin dudarlo. Miró su reloj; eso significaba que a las nueve en punto, ni un segundo más, se marcharía. No era cuestión de estar esperando a que de los sauces caigan las hojas, como decía la famosa *Penélope* de Víctor Manuel.

Observó, miró, espió… Estaba tremendamente aburrido.

A esas horas en ese lugar, con el centro cívico cerrado y siendo noche cerrada, apenas se veía a nadie en la calle. Un par de personas esperaban el autobús, un hombre aparcaba su coche, una mujer salía a pasear con el marido, poco más. Como no tenía nada mejor que hacer, comenzó a pensar en por qué Luka llegaba tan tarde. Aparte de por el hecho de ser mujer y que su genética la obligara a llegar tarde, tenía que haber otro motivo, y los otros motivos que se le ocurrían no le gustaban nada. El primero, que le había dado plantón. El segundo, que se había ido con otro, que por cierto remitía al primero. ¡PLANTÓN!, así, con mayúsculas. También podría haberle pasado algo, ese le gustaba menos que los otros dos. Podría haberse olvidado… demasiados «podría». Se estaba empezando a amargar, así que decidió cambiar el rumbo de sus pensamientos; puestos a perder el tiempo observando, bien podía rememorar lo ocurrido en esos cinco días pasados.

Aterrizó en el aeropuerto de Barcelona el domingo muy entrada la noche, cogió un taxi y fue a la casa de sus padres. Era de madrugada cuando entró por la puerta. No deshizo la maleta ni se molestó en ducharse —estaba demasiado cansado—, fue a la «habitación para todo», que era la que ocupaba cuando esporádicamente habitaba en esa casa, se desvistió y se dejó caer sobre la cama. Antes de que su cuerpo desnudo tocase las sábanas ya estaba dormido.

Al despertarse, pocas horas después, se sintió desconcertado, la «habitación para todo» solía tener ese efecto en la gente que dormía en ella. Este habitáculo —no se le podía llamar de otra manera— era, como su nombre bien explicaba, un sitio que valía para cualquier cosa; tan pronto se convertía en un estudio de pintura improvisado por su talentoso hermano Ciro, como era el lugar al que su padre recurría para saltarse todas las prohibiciones que su médico le imponía por el supuesto bien de su salud, es decir, un lugar donde comer hamburguesas grasientas, inflarse de café cargado y fumar como un carretero. Otras veces se convertía en el salón de reunión del «club sin recato» de su madre y su grupo de amigas; eso sucedía más o menos una vez cada tres meses, cuando mamá se sentía aburrida y hastiada de la vida —según sus propias palabras— y se aglutinaban en la habitación un grupo de mujeres sesentonas y excitadas escuchando atentamente a Venus, la representante de la empresa Sexy y Juguetona, «se lo enseñamos a domicilio», explicando con voz ronca y nada sensual los productos de su catálogo de entrega a domicilio. En una ocasión había sorprendido al «club sin recato» ojeando unas bolas chinas mientras Venus les explicaba el uso que podían hacer con ellas.

Su madre era compradora —casi compulsiva— de aceites aromáticos y estimulantes para masajes —no quería pensar qué clase de masajes— y demás bálsamos y artilugios que pudieran servir para animar a su padre, en palabras literales de su madre... Dios.

Trasladando sus pensamientos a temas más inocuos, recordó también la temporada en que su hermana Iola había convertido el cuarto en una especie de gimnasio y había instalado un tatami, una bicicleta estática y algo que parecía un banco de torturas con barras y pesas.

Y allí estaba él, hundido en una cama de agua de dos metros de ancho, la misma que su madre compró en un intento de animar a su padre y en la que su padre se sentía absorbido, perdido y diminuto, por lo que, por supuesto, se negaba a usarla. La cama acabó, cómo no, en la habitación para todo.

Tumbado boca arriba sobre la monstruosidad acuática tenía una vista impresionante del techo, que su hermano había realzado con la expresión de su arte, pintado de amarillo fuego, ¿decorado? con serpientes azules con torso de mujer —el color de la piel femenina era rosa fosforito—, hombres verdes de un solo ojo con la tripa agujereada por un vacío naranja, aspas de molino color fucsia terminadas en cabezas de cerdo sangrantes y pozos de piedra violeta de los que emergían fantasmas escarlatas con los ojos saltones y labios abiertos en un grito eterno, lo cual no le extrañaba habida cuenta de lo que los rodeaba. A veces, solo a veces, pensaba que Ciro no estaba en sus cabales.

Se incorporó hasta quedar sentado o, más bien, hundido en la cama, y luego, con bastante trabajo, logró llegar gateando y casi chapoteando hasta el borde del colchón. Una vez allí, descansó un poco y bajó los pies al suelo. El piso suave y casi elástico del tatami le acarició las plantas de los pies cuando se alzó sobre ellos. Le costó un segundo acostumbrarse a rebotar sobre el suelo a cada paso. Su hermana había puesto un tatami un poco especial al darse cuenta de que con el normal no conseguía los mismos saltos que Bruce Lee en las películas.

Miró a su alrededor y comprobó que, efectivamente, lo que le había parecido ver encima del banco de torturas —bueno, de abdominales— era medio Big King extra de queso y mostaza mordisqueado, con una colilla encajada en el pan superior. Al lado de la hamburguesa estaba uno de los catálogos de su madre, y lo ojeó un poco. Sexy y Juguetona, «se lo enseñamos a domicilio», tenía de todo. Una de las páginas estaba marcada por un doblez y Drácula cometió el grandísimo error de abrir el folleto por ese punto. Sus ojos se salieron de las órbitas. Allí, a todo color y tamaño real, estaba la foto de Big Tomás, el vibrador adecuado para todos los gustos y situaciones, réplica exacta del pene de Tomás Grant fabricado en gelatina ultra suave. Disponible en varios colores, y justo al lado alguien —«por Dios que no haya sido mi madre»— había marcado una gran equis con rotulador fosforescente y escrito a bolígrafo un apunte con una letra que conocía muy bien: «x3: Mari, Helena e Irene». Demonios. Helena era su madre. Sus labios dibujaron una sonrisa sesgada, no le gustaría estar en la piel de su padre cuando viera el nuevo juguete con el que pensaba animarle su ardiente y aburrida madre.

Sacudió la cabeza para despejarse de tantos datos no deseados, sacó su ropa del armario rústico verde fosforito con abejas moradas estampadas, una nueva muestra del talento de Ciro, y se encaminó al baño a ducharse.

Cuando bajó al comedor ya era casi la hora de comer, Ciro estaba en Italia con su mujer, impregnándose de arte —Drácula esperaba, rogaba, que se impregnara tanto que olvidara sus instintos básicos con respecto a las mezclas de colores y formas—. Y Iola, por su parte, estaría en la empresa junto a sus progenitores haciendo su trabajo y comprobando los balances. Por extraño, difícil y milagroso que pareciera, estaba solo en casa. Apagó su móvil y se dedicó durante el resto del día a gestionar su mudanza a Madrid.

Había pasado los últimos cuatro años en Barcelona viviendo en un piso de alquiler. No era un gran piso, una habitación, un salón con cocina americana, un cuarto de baño y, eso sí, una gran terraza en el ático. La había llenado de toda clase de plantas cuyas macetas su hermano se encargó de decorar. Las plantas murieron al poco tiempo. Ciro decía que de sed por no regarlas; él por su parte estaba seguro de que se habían suicidado por estar metidas en macetas multicolores y, cuando decía multicolores, lo decía de forma literal; mil colores por maceta y ninguno que pegara con el otro; hasta él mismo había dejado de subir a la terraza con tal de no ver el panorama.

No le disgustaba su casa, de hecho, si obviaba la terraza, hasta le gustaba, pero el contrato de alquiler estaba a punto de vencer y había decidido no renovarlo. Llevaba ya un tiempo gestionando la apertura de una nueva rama del negocio familiar en Madrid y, en ese momento de su vida, un piso en Barcelona no le servía para nada.

Estaba harto de vivir en la Ciudad Condal. Y la mejor manera de largarse con viento fresco era esa. Le costó un poco convencer a su familia, no tanto para emprender un nuevo negocio en Madrid, sino de ser él quien llevara a cabo esa ampliación. Pero era indispensable.

No aguantaba más allí.

No era que estuviera harto de Barcelona, en absoluto; era una ciudad preciosa llena de gente amable y cariñosa, sus amigos eran buenas personas y se lo pasaba bien con ellos, cuando tenía tiempo.

Estaba harto de sus padres. Que tampoco es que fueran malos padres, que va; solo algo excéntricos. De hecho y pensándolo bien, eran los mejores padres que uno podía tener —frase trillada donde las haya— pero desde que sus hermanos habían formado sus propias familias la situación para Drácula había cambiado radicalmente.

Iola llevaba casada un año y Ciro tres, ambos eran totalmente felices con sus familias y su hermana le había proporcionado un sobrino gracioso y babeante con el que pasaba los mejores momentos de su vida. El problema, grandísimo problema, era que él seguía soltero y sin compromiso. Era el más pequeño de los tres, el que más iba a su aire, y, cuando se quiso dar cuenta de que era el único de la familia sin pareja, era demasiado tarde; sus padres también se habían dado cuenta de que estaba soltero y sin perspectivas de dejar de estarlo. Y habían aprovechado la situación.

Imaginaba que en cualquier familia normal y corriente —y esto no quiere decir que la suya no lo fuera—, los progenitores unirían fuerzas, formando un batallón de acoso y derribo con la clara intención de ver a su retoño buscar novia y formar familia.

Pero no, su familia no. Desde que sus hermanos se fueran del nido, él había pasado de ser uno más, a ser el «único» disponible. Disponible para todo, se entiende.

Si había que viajar fuera del país para comprobar un nuevo material era él quien iba, ya que no tenía familia que atender. Si surgía una reunión con socios o clientes, siempre acudía él, porque estaba soltero y tenía todo el tiempo libre del mundo. Si algún cliente petardo recordaba que necesitaba algo y era cuestión de vida o muerte y, por supuesto, lo recordaba cuando el reparto ya había salido y no era posible mandárselo, entonces era él quien se desplazaba al culo del mundo a llevárselo, aunque tuviera que viajar de Barcelona a Cádiz sin paradas; daba lo mismo, él no tenía novia, nadie le esperaba en casa.

Estaba harto.

De hecho esto se había vuelto tan habitual que, cuando algún cliente, proveedor o socio tenía algún problema, le llamaba a él directamente al móvil porque siempre, siempre, estaba disponible. Ya se encargaba su padre de dejarlo claro, «habla con mi hijo que él tiene tiempo y yo no», y Drácula se había quedado sin tiempo para sí mismo.

En definitiva, como estaba soltero y solo en la vida era la persona idónea para hacer cualquier cosa a cualquier jodida hora del día o de la noche y, si se le ocurría quejarse de su suerte delante de sus padres, estos lo convencían de que estaba mejor así, que una pareja daba muchos problemas y que tenía más tranquilidad él solito. ¿Tranquilidad para quién? Para él no, más bien para sus papis, que aprovechaban cada segundo libre para hacer cosas que animaran a la pareja, sin importarles lo poco animada que estaba la vida de su hijo.

Su existencia se había convertido en un maratón de horas ocupadas en tareas que había llegado a aborrecer. Por eso, cuando meses atrás vio la posibilidad de trasladarse a Madrid, no lo dudó un momento. Y ahora, por fin, se iba. Adiós. Chao. *Bye bye*.

La semana pasó en un visto y no visto. Ultimó todos los detalles. Conformó créditos y soluciones con los bancos, convenció a empleados fiables para trasladarse a Madrid y concertó citas con arquitectos y contratas de reformas para empezar las obras de instalación de la nueva nave en el momento en que la compra fuera un hecho.

Tal cual iban las cosas imaginaba que en un par de meses la ampliación del negocio iría viento en popa.

Una vez solucionado el tema empresarial pasó al personal, buscó por Internet pisos de alquiler en Alcorcón y encontró uno emplazado cerca del domicilio de Luka —eso se llamaba acoso y derribo pero le daba lo mismo—. Por las fotos del anuncio y tras la entrevista telefónica con el dueño, llegó a la conclusión de que era lo que buscaba. El lunes iría a echarle un vistazo y probablemente dejaría los papeles firmados; mientras tanto, pensaba pasar el fin de semana en el hotel con ella atada a su cama, más que nada para evitar que se volviera a ir dejando mensajitos en el espejo del baño.

Se estuvo despidiendo de su familia durante toda la semana, al menos un par de veces al día. Les costaba dejarle partir. ¿A ver de quién se iban a aprovechar a partir de ahora?

Aguantó las charlas de su padre sobre nuevas adquisiciones y aperturas de empresas —a veces su viejo olvidaba que tenía un máster en empresariales—, y asistió atónito a una charla sobre sexo seguro impartida en exclusiva para él por su madre.

—Recuerda, lleva siempre un paquete de condones en el bolsillo —le miró por encima de las gafas, sonriendo y catalogando a su hijo—, un paquete bien grande, por cierto. Lo mejor en esta vida es el sexo seguro y esporádico —le repetía una y otra vez, remarcando con alzamientos de cejas la palabra «esporádico». Joder, ni que ella hubiera tenido mucho sexo de ese… ¡Por Dios, esperaba que no!—. Nada de hacerlo al tuntún que luego pasa lo que pasa.

Y, sinceramente, Drácula no sabía si se refería a que podía coger una enfermedad mortal o a que podía dejar embarazada a una mujer. Aunque se temía que a su madre le aterrorizaba más la segunda opción.

—Eres muy joven; mira a tus hermanos, liados de por vida; con lo bien que se vive solo, sin cargas, sin compromisos; la de cosas que puedes probar sin pareja estable. Si total, para el sexo vale cualquiera; no se te ocurra dejarte liar. Pero qué pena atarse la vida siendo tan joven…

Y su padre lo miraba asomando la cabeza por encima del periódico, sonriendo para sí, como indicando: mira lo que me pasó a mí, déjate liar, no lo dudes, no te aburrirás jamás.

Y, no era que tuviera prisa por encontrar pareja, pero tampoco le parecía mala opción, sobre todo con Luka rondándole por la cabeza. Pero su madre se lo ponía muy negro, tan negro que estaba tentadísimo de liarse con alguien para toda la vida solo por llevarle la contraria. Recapacitó. ¿Su madre sería capaz de decirle lo contrario de lo que quería que hiciera? Sí. No. Ni idea.

A veces pensaba en el matrimonio de sus padres; era un tanto extraño, pero sinceramente veía difícil que dos personas tan insólitas fueran capaces de encontrarse más a gusto con otras personas que con ellos mismos. Sí, había quejas soslayadas e indirectas en forma de vibrador Tomás Grant, pero también había muchas risas y carantoñas. Un matrimonio feliz y bien avenido que disfrutaba haciendo pensar a los demás que se llevaban mal.

Cuando por fin llegó el viernes estaba deseando coger el avión y regresar a Madrid. Junto a Luka. Las horas en la terminal, esperando las maletas, se le habían hecho interminables; luego salir del aeropuerto e ir al aparcamiento de la T4 (había dejado su coche allí toda la semana). Había llegado al hotel, tramitado una habitación doble —no iba a dejar opción a Luka—, deshecho una maleta, duchado y vestido, todo en menos de una hora. Tenía prisa por llegar al lugar de la cita.

Cuanto antes mejor.

Y allí estaba ahora.

Esperando a una mujer que no aparecía.

Volvió a mirar el reloj, las nueve y tres minutos, más de media hora de plantón. Se acabó, se largaba. Adiós.

Se alejó de la farola en que estaba apoyado y se encaminó hacia la salida de la plaza. Un banco llamó su atención. Parecía acogedor, de madera y con patas de hierro, como todos los jodidos bancos de España, pero este parecía más cómodo. Se acercó, estaba vacío y él estaba cansado de estar de pie —mentira cochina—, se sentó, miró el reloj: las nueve y cinco. Bien. Descansaría un poco y, si a las nueve y cuarto no había llegado, por su madre que se iría.

Reanudó con ojo avizor su observación de los nadie que pasaban por allí y en ese momento lo vio.

Un Clio aparcaba de mala manera; el conductor parecía tener bastante prisa, porque salió dando un portazo descuidado que no cerró del todo la puerta. Se dio media vuelta y cerró bien; luego

pulsó el mando como unas diez veces mientras se alejaba del coche, hasta que se dio cuenta de que no funcionaba y se volvió a
acercar para cerrar con la llave en la mano. Después movió los
hombros como relajándolos, se dio media vuelta y echó a correr
hacia el centro cívico.

Bueno, a correr exactamente no; parecía más bien que ana-
deaba deprisa, porque no doblaba las rodillas y, claro, no hay
quien corra con las piernas rígidas, aunque eso podía deberse a
unos pantalones tan ajustados que no podría respirar con ellos.
Llevaba además un enorme bolso oscuro que le iba dando golpes
rítmicamente en la espalda y una chaqueta de pana entallada de
la que sobresalía por debajo un… ¿enorme trapo blanco atado
con un nudo? Y en la cabeza portaba un… ¿turbante? ¿*Hippie*?

Cuando el elemento estuvo más cerca y pudo fijarse en su
cara, comprobó atónito que «eso» era Luka. Echó un segundo vistazo a la figura y llegó a la conclusión de que hasta vestida como
un payaso, era la mujer más hermosa que había tenido el privile-
gio de conocer.

6

Joder con el puñetero bolso, le estaba dejando los riñones y el estómago hechos una piltrafa. A cada paso que daba le golpeaba sin piedad. «Maldita sea», no debería haberlo cogido, pero… ¿dónde narices iba a meter el kit de supervivencia para encuentros sexuales esporádicos? Un cepillo, un bote de laca, un estuche de maquillaje, un cepillo de dientes, pasta dental, un paquete de galletas, un paquete de condones y un bolsito de aseo con un tanga y un sujetador limpios para arreglarse por la mañana, amén del resto de cosas que usualmente llevaba en el bolso… Y parecía que no, pero pesaba un huevo. Aunque… podría haberlo dejado en el maletero del coche, pero a ver con qué cara le soltaba ella a Draculín que antes de iniciar el viaje a ningún hotel tenía que pasar por su coche a por el bolsón para la noche; joder, qué corte, ¿no?

En ese momento se paró de golpe; su cerebro, que había estado hundido en las brumas de la desesperación por culpa de su pelo, volvía a funcionar a máxima potencia. ¿Para qué narices quería el kit de supervivencia para un ESE si no iba a tener un ESE? (encuentro sexual esporádico). Dios, se había olvidado por completo de su horrendo pelo y del hilo que abrochaba sus pantalones. Era inconcebible un ESE sin desnudarse y quitarse el turbante, y cualquiera mostraba a nadie, y menos a Colmillitos, las pintas que tan diabólicamente ocultaba su disfraz. Demonios.

Se dio media vuelta y regresó al coche; no se molestó en pulsar el mando a distancia, se había vuelto a quedar sin pilas. Abrió el maletero y lanzó dentro el megabolso, al fin y al cabo no lo iba a necesitar y bastante tenía ya con las estrecheces de los pantalones como para aguantar también los golpes del bolso asesino. Volvió a cerrar el coche y se dirigió, una vez más, al centro cívico, aunque con tanto retraso era probable que Mordisquitos se hubiera cansado de esperar.

Drácula asistió asombrado al errático paseo de Luka; cuando parecía que por fin llegaba a la plaza se quedó parada de golpe, giró sobre sus talones y volvió al coche. ¿Acaso se lo había pensado mejor y había decidido irse? No. Al cabo de un segundo volvía a girar sobre sus talones y se dirigía de nuevo hacia él. ¿Nerviosismo o locura?

Por lo visto se había deshecho del bolso. Casi mejor, esa cosa era un arma a tener en cuenta. Decidió esperar sentado tranquilamente a que ella se acercara; ahora que podía ver su cara iluminada por las farolas descubrió en su expresión una mueca de… ¿fastidio? ¿Irritación? Parecía que se avecinaba una noche divertida.

Luka inhaló todo el aire que los estrechos pantalones le permitían (el cual era muy poco) y observó la plaza. No había nadie. Había llegado demasiado tarde.

Mierda, pensó pateando el suelo. Volvió a echar un vistazo, solo por si las moscas, y entonces lo vio, en un banco, medio oculto entre las sombras. Estaba sentado con las piernas extendidas, los brazos sobre el respaldo y la mirada atenta a sus movimientos; tenía una expresión de… depredador. Llevaba unos vaqueros corrientes, deportivas y chaqueta de cuero abierta que dejaba asomar una camisa de color oscuro, con un estilo que parecía ser su manera estándar de vestir. Se acercó a él, cautelosa; no sabía si estaría enfadado por su tardanza.

—Hola, siento llegar tarde, me entretuve.

—Ya veo.

—Es que estuve con una amiga probando cosas en mi pelo —explicó recelosa, temiendo su arrebato de mal genio por la tardanza.

—¿Con tu pelo? Ah, lo dices por el turbante. No está mal, es algo… fuera de lo común.

—Sí, ¿verdad? —respiró aliviada, no parecía enfadado—. Quería cambiar de aires y se nos ocurrió esto.

—¿Se os ocurrió? ¿A ti y a quién más? —Tenía que saber quién era el artífice de ese asesinato al buen gusto.

—A Pili y a mí. —Al verlo fruncir el ceño, aclaró—. La conoces, iba disfrazada de R2D2.

—Ah sí, la recuerdo. —Un robot haciendo turbantes, así iba el mundo.

Como la joven no parecía tener intención de acercarse a él, se levantó y la abrazó decididamente a la vez que le lamía los labios para luego besarla suavemente y, cómo no, a Luka le hicieron chiribitas los ojos. Al punto le pasó un brazo sobre los hombros como si fueran una pareja de toda la vida. Luka parpadeó totalmente asombrada.

—Bueno, ¿vamos al italiano? ¿Te gusta la pasta, verdad?

—Sí, lo cierto es que me gusta cualquier comida. —Otra cosa era dónde carajo iba a meter la comida con la tripa estrujada como la tenía por los pantalones.

—Perfecto, tengo el coche aparcado aquí al lado.

Y así, con un brazo musculoso, cálido y posesivo rodeando sus hombros, Luka pudo por fin relajarse; no había salido tan mal como pensaba.

Cuando llegaron al coche estaba dando gracias a todos los dioses habidos y por haber de que fuera un coche grande, con espacio amplio para estirar sus rígidas piernas. Conducir el Clio hasta allí había sido un verdadero suplicio, incluso pensó que el pantalón le iba a estallar de estar tan encogida. Entró con cuidado en el Carnival y se sentó sin siquiera doblar las rodillas mientras la cinturilla de los pantalones se le clavaba en el estómago dejándola sin respiración. Cuando acabó de acomodarse y se giró para abrocharse el cinturón de seguridad, notó como la costura de las ingles se acoplaba, ajustadamente y sin compasión, encima de su clítoris. Joder. Pero lo peor era que eso no le molestaba exactamente… sino todo lo contrario.

Drácula la miró por el rabillo del ojo, sorprendido. La muchacha, en vez de sentarse, se había tumbado sobre el asiento, le quedaban tan apretados los pantalones que dudaba de que pudiera respirar. ¡Mujeres! No les importaba estar incómodas con tal de estar guapas.

Draculín arrancó el coche e inició la marcha hacia el restaurante; al pasar por encima del primer bache la oyó maldecir entre dientes. Unos metros después pasó sobre un badén, ella volvió a quejarse, la miró de reojo, giró hacia la izquierda pasando sobre un socavón y, cuando ella se quejó de nuevo, pudo comprobar que tenía la cara colorada y sudaba profusamente. Preocupado paró en doble fila.

—¿Te encuentras bien?

—Sí, claro —asintió ella entre dientes. Cada vez que el maldito coche botaba, los vaqueros hacían magia en su clítoris.

—¿Segura? Estás roja como un tomate.

—Sí, no pasa nada. ¿Queda mucho? —preguntó nerviosa, ¡vaya situación!

—Unos diez minutos… y varios baches más —contestó él, intrigado.

—Genial, pues pongámonos en marcha. —Tomó aire en un intento de relajarse.

Drácula volvió a poner el coche en marcha mientras la miraba sin perder detalle. Parecía a punto de… ¿correrse?

Cada mínimo bache en el camino era una tortura para Luka. Se estaba encendiendo de mala manera. Sudaba a mares y repetía para sus adentros la tabla del nueve en un intento por pensar en otras cosas, pero no había manera, hasta que, por último, el coche tomó uno un poco más fuerte que los demás y un gemido escapó de su garganta. Nueve por nueve, ochenta y uno. Dios, había estado cerca. En un intento de minimizar los efectos de la costura en su entrepierna llevó las manos a la uve de los vaqueros e intentó aflojarlos. Nueve por ocho, setenta y dos, joder, no había forma, estaba cada vez peor.

—¿Se puede saber qué te pasa? —inquirió él aminorando la marcha y mirándola fijamente.

—Na… nada. —Puñeteros vaqueros, estaba a puntito. Nueve por siete, sesenta y tres.

—¿Nada? Parece que esté a punto de darte un patatús.

—¡Para! —gritó Luka en ese instante, y Drácula, asustado, buscó un sitio donde detenerse.

Aparcó —gracias a Dios había un hueco libre a mano— y Luka bajó del coche a toda velocidad. Quizás el frío otoñal la tranquilizara un poco. Nueve por seis, cincuenta y cuatro. Miró a su alrededor y vio que estaban a pocos metros del portal de su casa… ¡Dios! Estaba por subir y cambiarse de ropa y, al diablo con la cita, con la sensatez y con todo.

—Oye, mira… es que estos pantalones me están molestando —le dijo muerta de vergüenza.

—No parece que te molesten mucho, la verdad —comentó él, mirando fijamente las manos de Luka que no paraban de moverse intentando aflojar el tiro de los pantalones—. ¿Te pica?

—¡No! Qué va… qué tontería. —«¡Ahora va a pensar que tengo ladillas!»

—¿Segura? Si quieres te rasco yo. —Su sonrisa pícara y sus ojos lascivos no dejaban lugar a dudas de que la friccionaría intensamente.

—¿Qué? No, qué va… —Se carcajeó de manera forzada, ni ella se tragaba esa risa tan falsa—. Es que me aprietan un poquitín. Nada importante.

—Deja que te ayude.

Apartó las manos de la joven de la costura de los pantalones y colocó la suya en su lugar, frotando suavemente la costura humedecida a la vez que mordisqueaba su boca y le rodeaba la cintura con la mano libre.

—Tienes los pantalones mojados —susurró.

—Es que me aprietan —le explicó ella, ¡joder! ¿Por qué estaba diciendo esas chorradas? Nueve por cinco, cuarenta y cinco.

—Ya lo habías comentado.

Se apretó más contra ella y Luka pudo sentir su polla dura como una piedra presionando su estómago —«¡por favor que no se dé cuenta de que tengo los pantalones atados con un hilo!»—, le lamió los labios hasta que ella se rindió con un gemido, abriéndolos para él. Su lengua entró violenta, recorriéndole los dientes y acariciándole el paladar. Ambos respiraban jadeantes, totalmente abstraídos de lo que les rodeaba.

Una mano rodeó la cintura femenina y acabó masajeando las nalgas mientras la otra hacía magia en la costura empapada.

«Dios, estoy a punto de correrme en mitad de la calle… en mitad de la calle y justo enfrente de la tienda donde compro el pan todos los días», pensó Luka con un destello de lucidez.

Abrió los ojos de golpe y sí, efectivamente, allí estaba la Rubia, la cotilla oficial del barrio y dueña de los frutos secos, ¡joder! Y no les quitaba ojo de encima. Empujó con manos temblorosas el estupendo y musculoso torso que se apretaba contra ella y consiguió separarse de la rigidez que se pegaba a su estómago prometiendo maravillas.

Respiró profundamente bajo la mirada extrañada de Drácula y observó la entrepierna del hombre; mierda, se notaba enorme contra la tela del pantalón. En menos de una hora todo el barrio sabría que casi se había tirado a un tío en plena calle. Miró de nuevo a su acompañante, se mordió el labio inferior y, sin darse tiempo a pensarlo más, le sacó la camisa de los pantalones y le cubrió con ella la erección. Luego se giró y entró con toda la seguridad que pudo reunir a la tienda.

Inspirar, expirar. Si no puedes con el enemigo, únete a él.

La Rubia iba a cotillear; bien, pues se aprovecharía de que por primera vez en su vida estaba con un tío más bueno que el pan. Que le mirase bien y así luego podría restregárselo a la Marquesa y compañía. Al fin y al cabo se iban a enterar, así que de perdidos al río.

—Hola, Rubia, quiero dos botellas de Coca-cola Light, una bolsa de patatas fritas y diez regalices rojos. —Y volviéndose a Drácula, que estaba alucinado por el cambio de situación le preguntó—: ¿Te apetece algo?

—Una bolsa de pipas —pidió él; si Luka quería comprar, comprarían.

—Vale, eso es todo, Rubia. ¿Qué te debo?

—Siete con treinta —respondió la tendera sin quitarle el ojo de encima al hombre—. ¿Cómo por aquí a estas horas? —indagó; cuanto más supiera más podría contar; el resto, se lo inventaría.

—Ya ves… dando un paseo. No, deja, pago yo —rechazó Luka cuando le vio sacar la cartera. Un instante después abandonaron el comercio como una exhalación.

—¡Mierda! Se va a enterar todo el barrio —comentó ella una vez lejos de la tienda.

—¿Y qué más da? No vives aquí, ¿no? —dijo él con toda la intención.

—Mmm, pues, mira tú por dónde, sí. Vivo justo en ese portal.

—Vaya, se pilla antes a un mentiroso que a un cojo… Dijiste que vivías muy lejos —sonrió él.

—Pues sí, me has descubierto. ¿Algún problema? —Luka se

frotó la cara, enfadada; estaba calentita y la habían pillado in fraganti.

—No, ningún problema. Y bien, ¿nos vamos? Lo digo porque la reportera más dicharachera de Barrio Sésamo acaba de salir… —explicó refiriéndose a la Rubia, que estaba con la oreja puesta a ver si captaba más ondas.

—Buf, la verdad es que, si te soy sincera, he tenido un día de mierda y no tengo humor para ir a cenar a ninguna parte.

Él esperaba una respuesta mientras ella lo miraba fijamente, calculando. Los vaqueros seguían haciendo de las suyas y las caricias de él no habían sido exactamente relajantes. Apenas podía respirar, no podía moverse yendo tan ajustada. Además, el puñetero turbante de los huevos se estaba deshaciendo y resbalándole por la frente, amenazando con caer sobre sus ojos.

—Si no te importa voy a casa a cambiarme de ropa, estos vaqueros me están haciendo papilla el coño —declaró con brusquedad, enfadada por el fiasco de cita que estaba teniendo por culpa de unas mechas de nada—. ¿Esperas aquí a que me cambie o prefieres acompañarme?

—¿Hace falta preguntarlo? —contestó él cogiéndole la mano y guiándola hacia el portal. Una sonrisa lasciva iluminaba su rostro: estaba duro como una piedra, excitado hasta más allá del límite… y siempre había tenido fantasías con los ascensores.

—Prométeme que te portarás bien. —Luka había visto su expresión y sabía perfectamente lo que significaba.

—Por supuesto.

Drácula se inclinó divertido haciendo una reverencia exagerada, tomó su mano y le besó los nudillos.

—Seré el perfecto caballero.

Tiró de su muñeca y Luka dio un traspié quedando pegada a él, ocasión que aprovechó para besarla lentamente a la vez que guiñaba un ojo a la Rubia.

—Tonto —sonrió ella cuando acabó el beso.

Entraron en el portal riendo como dos adolescentes pillados en plena travesura. Llamó al ascensor y, mientras montaban, Luka recordó de golpe el estado de su piso. Mierda —nunca mejor dicho—, cuando se fue esa mañana había dejado la cama sin hacer y los cacharros sin fregar; arrugó la nariz recordando. No quitaba el polvo desde el domingo, igual que tampoco había limpiado el suelo. Y la ropa estaba tendida sobre los radiadores y en un tendedero en mitad del salón. Lo primero que él vería al entrar en su casa serían los calcetines de lana colgados en el radiador de la entrada. Lo mejor para la autoestima. Mierda, mierda, mierda. Decidió coger el toro por los cuernos.

—Mmm, qué te iba a comentar; la casa está algo desordenada; ya sabes, lo típico, las revistas encima de la mesa, la ropa limpia —remarcó «limpia», solo faltaba que él pensara que lo que había colgado por toda la casa era ropa sucia— tendida por ahí y, bueno, la verdad es que no soy muy amiga del orden… —comentó mirándole atentamente; por favor, por favor, por favor, que no sea como el Vinagres, por favor.

—Bah, estará igual que mi habitación, entre el curro y tal no hay tiempo de nada —contestó él, entendiendo completamente la mirada temerosa de la joven. Su propia madre se moriría si alguien viera su casa desordenada e imaginaba que todas las mujeres pensaban igual, aunque a él personalmente le daba lo mismo.

—Efectivamente —suspiró ella.

Las puertas del ascensor se abrieron dando paso a un descansillo mal iluminado de baldosas y suelos grises, los constructores de las viviendas de protección oficial se habían esforzado mucho por hacerlas lo más feas posibles. Luka se detuvo un segundo ante su puerta y respiró profundamente.

—Que sea lo que Dios quiera —murmuró entre dientes.

Abrió la puerta, dio un paso dentro del piso y se quedó petrificada.

Drácula asomó la cabeza sobre el hombro de ella. ¡Caray! Si a eso llamaba ella desorden, no quería pensar cómo estaría la casa cuando estuviera ordenada.

El piso resplandecía como un espejo, lo poco que se veía del salón estaba brillante como la patena; de hecho, se podría comer sopas en el suelo. El aire olía a limpio; no se veía ropa, ni limpia ni sucia, por ningún sitio, ni revistas sobre la mesa. No estaba ordenado, estaba impecable.

Ella seguía parada en la entrada, quizás esperaba alguna alabanza.

—Pues para estar desordenada se ve muy bien —ironizó él.

—No digas chorradas, yo no he dejado así mi casa esta mañana —respondió tensa.

—¿No?

—No, aquí ha estado alguien.

Él la miró y entró decidido al piso.

—¡Eh! No pases, podría haber alguien —musitó asustada.

—¿Y?

—Podrían ser ladrones o yo qué sé.

—¿Ladrones? No sé de ningún ladrón que entre en una casa y se ponga a fregar. O que robe la ropa limpia que está por ahí colgada —enarcó varias veces las cejas.

—Sí, bueno. Pero alguien ha estado aquí. Lo digo en serio. Mi casa jamás ha estado tan recogida.

—Pues no sé, lo mismo se ha presentado el hada de las escobas y le ha dado una pasada.

—No bromees. Te digo que alguien ha entrado en mi casa y tú te cachondeas. —Luka estaba verdaderamente asustada, ver su casa tan recogida le recordaba a otra casa igual de limpia e impecable—. Eh, espera, no entres, quien haya sido puede estar escondido en alguna parte.

Drácula se volvió al oír el reparo en sus palabras, ¿escondido en algún lado? Seguro. Según podía ver, la casa era tan pequeña que si había alguien escondido tenía que ser un liliputiense.

—Vamos, no te preocupes, seguro que hay una explicación razonable. Quizás alguien de tu familia ha pasado por aquí.

—Están fuera de Madrid.

—Un amigo.

—Sí, claro, cómo no se me había ocurrido antes. Mis amigos no tienen nada mejor que hacer que venir a mi casa a recoger mi mierda. Por favor.

—Pues alguna explicación habrá —sentenció él adentrándose en el salón mientras Luka le agarraba del antebrazo para que se detuviera.

El piso tenía tres puertas más; una daba al diminuto baño, otra a una caja de cerillas con una cama y la última a una cocina tan pequeña que si estirara el brazo tocaría la pared contraria. Sobre la encimera había un papel.

Falta KH7, Cristasol y limpiamuebles. Te he tirado el pollo de color verde de la nevera y el champú vacío del baño. Ya me ha pagado tu madre, este viernes y el que viene. FELI.

Drácula le enseñó la nota a Luka.

—¿Y bien?

—Lo había olvidado. Uf… es de Feli, la asistenta de mis padres. Mi madre me lo dijo por correo electrónico. Se han ido a la playa y le ha dejado las llaves de casa para que me la limpie como hace siempre que no están. Siento este lío…

—Ves, todo tiene explicación —indicó acercándose a ella con ciertas intenciones.

—Bueno, pues como está todo aclarado voy a cambiarme de ropa. Espérame en el comedor y enciende la tele, ahora vuelvo —dijo rechazándolo sutilmente.

¡Dios!, la había liado buena. Estaba con míster Bombón en casa y tenía el pelo horroroso; para haber decidido que no podía tener un ESE lo había complicado todo de mala manera, pensó mientras le veía sentarse en el antiguo sillón de la abuela y encender la vieja tele de su madre. Uf…

—Ey, van a echar *El jovencito Frankenstein* por la tele —le oyó gritar desde el salón.

—Genial. Me encanta esa película.

Luka entró en su cuarto y respiró profundamente, ya no le apetecía nada salir por ahí. Ahora que estaba en casa, todo el cansancio acumulado durante la semana pesaba sobre ella. Además, y por si fuera poco, iban a poner una de sus películas favoritas: divertida, entrañable, irreverente… y que no tenía ni una sola escena de sexo. Nadie se sentiría excitado por ver a Gene Wilder tocando el violín para atraer al monstruo que había creado. Por el tono de voz de él al decirle que echaban la peli parecía que le gustaba tanto como a ella. Mmm.

Acabó de desnudarse, cogió la sudadera vieja que usaba para andar por casa, los vaqueros deshilachados y rotos de estar cómoda y unos calcetines de lana —hacía frío y odiaba ponerse zapatillas—. Se hizo un moño con su horroroso cabello y lo enfundó en una gorra con el logotipo de Faunia.

Se miró en el espejo de la pared. No estaba guapa, no estaba sexi, por lo que no creía que tuviera problemas en manejar la libido del vampiro y, si aun así sucedía un ESE, estaba en su piso y sabía dónde estaban ubicados todos los interruptores de la luz; a oscuras no veía su pelo… Buf, era inconcebible que hubiera montado todo ese lío con la ropa para estar guapa y que, sin embargo, ahora lo único que deseara fuera estar cómoda y calentita en casa. Eso sí, sin mostrar su pelo.

—¿Qué te parece si nos quedamos a ver la peli con una *pizza* en la mesa? —le preguntó entrando en el salón.

—Perfecto —contestó él recorriéndola con la mirada; se había cambiado de ropa, estaba desarreglada y daba una imagen fresca y cómoda. Estaba preciosa.

—Bien, ¿carne, champiñones, pimiento verde y extra de queso?

—Y cebolla.

7

Viernes 7 de noviembre de 2008, 22.05 h

Mientras Luka permanecía en la cocina llamando a la pizzería, Drácula aprovechó para echar un vistazo a su alrededor. La estancia en la que se encontraba era bastante pequeña y parecía estar amueblada con retales, pero se veía acogedora. El salón era cuadrado y estaba ocupado por un sillón de tres plazas, tapado con un cubretodo naranja, en el que al sentarte te hundías tanto que haría falta una grúa para levantarte. A un lado del sillón y colocado sobre una estructura de metal blanco que no pegaba con nada de lo que había alrededor, se situaba un acuario grandísimo, de un metro de largo por medio de ancho en el que nadaban apaciblemente dos tortugas. Tirados en el suelo, al lado del sillón, estaban amontonados los asientos de algún otro sofá, sin armazón, solo el relleno con la funda. En el centro de la estancia, una caja negra con un cristal grueso encima hacia las veces de mesa. En la pared libre, un aparador de madera de unos dos metros de largo contenía un televisor de veinticinco pulgadas de hacía por lo menos veinticinco años, un reproductor de DVD marca «nisuputamadre», miles de fotografías en marcos de metacrilato y, justo en el extremo del mueble, un terrario que parecía haberse construido aprovechando la estructura de un armario antiguo. Era un terrario alto, con una rama atravesándolo que hacía las veces de árbol, una cueva hecha de troncos abajo, un barreño de metal que supuestamente sería una piscina para reptiles y, sobre la rama, una iguana de algo más de metro y medio.

Las paredes restantes estaban ocupadas por estanterías de metal que contenían cientos de libros. El único cuadro que colgaba en el salón estaba colocado sobre el sillón y no era exactamente un cuadro, sino un tablero de corcho que ocupaba toda la pared y en el que había fotografías de todos los tamaños. Se levantó para mirarlas; en todas había personas en distintos grados de felicidad, disfrazadas de robots, en bikini en la playa, tiradas en el suelo en la montaña…

Colocada en el centro del corcho, en el lugar de honor, una más grande que las demás le llamó la atención. Era de un grupo de amigos y estaba sacada en ese mismo salón. En ella, dos mujeres sentadas en el suelo aplaudían mientras dos hombres de pie, vestidos con minifaldas y tops ajustados, hacían algo parecido a un pase de modelos. Cerca de esa fotografía había otra con esas mismas personas, pero en esta los hombres llevaban ¿fundas de almohada? enrolladas en las ingles y asumían la postura de los luchadores de sumo… ¿Qué demonios?

—Divertidas, ¿verdad? —dijo Luka entrando en el salón—; las tomé durante la fiesta de inauguración de mi casa.

—¿La fiesta de inauguración?

—Sí, cuando me dieron el piso y lo tuve más o menos montado, invité a mis amigos y, bueno, acabaron revolviendo mi armario y vistiéndose con mi ropa.

—Vaya, sí tuvo que ser divertido.

—Ni te lo imaginas.

Drácula siguió mirando las fotografías; aunque había mucha gente retratada, esas cuatro personas de la fiesta estaban en casi todas.

—¿Son tus mejores amigos? —preguntó señalando la foto.

—Sí —asintió Luka sonriendo—. ¿Cómo lo has averiguado?

—Porque son los que más salen en las fotos. Esos cuatro y esta chica —señaló a una mujer rubia, bajita, de cara con forma de corazón, ojos enormes y boca de piñón, con un cuerpo estupendo y un vestuario muy sexi.

—Enar. Antes éramos inseparables, los cinco, Pili y su novio, Javi, Ruth, Enar y yo. Mira —explicó señalando otra foto en la que aparecían todos de adolescentes, sentados en un banco de la calle rodeados de botellas de sidra vacías.

—¡Menuda fiesta! —Bueno, pensó Drácula, así que uno de

los tipos con minifalda era el novio de Pili, la chica robot; genial, ahora solo le quedaba por descubrir quién carajo era el otro. Había tanta complicidad entre los componentes de esa foto que se sentía excluido… ¡Qué idiotez!

—Esta la tomamos cuando Javi se sacó el carné de conducir; lo estábamos celebrando en la plaza de la Constitución, pero nos pillamos tal borrachera que no pudo estrenar el coche. Y mira esta. —Señaló otra en la que se veía a Enar con una gran tripa; tenía cara de niña, no podía ser mucho mayor que en las otras fotos—. Enar estaba embarazada de ocho meses, teníamos las dos diecisiete años. Él que está al fondo es Rodi, el futuro padre de la criatura. —Puso su dedo índice sobre la imagen de un hombre mayor que el resto, de unos veinte y bastantes—. A partir de ese momento empezamos a distanciarnos. Cosas de la vida.

—Suele pasar.

—Y aquí, mi primer trabajo montando exposiciones.

En esa fotografía Luka estaba agarrada a un hombre joven, moreno de ojos claros, alto y delgado, que era el mismo tipo que llevaba la minifalda morada en la foto de la inauguración, ese que aún no sabía de quién era novio. Drácula frunció el ceño y silenció el gruñido que pugnaba por escapar de su garganta.

El tipejo moreno posaba junto a Luka, aferrando entre los dos un cuadro enorme que exponía un pene en erección de más de medio metro de longitud, de color amarillo fosforito.

—Recuerdas que te comenté que había montado una exposición sobre penes… Dani fue mi primer jefe. Como el trabajo se me dio bien, me fue dando más cosas, poco a poco fue conociendo a mi gente y al final acabó entrando en el grupo. Cuando tuve que dejar de montar, él me consiguió un trabajo en la empresa de su padre, así que ahora es mi amigo y mi jefe.

—¿Es el que está vestido con la minifalda morada? —comentó Drácula indiferente a pesar de ya saberlo. No le hacía mucha gracia el tal Dani—. A su novia tuvo que hacerle gracia verlo vestido de esa guisa —investigó.

—Sí. Es el mismo —contestó Luka riendo—. Y estoy segura de que, si tuviera novia —esta palabra le provocó una gran sonrisa, como si fuera un chiste privado—, se lo hubiera pasado en grande viéndolo. Pero como no la tiene, pues se quedó con las ganas. —En ese momento se oyeron unos golpecitos, como de piedras golpeando algo, y Luka se olvidó del tema—. ¿Has conocido ya a *Clara, Lara* y *Laura*?

—Creo que no. ¿Son tus amigas? —Drácula inclinó la cabeza, buscando el origen del sonido

—Sí, mis mejores amigas —afirmó ella guiñándole un ojo—. Ven y te las presento. Estas son *Clara* y *Lara*. Llevan conmigo tres años, ¿a que son una monada? —dijo señalando el acuario. Las tortugas estaban moviendo las piedras del fondo y golpeándolas contra el cristal. Las sacó del agua y les acarició el caparazón con la nariz. Las tortugas a su vez sacaron la cabeza y la mordisquearon—. Ya, ya, ahora mismo viene el menú. En cuanto me ven, me piden de comer —le explicó a su amigo—; son unas tragonas impresionantes. Y esta de aquí es *Laura*. —Luka abrió el terrario, y la iguana salió con parsimoniosa lentitud—. Ten cuidado con su cola, cuando no conoce a la gente da latigazos. ¿Qué tal, preciosa? —La iguana la ignoró soberanamente y se empezó a subir a las cortinas—. En fin, *Laura* va a su bola. Voy a por la comida de mis niñas.

Se dirigió a la cocina y él la siguió apresuradamente, por nada del mundo se quedaría a solas con un bicho que daba latigazos con la cola.

La cocina era pequeña; una hilera de muebles blancos cubría una pared, la otra estaba desnuda. Sobre la encimera había un plato metálico con remolacha, nabo, perejil y calabaza cortados en trozos pequeños; al lado había un táper con agujeritos del tamaño de un alfiler en la tapa y unos palillos chinos. Luka tocó la comida.

—Ya no está frío —asintió satisfecha; lo cogió todo y se fue al salón.

Colocó el plato con las verduras en la jaula de la iguana y después abrió el táper; estaba lleno de gusanos vivos y repelentes de color marrón, viscosos, babosos…

—¿Qué es eso? —preguntó Drácula mirándolos asqueado. ¿Quién coño iba a comerse eso?

—Crías de tenebrios —contestó ella a la vez que cogía algunos de esos bichos asquerosos con los palillos, de la misma manera en que él cogía los tallarines tres delicias—. Son la comida favorita de *Clara* y *Lara*.

Les acercó los gusanos a las tortugas y estas se lanzaron a por ellos; cada una mordió de un extremo y entre las dos, en apenas diez segundos, los habían descuartizado y tragado para, a continuación, mirar ansiosamente a Luka, que cogió otros pocos y repitió el proceso demasiadas veces para el gusto del hombre. ¡Puag!

Drácula se alejó disimuladamente, sentía que su estómago se revolvía. Demonios, él había cogido lombrices de pequeño, pero no las descuartizaba... Era vomitivo, jamás volvería a pensar que las tortugas fueran animales tranquilos... Eran asesinas natas.

Cuando acabó de alimentarlas él respiró aliviado pero a las tortugas les pasó justo lo contrario, no les sentó nada bien el final de la comida, bajaron de la rampa veloces y empezaron a remover las piedras del fondo haciéndolas chocar contra los cristales furiosamente.

—No, no. Ya habéis comido demasiado. —Luka sacó una de las tortugas y le tocó suavemente una pata—. Se te sale la chicha. —Y era cierto, al estirar la pata del animal se veía cómo se le abultaba la piel por la abertura del caparazón—. Y eso no está bien. No, señorita. Estás a régimen. No, no hay más comida; si quieres te doy lechuguita pero no más tenebrios. —Y aunque sonase a locura, Drácula juraría que cuando la tortuga oyó «lechuguita» encogió la cabeza y la metió en el caparazón—. Ay, querida, para estar bella hay que sufrir... ¡Y comer verdura! Chao, preciosa.

—Ya veo que te entiendes con ellas.

—Mano dura y muchos mimos, mitad y mitad, y mira qué hermosas se crían.

La iguana, *Laura*, ya había bajado de las cortinas y se había metido en su terrario a cenar; Luka cerró la puerta y sonrió complacida.

—Bueno, una tarea hecha. Voy a lavarme las manos, ¿te enseño la casa?

—Vale. Pero primero guarda... eso. ¿No? —dijo él señalando con asco los gusanos.

—Sí, claro. En invierno los dejo fuera —explicó abriendo la ventana de la cocina y dejándolos sobre el alféizar—, con el fresquito se conservan mejor que dentro de casa.

—Ajá. —Drácula no quería preguntarlo, de hecho no iba a

preguntarlo—. ¿Y dónde los guardas en verano? —¿Por qué narices lo había preguntado?

—En la nevera, claro. Fuera hace demasiado calor y se estropean.

—¿Guardas eso en la nevera?

—¿Dónde si no?

—Sí… ¿Dónde si no?

En ese momento el hombre tomó una determinación: si por designio del destino, él y mamá tortuga seguían juntos en verano, nunca, jamás, comería nada en su casa. Irían a restaurantes o moriría de hambre, pero no comería nada de su nevera.

Se dirigieron al cuarto de baño. Un lavabo diminuto, una ducha diminuta y un armario de espejo.

—Este es el *jacuzzi* enano —indicó Luka mientras se lavaba las manos.

—¿Cómo?

—Javi lo bautizó así cuando lo vio y desde entonces lo llamamos así.

—Apropiado —reconoció él a la vez que afirmaba con la cabeza. Era enano, muy enano.

—Este es mi cuarto.

Luka entró en la habitación tamaño caja de cerillas. Una cama y una mesilla con fotos sobre ella, un armario empotrado, cuadros a punto de cruz y una mesa pequeña con un ordenador más viejo que matusalén era todo lo que cabía.

—Muy grande… —ironizó él.

—¡A que sí! A veces me pierdo y todo… Tanto espacio desorienta —bromeó ella lanzando una carcajada a la vez que daba vueltas sobre sí misma.

Drácula la miró sobrecogido; en ese entorno se la notaba feliz, como si fuera una niña pequeña disfrutando de un día de sol, jugando con un castillo de arena. Esa casa era su castillo de arena y los muebles y fotografías, las conchas con que lo adornaba.

Luka se dejó caer sobre la cama, mareada de dar vueltas, y siguió sonriendo.

—Y bien, ya conoces mi casa. ¿Qué te parece?

—Preciosa. Como tú —la piropeó acercándose a la cama.

—No, no, no —canturreó ella—. Está a punto de llegar la *pizza* y va a empezar la película, vamos al salón.

—¿Y a quién le interesa esa película? Prefiero lo que tengo ante mis ojos —aseveró con mirada lasciva.

—Mmm.... «malditos sean sus ojos» —susurró Luka una frase de la película *El jovencito Frankenstein*.

—Vaya —exclamó él sorprendido, ¿sería posible que ella resultara tan friki como él?—, «llega usted tarde» —contestó con la frase de Igor.

—¡Te sabes el diálogo! —dijo sorprendida—. Genial. ¿Te parece si bajamos el sonido de la tele y decimos nosotros las conversaciones? ¿Quién te pides? ¿Igor o Frankenstein? —le retó ella aludiendo a los personajes principales de la película.

—«Se pronuncia "Fron-kons-tin". Y usted debe de ser Igor» —replicó él citando otra frase.

—«Se pronuncia "A-i-gor"» —recitó ella finalizando el diálogo y riendo. Sí, eran unos frikis los dos.

Regresaron entre risas al comedor justo cuando la película empezaba, Dracu se hundió en un extremo del sillón mientras que Luka se hundía en la otra punta con las piernas cruzadas sobre los cojines. Ella comenzó a decir las frases que correspondían a Igor, y Drácula, entre risas, la acompañó con las de «Fronkonstin».

Cuando por fin llegó la *pizza* les dolía el estómago de tanto reír. Ella la puso sobre la mesa y luego cogió los cojines del sofá, esos que estaban tirados en el suelo.

—Así que son para esto —comentó él al ver que Luka se sentaba en el suelo sobre ellos.

—Sí, los cojines de Dani van mejor para comer que el sillón. Al menos no te hundes… aunque más que nada los usamos cuando vienen mis amigos; como puedes comprobar no hay muchas sillas donde sentarse. —De hecho no había ni una.

—¿Los cojines de Dani? —preguntó él un poco mosca con el tal Dani de las narices.

—Eh, sí. Los trajo él, así que los llamamos así.

—Mmm… que buen amigo, ¿no? Trayendo cosas para tu casa —comentó irónico, «vaya mierda que ha traído», era lo que en realidad pensaba.

—Sí, todos han contribuido —afirmó ella, orgullosa de sus amigos—. El sillón es de mi abuela, la tele de mi madre, el microondas de la madre de Pili, el mueble de la iguana lo hicieron entre Javi y Dani, igual que la tortuguera y la mesa blanca. El cuadro de corcho lo trajo Ruth y los cuadros de punto de cruz los hizo Pili. Cada persona que viene pone su granito de arena.

—Vaya, pues entonces falto yo por traer algo.

—Bah, qué tontería —le restó importancia Luka un poco cohibida. Lo que había en su casa lo habían traído sus mejores amigos, personas muy importantes para ella, no un tío con el que pensaba hacer un ESE—. Coge *pizza* o te quedarás sin ella.

«Ya», pensó él mientras comía. Quizá fuera una tontería, pero cada uno de sus amigos había dejado allí su huella, y no sabía exactamente por qué, pero se sentía enfadado de que no hubiera nada suyo que ella pudiera ver y tocar cuando él no estuviera en esa casa, que por cierto iba a hacer lo posible para que fueran las mínimas veces.

Drácula observó a Luka; estaba sentada sobre los cojines del capullo de Dani, con una pierna doblada bajo el culo y la otra extendida con los dedos del pie haciendo círculos dentro de los calcetines; en las manos un trozo enorme de *pizza* goteaba queso y ella intentaba atraparlo con la lengua mientras reía por algún diálogo de la película. Se estaba poniendo duro solo con mirarla. Lo único que fallaba en la escena era esa estúpida gorra amarilla que tapaba su pelo. ¿Por qué demonios estaba tan empeñada en ocultárselo?

—Oye, ¿cómo te llamas? —le preguntó ella de repente.

—«Fronkonstin.»

—¡No! Lo digo en serio, ¿cuál es tu nombre? Nunca me lo has dicho.

—Iskander, pero todo el mundo me llama Álex. —«Y ahora vendrán las mil preguntas sobre de dónde viene mi nombre y por qué es tan raro», pensó molesto.

—¡Vaya! Es un nombre genial, siempre me ha gustado Iskander. Es una lástima que todo el mundo conozca a Alejandro Magno por su nombre griego y no por el árabe. Si fuera al contrario habría muchos más Iskanders por el mundo, ¿no crees?

Álex parpadeó sorprendido. Por primera vez en sus treinta años de vida alguien que no pertenecía a su familia conocía el origen etimológico de su nombre, increíble.

—Conoces el nombre; vaya, es… extraño.

—Bueno, yo soy extraña —aseveró Luka luciendo una gran

sonrisa—. Realmente es que leí hace años la trilogía de Mary Renault sobre Alejandro y me fascinó tanto que durante un tiempo devoré todo lo que cayó en mis manos sobre el tema. De hecho, y que quede entre tú y yo —susurró—, si alguna vez tengo un hijo lo llamaré Bagoas. Sí, señor. Me encanta ese nombre. —Y se tumbó sobre los cojines apoyando la espalda en el asiento del sillón.

—¿Te gusta el nombre de un eunuco? —comentó divertido a la vez que se levantaba para a continuación sentarse en el sillón detrás de ella, apoyándola entre sus piernas y masajeándole los hombros.

—Me parece musical y muy bonito. ¿Algún problema? —Luka enarcó una ceja y se cruzó de brazos.

—Ninguno, siempre y cuando, si tenemos alguna niña, estés de acuerdo en ponerle de nombre Livia —comentó él indiferente, mientras rodeaba sus hombros acariciándole el cuello.

—¡Livia! Pero si fue una manipuladora, asesina, e intrigante… ¡Me encanta esa mujer! Sabía manejar a los hombres —sentenció sonriendo pícaramente a la vez que dejaba caer la cabeza a un lado.

—Trato hecho entonces —dijo besándola y mordisqueándole la nuca.

—¿Trato hecho? —Mmm, no se estaba enterando de nada con tanta caricia.

—Si es niño, se llamará Bagoas; si es niña, Livia. —Las manos masculinas recorrieron la clavícula y se introdujeron bajo la sudadera acariciándola lentamente, tentando los pezones por encima del sujetador.

—Bagoas y Livia… Sí. Suena bien… —dijo por decir algo. No sabía de qué iba el tema realmente, sus pezones estaban duros y su vagina vibraba; qué más daban unos nombres arriba o abajo.

—Pues entonces pongámonos a ello.

Los dedos masculinos bailaron sobre los pezones, haciendo que estos le dolieran de deseo. Él los apretaba para al momento siguiente soltarlos y consolarlos con las palmas de la mano, haciendo círculos sobre ellos.

—¿A qué? —respondió ella entre gemidos.

—A engendrar un Bagoas y una Livia… —susurró Álex.

$\mathcal{A}$lex siguió acariciándola mientras sus labios le recorrían la nuca, deteniéndose en el lóbulo de la oreja para morderlo suavemente. Luka era tan suave, sabía tan bien, que no podía parar de lamer su piel.

Luka gemía y apretaba las piernas rítmicamente a la vez que relámpagos de placer recorrían su vagina llenándola de calor, haciéndola humedecer. Era plenamente consciente del pene rígido y poderoso que se friccionaba contra su espalda una y otra vez. Las suaves yemas que atormentaban sus pezones se apartaron de estos para recorrer lentamente la distancia hasta el ombligo y detenerse allí, trazando círculos incandescentes, acariciando la suave depresión, haciéndola imaginar esos mismos movimientos en otra parte de su cuerpo con los que se sentiría bastante más agradecida.

Inclinó la cabeza buscando unos labios cálidos y húmedos que la besasen, los encontró dispuestos a devorarla. Quizá fuera porque abrieron la boca a la vez sin pararse a medir distancias o tal vez porque ambos estaban demasiado descontrolados, pero no se encontraron labio contra labio, sino dientes contra dientes, con ese sonido desagradable de dos huesos chocando.

Se separaron avergonzados y al momento Álex comenzó a reír. Luka se mordió los labios; estaba guapísimo cuando reía, sus ojos se iluminaban y en las comisuras de su boca se formaban unas arruguitas deliciosas, dignas de ser probadas. Se acercó a él lentamente y comenzó a lamerle los labios. Sí, realmente sabía tan bien como creía. Le mordisqueó delicadamente el inferior mientras él coqueteaba con su barriguita. Ella tenía el cuello totalmente doblado hacia atrás, en una postura forzada e incómoda, pero cuando él le permitió la entrada de su lengua se olvidó de todo, le recorrió el cielo de la boca y aprendió su sabor cálido mientras él la admitía pacientemente hasta que su lengua despertó y comenzó entonces una ávida lucha por hacerse con el control, control que ella no pensaba entregar. El beso se tornó feroz, los apéndices se cruzaban, chocaban y peleaban en un pulso erótico y salvaje que tuvo su eco en los estremecimientos que recorrían los cuerpos de la pareja.

Las caderas de Luka pasaron a la acción tomando sus propias decisiones contra aquellos dedos tontos que solo sabían jugar con su ombligo. Alzó el trasero intentando que situara los apéndices en el lugar adecuado, es decir, un poco más abajo, pero, traicioneros como eran, la ignoraron desplazándose a sus pechos. Gruñó descontenta contra los labios del hombre, los cuales formaron una sonrisa traviesa.

Por supuesto, Luka sabía que él lo estaba haciendo aposta pero a ese juego podían jugar dos. La erección que seguía frotándose contra sus costillas rítmicamente ahora mismo iba a probar su propia medicina.

Luka se separó del hombre, dejando un espacio vacío entre su espalda y la lujuriosa verga masculina.

Álex jadeó al sentir que su polla quedaba libre y que, disgustada, comenzaba a pulsar dolorosamente contra la tela del bóxer. Había estado en la gloria friccionándose contra Luka. No era suficiente, pero era soportable y ahora ella le había negado ese placer. Apretó las manos contra la barriguita de la mujer, intentando por todos los medios que todo volviera a ocupar el lugar que tenía antes, pero ella se mantuvo alejada, y lo miró desafiante mientras le cogía las manos y le enseñaba el camino correcto, es decir, descendiendo en picado por su tripa hasta la cintura de los pantalones. Álex sonrió, bajó la cabeza y lamió su garganta dejando que le guiase; estaba duro como una piedra. Si la única manera de encontrar consuelo era esa, por él, adelante.

Siguió el camino hasta bordear los pantalones y la oyó jadear triunfal, qué equivocada estaba… Paseó los dedos por encima del tanga, adentrándose en la entrepierna mojada. A través de la tela húmeda podía sentir su clítoris tenso, hinchado, apetecible; lo atrapó entre dos dedos, pellizcándolo suavemente, aumentando la presión gradualmente. La sintió temblar agarrada a sus muñecas a la vez que su espalda se arqueaba vibrando. Estaba a punto de correrse.

—Por debajo del tanga —susurró Luka—, tócame por debajo.

—No —rechazó él separándose de ella y levantándose bruscamente.

—Joder —gruñó ella al sentir que se alejaba—. ¡Joder! —repitió, no le salían las palabras. Estaba dolorida y quería más, ¿por qué la dejaba así?

Él se colocó a horcajadas sobre ella, la cogió de las caderas, y de un impulso la tumbó en los cojines, sobre el suelo. Situó una mano a cada lado de su cabeza y la besó rabiosamente mordiéndole el labio, apresándola contra su cuerpo, frotando su verga contra el pubis femenino.

—No vas a correrte con mis dedos. Te vas a correr con mi polla. Te voy a follar sobre los cojines de Dani hasta que te oiga gritar —siseó arrebatado; Dani le había regalado unos cojines de mierda y él la iba a follar sobre ellos hasta que Luka los cambiara de nombre—. Te voy a comer el coño hasta que grites mi nombre, lo succionaré, lo morderé y lo lameré hasta que te oiga chillar, y entonces te hundiré la lengua hasta el fondo, hasta que supliques, y luego te follaré hasta que digas basta, una y otra vez, y otra más, y, cuando no puedas más, seguiré follándote con mi polla y con mi lengua. Sin tregua —le bajó la cremallera de los vaqueros con manos temblorosas, dándose cuenta de que tenía un estúpido ataque de celos contra un tipo al que ni siquiera conocía, pero es que le escocía el nombre de los putos cojines, llevaba escociéndole toda la jodida noche.

Cuando por fin bajó la cremallera tiró de los pantalones hasta quitárselos y los lanzó sin mirar —si hubiera mirado habría visto que caían haciendo una elipse perfecta hasta la tortuguera—. Un tanga diminuto, rosa y sin adornos era lo único que impedía la visión de la vulva perfecta y el clítoris rosado que le habían visitado en sueños durante toda la semana. La miró a los ojos; ella le devoraba a su vez, desabrochándole los botones de la camisa, bajándola por sus hombros y apretándose contra su erección. Se habían convertido en bárbaros que solo buscaban una cosa, placer.

La camisa le molestaba, estaba trabada en sus brazos impidiendo que la abrazara, así que la rompió de un tirón; necesitaba tocarla. Le quitó la sudadera sin saber cómo y hundió la cara en sus pechos, respirando profundamente, llevando su sensual aroma hasta las profundidades de su cerebro.

Mientras sus masculinas manos la masajeaban, Luka peleaba con los puñeteros pantalones de Álex; el botón se le resbalaba, tenía esa enorme y necesitada verga al alcance de la mano y no podía llegar hasta ella. Tiró con fuerza hasta que saltó el botón para a continuación bajar desesperada la cremallera, pero, en vez de encontrar el metal, se topó con otro botón.

—Joder. Mierda de putos botones —gritó furiosa, quería ese pene y lo quería ya.

Álex se apoyó sobre un codo, bajó una mano y con una facilidad pasmante se desabrochó. El enorme pene saltó como un resorte bajo sus calzoncillos y él puso su mano sobre ella y apretó, subiendo y bajando, una y otra vez, mientras miraba a la mujer a los ojos. Incitándola, como diciendo: «¿qué te parece, nena? ¿Lo quieres?»

Y Luka lo quería.

—¡Tú dedícate a cumplir tus amenazas que esa polla es mía! —afirmó agarrándole la muñeca y retirándole la mano para a continuación sortear el incordio de su *slip* y agarrar posesivamente el pene—. ¿Vas a hacer que grite? ¡Ja! Veremos quién pide clemencia antes —exclamó dándole un empellón que le hizo perder el equilibrio y caer tumbado de espaldas en el suelo. Se subió sobre él y sin pensarlo dos veces lo albergó en la boca.

Su pene era enorme, imponente, liso como la piel de un bebé y rosado en el glande, del que asomaba una solitaria gota preseminal. Tenía un hermoso capullo, hinchado y terso, que pedía a gritos un poco de atención. Atención que su lengua se ocupó de dispensar. Chupó golosa como si de un caramelo se tratara a la vez que frotaba su vulva húmeda y anhelante contra las piernas del hombre. Succionó como si le fuera la vida en ello, deleitándose con su sabor salado y cremoso, acariciando la corona con lametones lánguidos, aprendiendo su forma, su sabor, su olor. Su lengua juguetona encontró la pequeña abertura de la que manaría el semen y se introdujo en ella, tentándola. Cuando lo sintió jadear, lo mordió suavemente, notando cómo los muslos se tensaban bajo ella una y otra vez, hasta que unas manos masculinas, poderosas y delicadas a la vez, agarraron su cabello y las caderas del hombre empezaron a convulsionar, queriendo introducirse más en ella, acariciar su paladar, sentir el fondo de su garganta.

Luka le complació. Lentamente lo enterró en su boca, con la lengua moviéndose en toda su largura, los dientes arañándole delicadamente, la cálida saliva mojándole, apretando los labios contra él, arriba y abajo una y otra vez, soltándole cuando le sentía hincharse, a punto.

Él abrió las piernas, mostrando sin palabras el camino hacia sus testículos. Ella permitió que se apaciguara entre jadeos, para luego bajar por todo su tallo en una caricia tan sutil que parecía la de una pluma. Llegó hasta la base y acabó por besarle lentamente el escroto mientras ponía la palma de la mano sobre el glande y apretaba, como indicándole que esperara, que se tranquilizara.

Pero si algo estaba lejos de la intención de Álex era precisamente eso, quería ese calor sobre él. Le dolía todo el cuerpo por la ansiedad de penetrarla, y ella quería que se relajara. ¡Y una mierda! Movió las caderas y la tiró del pelo indicando que no quería, que no podía esperar.

Ella entonces absorbió un testículo, sosteniéndolo, atormentándolo mientras su mano le masturbaba, hasta que se hinchó tanto que pensó que explotaría y, en ese momento, sus labios abandonaron el escroto y volvieron a subir lentamente, sigilosamente por toda la longitud del pene, torturándolo de nuevo mientras la palma de la mano volvía a posarse sobre el glande.

El cuerpo de Álex temblaba incontrolable, los jadeos sofocaban el ruido del televisor y ella volvía a empezar el tormento. ¡Iba a matarle!

Tiró de nuevo de su cabello, haciendo que lo soltara. Eso había dolido, joder si dolía. Perder su calor, su humedad, fue difícil pero lo consiguió. La agarró por debajo de las axilas y la tumbó sobre la espalda. Iba a darle su merecido. Ahora.

Le abrió las piernas y hundió entre ellas la cabeza para lamer el clítoris por encima del tanga empapado; su sabor era increíble, su aroma embriagador. El pequeño nudo de nervios creaba un bulto visible bajo la tela rosa y él atacó allí, cogiéndolo entre sus dientes y apretando gradualmente, absorbiendo cuando ella gemía. Uno de sus dedos esquivó el elástico de la prenda, colándose debajo. Resbaló. Otro dedo le acompañó, ambos penetraron la vagina de una sola y certera estocada. Los curvó y apretó a la vez que trabajaba el sensible capullo y su meñique se acomodaba en la hendidura de sus nalgas, provocando a la rugosa abertura que tanto le tentaba; Dios, cómo le tentaba.

El clítoris se hinchó aún más en respuesta a su atrevimiento, las caderas temblaron, los jugos le humedecieron la mano. Él siguió lamiendo, chupando, metiendo y sacando los dedos en una cadencia enloquecedora, parando cuando la sentía temblar y continuando cuando se relajaba. Hasta que oyó palabras y no jadeos.

—Drácula, Álex. —¡No sabía ni cómo nombrarle para llamar su atención!—. Digo tu nombre, cumple tu promesa —le retaba Luka entre gemidos

—¿Qué promesa?

—Fóllame hasta que diga basta.

Le apartó el tanga, no había tiempo para quitárselo. Se dispuso a penetrarla cuando entre las brumas de su mente vio que estaban tumbados en el suelo y que los cojines de Dani habían quedado olvidados a un lado.

¡Ni soñarlo!

Iba a manchar esos jodidos cojines con su orgasmo. La levantó desesperado y la colocó sobre ellos en un último vestigio de voluntad; entonces y solo entonces, volvió a apartar la molesta ropa interior y la penetró de un empellón.

Se sintió colmada cuando entró en ella y empezó a bombear una y otra vez; fue rápido, fue salvaje.

Luka entró en erupción temblando violentamente a la vez que el éxtasis la arrasaba. Cuando ella se estremeció, apretando caóticamente el pene con los músculos vaginales, atormentándolo, estrujándolo, queriendo exprimir hasta la última gota de un orgasmo demoledor, él apenas tuvo tiempo de apartarse y apretar la polla sobre la tripa de Luka.

El semen escapó fulminante de su cuerpo regándole el abdomen. Álex situó los dedos sobre la barriguita acogedora de la mujer y extendió el esperma impregnándose la mano para a continuación, con movimientos certeros, limpiarse el pringoso líquido en los cojines hasta verlos irremisiblemente marcados. Cumplida su venganza secreta, sonrió y se derrumbó sobre ella. Misión cumplida.

9

—*P*esas.

—¿Eh?

—Pesas.

—Perdona.

Álex se echó a un lado, enredándose con los pantalones que aún llevaba por las rodillas, y acabó cayendo desmadejadamente sobre el suelo.

—Puñeteros cojines, ni siquiera son lo suficientemente grandes para acogerme —se quejó entre dientes, moviendo las piernas para quitarse los pantalones hasta que se encontró con la barrera de las deportivas y se dio por vencido.

—¿Qué?

—Nada.

—Vale —contesto Luka somnolienta, estaba a un tris de quedarse dormida.

Totalmente despierto gracias al frío helador que le recorría el cuerpo —el suelo estaba muy, pero que muy frío—, Álex se incorporó sobre un codo con los tobillos aún trabados y contempló a la mujer que estaba tumbada a su lado. Recorrió con la mirada su cuerpo jugoso, su tripita subiendo y bajando con la respiración, sus mullidos muslos relajados después del ejercicio, sus formidables pechos enrojecidos por sus besos, su boca brillante, los pómulos marcados, la nariz respingona, los ojos cerrados… Quizá estuviera soñando con él…

Extendió una mano y le acarició las mejillas; era preciosa, tan dulce e indómita a la vez. Recorrió sus facciones lentamente, disfrutándolas hasta llegar a la ridícula gorra que seguía firmemente encasquetada en su frente. Quería hundirse en ese suave y precioso cabello castaño, así que lentamente retiró la gorra observando complacido su precioso pelo naranja.

¿Naranja? ¡Naranja!

—¡¿Qué has hecho?! —exclamó sentándose de un salto.

—¿Qué? —Luka despertó, aturdida por su grito.

—Mírate… ¿Qué ha pasado?

—Joder —Luka se incorporó de golpe—. Mierda.

Estaba desnuda. ¡En bolas! Con las luces del salón iluminando cada michelín, cada pelito de sus piernas que hubiera escapado a la dolorosa cera, sin nada que disimulase su culo, con las tetas apuntando hacia el ombligo, qué narices apuntando, ¡caídas hasta el ombligo! Dios mío, ¿y la ropa? La sudadera al lado de la puerta, los pantalones en el acuario, ¡las tortugas los estaban mordiendo! Se miró detenidamente en un instante de pánico, el tanga rosa estaba dado de sí… Ay Dios, echado a un lado, se veían perfectamente todos y cada uno de los rizos frondosos que cubrían su sexo; ni ingles brasileñas ni narices… selva amazónica como poco. Y solo tenía ¡dos manos! Se tapó el pecho, se lo pensó mejor y se tapó las ingles, se lo volvió a pensar y se acurrucó como un bebé sobre los cojines, agarrándose las rodillas, escondiéndose. Sí, así no se le vería nada, excepto sus enormes caderas, ¡mierda! Cruzó los tobillos e intentó colocar los pies de tal manera que las disimularan un poco. Misión imposible, sus muslos se desparramaban gloriosos sin que pudiera hacer nada por evitarlo. ¡Qué pintas debía tener! Y a plena luz. ¿Por qué coño había puesto halógenos? Con lo baratas que eran las velas y lo poco que iluminaban. ¿Y ahora qué? ¿Cómo se las iba a apañar para que Álex se largara con viento fresco y poder recuperar una pizca de dignidad?

Él miraba asombrado el pelo fosforito de la mujer. ¿Pero qué había hecho? Su hermoso cabello, su melena sedosa, esas ondas largas y sinuosas con las que había soñado rodeándole la polla. Ese castaño natural y divino había muerto, perecido, asesinado. Porque eso que brotaba de su cabeza era un asesinato al mal gusto. ¿Y qué narices le pasaba? No hacía más que moverse como si tuviera el baile de San Vito. ¿Y por qué se tapaba los pechos y el pubis? Lo que tenía que hacer era taparse el pelo, no privarle de su hermosura. Joder, ahora se había encogido sobre sí misma. No se veía de ella más que esa… esa… esa cosa naranja.

—Esto… ¿No tienes que ir al servicio? —preguntó ella esperanzada. Por favor, que se largue para que pueda ir a por algo para taparme, rezó.

—Pues no, todavía no me han dado arcadas… pero no estoy seguro de que no me den —comentó él irónico e irritado.

—¿Perdón? —La vergüenza acababa de dar paso al enfado. ¿Quién coño se creía él que era para soltarle esa bazofia? Ya había oído demasiado de esa mierda en su vida y no estaba dispuesta a escuchar más—. A lo mejor la que tiene que vomitar soy yo.

Luka se levantó con toda la dignidad que pudo reunir —la cual, todo hay que decirlo, era más bien escasa—, y con la cabeza bien alta se dirigió hacia la puerta, cogió su sudadera —grande, larga, ancha y que gracias a dios le tapaba todo lo que hacía falta tapar— y, en cuanto estuvo todo lo cubierta que podía estar, se dio la vuelta mirándolo airada. Se iba a enterar el Colmillitos de las narices de quién era ella.

Álex estaba de pie con los brazos cruzados, esperando una explicación que era perfectamente consciente de no merecer, porque al fin y al cabo él no era nadie para opinar sobre su antaño hermosísimo cabello.

—Mira, Draculín, si no te gusta lo que ves te puedes largando por esa puerta. ¡Ya! —Señaló la salida airadamente—. Ni tú ni nadie me va a insultar en mi casa.

—¿Cuándo te he insultado? Que yo sepa solo he preguntado qué cojones te has hecho en el pelo.

—¿En la cabeza? ¿A qué te refieres? —¿No era su cuerpo? ¿Era su cabeza lo que no le gustaba? Joder, pues llevaba viéndola toda la santa noche.

—A eso que te has hecho en el pelo —le explicó crispado.

—¿En el pelo? —Luka se llevó las manos a la testa; ¡ay no!, la gorra no estaba—. Ah… sí, el color del pelo. —Joder, joder, joder, se le había olvidado por completo. ¿Y ahora qué?, pues ante todo dignidad, ya lo dijo *sir* Oscar Wilde, «las mujeres prefieren tener razón a ser razonables»—. Pues mira, me lo he cambiado.

—¿Por qué? —inquirió él, pesaroso.

—Porque estaba aburrida de llevarlo siempre igual —alegó orgullosa.

—Pues haberte hecho una coleta o un moño… pero eso… eso…

—¿Sí? —Luka alzó una ceja, segura de sí misma (más o menos) tras su enorme sudadera.

—Es el color más ridículo que he visto en mi vida.

—¿Ri-dí-cu-lo? —Ella movió el cuello subrayando cada sílaba—. ¿Me habla de ridículo un tío en bolas, de pie en mitad de mi salón, con los pantalones enrollados en los tobillos? Por favor….

—¡Joder! —renegó Álex al darse cuenta de su posición en esos momentos. De un tirón se subió los pantalones y volvió a cruzar los brazos, arrogante—. Ya está. Lo mío, como ves, tenía fácil solución. A ver cómo te las apañas para solucionar tu desastre.

—No es ningún desastre. Y no voy a solucionar nada solo porque tus gustos difieran de los míos.

—¡Estupendo! —Rechinó los dientes.

—Y si no te gusta ya sabes… —indicó embalada.

—¿Qué?

—O cierras los ojos o te acostumbras o te largas. —Caminó hacia él—. Nunca, jamás, nadie, y menos un vinagres, me va a decidir lo que me pongo o no me pongo, lo que hago o no hago, lo que pienso o no pienso. —Recalcó furiosa cada palabra apretando el índice contra el torso masculino—. ¿Lo captas? Nadie, jamás, va a volver a tener ese derecho sobre mí. ¿Ha quedado claro?

—Transparente. —Algo oculto en la mirada de Luka le hizo claudicar, había más de lo que se mostraba.

—Bien. Voy a ducharme. Tú haz lo que te dé la gana.

Y se largó al baño sin pararse a mirar si él se quedaba o se iba.

Manda huevos, discutir por tan tremenda chorrada, pensó cuando el chorro del agua caliente cayó sobre su cara. Un mechón de pelo naranja del flequillo le cubrió los ojos cuando se inclinó a coger el gel. Vale, no es que su pelo fuera divino de la muerte, pero tampoco era para ponerse así. Y sí que tenía fácil solución, de hecho mañana mismo se lo pensaba teñir. Por mucho que hubiera dicho, nunca se quedaría con el pelo de ese color.

Lo que le fastidiaba era que por culpa de cuatro palabras ella hubiera vuelto al pasado, a cuando se encogía por no tener la apariencia perfecta que el Vinagres requería.

Mierda, mierda, mierda.

Se le había ido de las manos. Si no hubiese estado medio dormida no habría reaccionado así, pero despertarse con un grito la había trasportado a otra época, a otra persona. Sacudió la cabeza, respiró profundamente y se empezó a acariciar la tripita en un mantra que llevaba años practicando: suave y redondita, perfecta. Luego subió a los pechos, sosteniéndolos con las manos; «no llegáis al ombligo ni de coña, no estáis caídos, sois notables y bonitos». Se dejó caer pegada a la pared hasta quedar sentada en el suelo de la ducha y se abrazó las piernas, largas y bien proporcionadas; «sí, señoritas, sois preciosas».

Listo.

Se irguió y sacudió los hombros. Volvía a ser la de siempre.

Álex se hubiera dado de cabezazos contra la pared, en caso de encontrar algún muro desocupado contra el que darse. Pero entre el cuadro de las fotos y las estanterías, no había hueco para partirse esa estúpida calabaza que tenía por cabeza, así que decidió fumarse un cigarro. No había visto ningún cenicero en la casa, así que no sabía si sería bienvenido el humo del pitillo, por lo que abrió una ventana y sacó todo su torso fuera mientras fumaba.

La discusión había sido desproporcionada, y había sido culpa suya. No tenía ninguna razón de peso para opinar sobre nada de Luka. Y lo sabía de sobra. Pero había soñado con esa melena toda la semana y verla en ese estado le había puesto de mal humor.

Como ella bien había dicho, nadie tenía derecho a decidir en su lugar… O para ser más exactos, nadie iba a volver a tener ese derecho. Esa palabra, «volver», lo cambiaba todo. En fin, no era asunto suyo. Esperó paciente a que saliera del baño para disculparse; si no tenía razón, no la tenía. Y punto.

Cuando la vio aparecer, con el pelo húmedo —no quería pensar en el color—, el albornoz bien abrochado y esa expresión de determinación en la cara casi se dio por vencido.

Casi.

Se separó de la ventana abierta y se encaró a ella.

—Siento haber dicho lo que dije —se disculpó, ¿para qué dar rodeos?

—No pasa nada. —Luka le quitó importancia.

—Y, de todas maneras —Álex tragó saliva—, no te queda mal del todo.

—Cierto.

—Es un color muy original —continuó Álex al ver que no lo mandaba a hacer puñetas.

—¿Sí? —¿Estaba arrepentido? ¡Caramba! Eso sí que no le había pasado nunca a Luka.

—Sí. Muy natural. —Según lo dijo, se dio cuenta de que ese tono era todo menos natural.

—¿Natural? —¿Le estaba tomando el pelo o es que era daltónico?

—Sí, del color de las zanahorias… —¡Mierda! ¡Lo estaba arreglando! Pero lo cierto era que sí parecía una zanahoria. Intentó no sonreír.

—¿Zanahorias? —repitió ella sintiendo cómo se curvaban sus labios en una risita.

—Sí… Frescas, zanahorias frescas y lozanas.

—Más bien zanahorias radiactivas —acabó Luka en una carcajada.

—¡Dios! —Álex estalló también.

Las carcajadas de ambos podían oírse en la Patagonia, lo malo fue que también se escucharon en el piso de abajo.

—¡Silencio, por favor! ¡Que la gente «decente» está durmiendo a estas horas!

—Huy, esa es la Marquesa. Cierra la ventana, rápido, antes de que nos lance una maldición —logró decir Luka entre risas.

—¡Mejor marquesa que puta! —se oyó la voz de la vecina, amortiguada al cerrar el cristal.

—¡Será posible! Se va a enterar esa arpía —se revolvió Álex abriendo de nuevo la ventana.

—Deja, no pasa nada, nos pasamos así toda la vida. Tranquilo, no merece la pena —le contuvo agarrándole del brazo.

—¿Qué no merece la pena? Te acaba de llamar puta. ¿Cómo se atreve?

—Vamos, vamos, no hay que hacer uso de palabras malsonantes —declaró muy calmada, demasiado, mientras le llevaba hacia la cocina—. Hay que tener cabeza.

—¿Cómo puedes no enfadarte? —inquirió sorprendido.

—Chist, calla. Esta mañana la Marquesa tendió su ropa y a estas alturas ya debe de estar seca —susurró.

—¿Y? —¿Qué importaba eso? Álex no comprendía nada.

—Chist, no hables alto. Mejor estate callado. —Luka abrió la ventana de la cocina, miró hacia abajo y volvió a cerrarla—. No la ha recogido…

Recorrió la cocina de puntillas, cogió una regadera y, mientras Álex la miraba alucinando, la llenó de leche, abrió la ventana… y regó la ropa tendida de la vecina de abajo.

—Son las dos de la madrugada y hace un frío que pela, mañana por la mañana la ropa estará llena de manchas blancas congeladas, todo el mundo pensará que son cagadas de pájaros…

—Eres muy retorcida —sonrió él a la vez que la abrazaba—, recuérdame que de ningún modo te tenga como enemiga.

—No me tengas como enemiga —le advirtió arqueando las cejas muy seria.

—Jamás —aceptó besándola.

10

Sábado 8 de noviembre, 10.30 h

Álex estaba de pie al lado de la cama, vestido con los pantalones y la chaqueta de cuero. La camisa estaba hecha trizas en el cubo de la basura y los calcetines estaban usados... Sería sibarita, pero era incapaz de ponerse unos calcetines sucios.

Tras el incidente con la Marquesa habían recogido el salón, sacado los pantalones de Luka de las fauces de las tortugas y tirado su camisa. Lo habían hecho entre risas y puede que se hubieran chocado con las paredes un par de veces, porque, al cabo de media hora, la vecina de abajo había llamado por teléfono gritándoles improperios y, bueno, no le quitaban la razón, no eran horas de andar haciendo ruidos. Pero tampoco habían montado tanto escándalo, así que Luka se había disculpado ingeniándoselas para parecer arrepentida y acto seguido había desconectado el cable del teléfono, solo por si acaso.

Drácula se había duchado, solo; era físicamente imposible que dos personas entraran en la ducha del *jacuzzi* enano. Mientras tanto, Luka se había vestido con un albornoz y no es que él se lo hubiera quitado, pero por desgracia el albornoz había seguido el mismo camino que los pantalones vaqueros; acabó en el fondo del acuario con las tortugas. Sonrió al recordarlo. La próxima vez intentaría tener más puntería y acertar al terrario de la iguana; juraría que cuando se besaban ese bicho no le quitaba el ojo de encima.

Cuando por fin acabaron de ducharse por segunda vez, cada uno por su cuenta —había que solucionar el tema de la ducha, era imprescindible tener más espacio—, se encontraron con que pasaban de las cinco de la mañana y a él no le apetecía irse a su hotel. Por tanto, cuando ella propuso que durmieran juntitos —y mucho, la cama era diminuta—, aceptó encantado.

Desconectaron cada uno su móvil por si acaso a alguien se le pasaba por la cabeza llamar por la mañana y dar por culo, se desnudaron, se acurrucaron, hicieron un poco más de ruido al hacer el amor sobre la cama —crujía, pobre vecina— y se quedaron dormidos. Y ahí estaba él, cuatro horas más tarde, al pie del lecho, muerto de sueño, vestido a medias, con dos condones sin usar y planeando una venganza que llevaba esperando una semana.

Sacó del bolsillo los útiles necesarios para su desagravio, se acercó muy despacito a la cama y quitó cuidadosamente el edredón que cubría el cuerpo desnudo de Luka. Era preciosa, divina. Estaba tumbada boca arriba, totalmente relajada, los brazos caídos a ambos lados del cuerpo, sus pechos pidiendo atención, las piernas ligeramente dobladas, increíblemente largas.

Parpadeó, no podía dejarse llevar por el deseo en este momento, tenía una misión que cumplir.

Luka soñaba que estaba en la playa, el mar acariciaba su cuerpo, la arena cálida rozaba sus nalgas en una sensación muy sensual. Álex se acercaba a ella seductoramente y le pasaba las yemas de sus dedos por los pechos, escribiendo círculos de fuego sobre sus pezones para luego bajar lentamente por su estómago en dirección al pubis, enredando los dedos en sus rizos, haciendo que llamaradas de placer recorrieran su cuerpo. Sintió su boca tibia besándola y susurrando…

—Sigue dormida, preciosa.

Y eso pensaba hacer, seguir soñando con aquel paraíso. Sus piernas se cerraron buscando algún consuelo, su espalda se arqueó alzando sus senos en espera de más caricias pero estas no llegaron, entre las brumas del sueño sintió abrir y cerrar una puerta.

¿En la playa? No existían puertas en la playa.

Abrió los ojos, tenues rayos de luz se filtraban por los huecos de las persianas, extendió los brazos buscando el cuerpo masculino, no lo encontró, se levantó atontada y se echó una manta sobre los hombros. Recorrió la casa buscándolo, no había nadie. Se había ido. En fin, qué se le iba a hacer.

Se dirigió desilusionada al cuarto de baño, abrió los grifos, se lavó la cara y, cuando se miró al espejo para ver si podía hacer algo con su pelo, lo vio.

¡Madre mía!

Se quedó paralizada de la impresión. ¿Qué demonios era eso? Se acercó más al espejo, y luego decidió bajar la cabeza y mirarse el pecho.

Sobre sus senos y su estómago, en letras grandes y rojas, había escritas unas palabras:

VOY POR
C
O
N
D
O
N
E
S

La «O» de «voy» enmarcaba su pezón derecho, la «O» de «por» hacía lo mismo con su homólogo izquierdo y «condones» recorría su estómago empezando justo entre sus pechos, con la segunda «O» rodeando su ombligo y la «S» acabando en el pubis. Recordando el sueño erótico que había tenido, se fijó atentamente en los rizos de su entrepierna y sí, allí estaba, una flecha que acababa justo por encima de sus labios vaginales ¿Y esto a cuento de qué venía?

Cogió una toalla, la mojó con agua y jabón y comenzó a limpiarse o más bien a intentarlo, porque las dichosas letras no salían ni con estropajo. Lo intentó con alcohol, nada. Con quitaesmaltes, ni de coña. Y después de varios intentos infructuosos se dio por vencida.

No había nada que hacer.

—Quien me lo vendió me aseguró que se quitaría en un par de días lavándolo a menudo.

Luka pegó un bote al oír la voz de Álex.

«¡Joder!»

Estaba ahí, tan tranquilo, apoyado en el quicio de la puerta como si no pasara nada, como si ella no tuviera tatuado «condones» en la tripa. Estaba tan alucinada que no sabía ni por dónde empezar.

—¿Por qué has hecho esto? Estas letras… —Se calló de repente—. ¿Cómo has entrado en mi casa? ¿Por qué te has ido? —Frunció la boca al oírse decir esto último. ¿Por qué narices había preguntado justo eso?

—¿Recuerdas el mensaje que me dejaste la otra noche en el espejo del hotel? —comentó Álex arqueando varias veces las cejas—. Hace un rato creí conveniente avisarte de que me iba, pero no quería despertarte así que decidí imitar tu estilo. —Mentira cochina, llevaba fraguándolo toda la semana.

—Pero, pero… Yo lo dejé en un espejo, no en tu cuerpo.

—Sí. Pero a mí me apetecía más escribir en tu piel que sobre la superficie fría del espejo.

—Ajá —contestó ella poco convencida—. ¿Cómo has entrado en mi casa?

—Cuando me fui cogí las llaves que había en la encimera de la cocina para no molestarte al regresar.

—¿Dónde están las llaves ahora?

—Las he vuelto a dejar donde las encontré.

—Vale. —Todavía estaba alucinada por las letras, más tarde daría vueltas a lo de las llaves.

—¿No quieres la respuesta a tu última pregunta?

—Eh, no. —Acababa de darse cuenta de que estaba desnuda debajo de la potente luz del cuarto de baño. Era una persona segura de sí misma, pero todo tenía un límite y cien vatios eran el suyo. Se agachó envolviéndose en la manta—. Voy a vestirme, ahora vuelvo.

—Fui a la farmacia, ya sabes —dijo Álex, siguiéndola—, y de paso entré en los frutos secos y compré unos cruasanes para desayunar —explicó. Cuando mencionó a la Rubia, Luka se quedó clavada en el sitio.

—¿Has comprado en la Rubia? —siseó muy bajito.

—Sí, tienen buena pinta y huelen mejor. —Álex se lamió los labios pensando en los bollos.

—¡No! No lo entiendes, has ido a la Rubia a primera hora de la mañana.

—Son las diez de la mañana, no es primera hora —la interrumpió

—Está bien. Has ido temprano y has comprado… ¿cruasanes para dos?

—Sí.

—¡Ay, Dios! ¿Sabes lo que va a pensar? Mejor dicho, lo que va a cotorrear a todo el barrio.

—¿Que un tío extremadamente guapo, sin camisa ni calcetines le ha comprado algo por la mañana temprano? —preguntó inocentemente Álex—. ¿Que casualmente es el mismo tipo que acompañaba a la loca de los bichos ayer por la noche?

—La loca de los bichos… ¿Cómo sabes que me llaman así?

—Se lo oí decir a la Marquesa.

—Pero si no conoces a la Marquesa.

—Ahora sí.

—¿Cuándo?

—Esta mañana —explicó—, al pasar por delante de la tienda vi a una mujer estirada, con el pelo negro repeinado y vestida como si fuera a ir a misa hablando con la Rubia. Le estaba comentando que la loca de los bichos había estado toda la noche haciendo el amor como una salvaje, con ni se sabe cuántos tíos, y que, además, tenían que ser completos desconocidos porque no reconocía la voz de ninguno de sus amigos. —¿Se encontraría el tal Dani entre las voces que conocía la fiera esa?, pensó irritado—. En ese momento creí oportuno dejar claras algunas cosas.

—¿Qué hiciste? —Luka se apoyó en la pared del pasillo y resbaló hasta quedar sentada en el suelo con un gesto de desamparo en su cara.

—Nada. Entré en la tienda y saludé muy cortésmente a la Rubia. Como hacía calor me desabroché la chaqueta. —Luka jadeó horrorizada; se estaba imaginando a Álex con la chaqueta desabrochada, mostrando ese torso musculado con el vello rubio rodeando los pezones, y bajando en forma de flecha hacia la cinturilla de los vaqueros, que le caían un poco por debajo de las caderas. Se les tendría que haber hecho la boca agua—. Metí los pulgares en los bolsillos de los pantalones, ya sabes, marcando paquete, y mantuve bien abierta la chaqueta, para que vieran que tampoco llevo *slip* —explicó guiñándole un ojo—. Luego pedí un par de cruasanes para un desayuno romántico que pretendía llevar a mi chica a la cama en una bandeja. También pregunté si sabían de alguna floristería cercana donde vendieran rosas para sorprenderla con un detallito.

—¿Y dijiste todo eso con el pecho al descubierto?

—Y marcando paquete, no te olvides.

—No, claro. —Luka estaba alucinando, incluso se pellizcó un brazo, no fuera a ser que todavía estuviera soñando.

—Tardaron un rato en contestarme, no sé por qué, pero no me hacían caso. Después pagué y subí otra vez a casa. Por cierto, no hay floristerías cerca; siento que te quedes sin tus rosas. Te lo compensaré —finalizó dándole un cariñoso beso en la comisura de los labios.

—No te preocupes —Luka estaba obnubilada—. Y ¿a santo de qué hiciste todo eso?

—Me pareció que no tenían la información necesaria para hacer el reportaje de «radio barrio», así que decidí dársela. Ahora, probablemente, todo el mundo esté cotilleando sobre nosotros, pero, eso sí, con conocimiento de causa.

—Y no dirán que me lo he hecho con un equipo de fútbol, sino con un tío cañón —susurró Luka ensimismada—. Perdona la expresión.

—No importa.

—Y la Marquesa estará rabiando; ya no podrá decir que estoy más sola que la una, ni que no valgo ni un pimiento y por eso me tengo que conformar con las migajas que me quieran echar mis amigos.

—¿Decía eso? —«Maldita mujer», pensó Álex enfadado; la iba a machacar. Luego frunció el ceño al recordar el final de la frase—. ¿Qué amigos?

—Ni dirá que mi niña espanta a cualquiera con dos dedos de frente.

—¿Tu niña? Y ¿qué amigos son los de las migajas? —Era importantísimo saber la respuesta a la última pregunta.

—Saco a pasear a *Laura* casi todas las mañanas durante el verano y a la Marquesa le sienta fatal. Dice que es una fuente de enfermedades. ¡Será ignorante! Lo malo es que ahora dirá que no hay quien duerma por mi culpa y que soy una escandalosa.

—Escandalosa no, salvaje —replicó él—. Y, además, mejor que sepan que te acuestas conmigo a que digan que lo haces con un equipo de fútbol. —Álex bajo ningún concepto estaba marcando territorio, no. Era solamente que no le gustaba la idea del equipo de fútbol y seguía sin saber qué amigos eran los de las migajas. ¡Joder!—. ¿Qué amigos?

—¿Eh? ¿Qué amigos qué?

—Los que te dan las migajas.

—Ah, le ha dado por decir que cuando vienen a casa Pili, Javi y Dani nos montamos bacanales para que yo no me sienta excluida. Son tonterías que se inventa para no amargarse; vamos, una estupidez. Supongo que, cuando viene Ruth, no puede evitar pensar en dúos lésbicos. Buf, es una mujer horrorosa y aburrida y, sinceramente, creo que usa mi vida como diversión, como quien ve un culebrón en la tele. Incluso un día me llegó a decir que batía muchos huevos. ¿Te lo imaginas? Joder. ¿A qué se dedica? ¿A asomarse a la ventana de la cocina para escuchar cuántos huevos bato a la semana? ¡Uf, es increíble!

—Desde luego que no te aburres en casa, ¿no? Entre tus animales, tus vecinas y los amigos… ¡Madre mía! Y, ¿vienen muy a menudo?

—¿Mis vecinas? Viven aquí. —«Qué cosas más raras pregunta este hombre», pensó Luka.

—No, tus amigos.

—Vienen cuando les viene en gana. Pero da igual, aunque vinieran una vez al año la Marquesa lo sabría y lo exageraría. No te preocupes por eso.

—No, si no me preocupo —apuntó indiferente. Al final no se había enterado de la frecuencia con la que su amigo Dani venía por casa. Además, ella no parecía darle ninguna importancia; mejor.

—Bueno, vamos a probar esos cruasanes que tengo más hambre que el perro de un ciego.

Pero mientras Luka se dirigía al cuarto para vestirse, la seriedad volvió a su rostro; seguro que la puñetera Marquesa decía que Álex era un ligue de una noche de borrachera y que por eso había acabado con ella, si no eso algo por el estilo. No, no era tan cruel de decir algo así, ¿verdad? Sí. Sí lo era. Pues que le dieran. Mmm, tenía que buscarse más tretas para vengarse de ella.

—Ah, se me olvidaba —dijo Álex acompañándola hasta la puerta de la habitación, no iba a perderse el espectáculo de verla desnuda—. Cuando salí de la tienda comentó algo.

—¿Qué y quién?

—La Marquesa comentó que no se explicaba cómo era posible que una bandada de pájaros se hubiera cagado en toda su ropa por la noche, que parecía cosa del diablo.

—¡Ja! Me hubiera encantado estar ahí para verle la cara. En fin, voy a cambiarme. ¿No te importa, verdad? —se excusó mientras lo empujaba fuera del cuarto y le cerraba la puerta en las narices.

La cara de Álex era la de un niño al que le han quitado un caramelo.

Cuando Luka salió del cuarto, lo hizo vestida con unos *leggings* negros bastante desgastados, una sudadera gris y enorme heredada de Javi —le chiflaban las sudaderas de hombre—, calcetines de lana y el pelo peinado, más o menos —los dedos no iban muy bien para hacer peinados elaborados—. Se dirigió a la cocina; sobre la encimera aguardaba un paquete de aroma excelente, los cruasanes, ñam. Pero antes, el deber. Sacó los tenebrios y preparó la verdurita. Álex, que la había seguido hasta la cocina, se giró sobre sus talones al comprobar que estaba preparando la comida para los animales.

—¿Tienes algo para leer?

—Sí, claro. ¿Quieres alguna revista en especial? —No fastidies que este tipo es de los que leen el periódico en el desayuno, no, por favor, igualito que cierto tipejo que conozco.

—Cualquier cosa me vale.

—Mmm, pues coge algún libro del salón; hay miles.

—Vale.

—¿Te vas a poner a leer ahora?

—Sí.

—¿Y eso?

—Eh… —Álex buscó algo creíble que decir; con el cariño con que Luka trataba a sus mascotas, cualquiera le contaba que pensaba encerrarse en el cuarto de baño, muerto de asco, mientras ella daba de comer tallarines/gusanos a las tortugas. No quería volver a ver aquello otra vez—. Voy al baño.

—Ah, bueno, haberlo dicho antes. Tienes revistas del *National Geographic* dentro del baúl que hace de mesa, cógelas si quieres. A mí me acompañan mucho cuando voy a… ya sabes… al baño —explicó mientras se dirigía con los gusanos hacia sus asesinas.

—Genial. Ahora te veo. Cuando acabes, avisa.

—¿Cuando acabe qué?

—Cuando acaben de comer las tortugas.

—Ah, vale —asintió Luka, para un segundo después girarse y mirarlo extrañada—. ¿Para qué quieres que avise?

—Para salir —contestó Álex sin pensar mientras se escabullía dentro del baño, Luka ya abría la tapa del táper y tenía preparados los palillos… ¡Puaj!

—Eh… —¿Y qué demonios tenía eso que ver con el baño? ¡Hombres! No había quién los entendiera.

Dio de comer a las tortugas, les hizo alguna que otra carantoña, dejó la verdurita en el comedero y aprovechó para recoger mientras *Laura* comía. Cuando esta hubo acabado, pasó a limpiar los residuos y demás porquerías que se acumulaban a diario en el terrario y, mientras, la iguana trepó por las cortinas y se escondió debajo del bandó que tapaba los agujeros en los visillos. La pobre *Laura* no los había roto a propósito pero, de jovencita, se ponía nerviosa cuando había gente en casa y de vez en cuando se enganchaba con fuerza a la tela y, bueno… había hecho algunos agujeros. Así que Luka, práctica como era, en vez de comprar cortinas nuevas —que costaban un ojo de la cara— había pasado unos fulares grandes por encima de la barra haciéndoles grandes caídas en los puntos estratégicos. No quedaban mal como bandó y a *Laura* le gustaba esconderse en ellos; por tanto, todo solucionado.

Sacó a las tortugas, las dejó corretear por el suelo y jugó con ellas.

Cuando estaba con sus niñas, no pensaba en nada más que en ellas. Eran tan cariñosas, tan divertidas, que era imposible aburrirse.

—¿Te queda mucho? —escuchó la voz de Álex tras la puerta del baño.

—¡Ostras! —Se había olvidado por completo de avisarle; lógico, era una petición estúpida—. Sí, ya está, ya han comido.

Álex salió al momento del servicio y Luka volvió a meter las tortugas en el acuario. Se le quedó mirando fijamente, esperando, por lo que él, extrañado, la miró también.

—¿Y? —inquirió, molesto por la mirada de Luka.

—¿No se te olvida algo? —le señaló el cuarto de baño.

—Eh… —Álex se giró y comprobó que estuviera la luz apagada. Lo estaba—. No.

—¿Seguro?

—Mmm. —Fue al baño y lo observó detenidamente; la tapa estaba bajada, más que nada porque no la había levantado; se había sentado sobre ella a leer—. Sí, seguro. La tapa está bajada —comentó para que se diera cuenta de que no había descuidado nada.

—¿Y no hay que hacer «algo» antes de bajar la tapa?

—¿Mear?

—Después de mear.

—Bajar la tapa.

—¡Tirar de la cadena! —exclamó Luka enfadada por tanta ineptitud. ¡Hombres!

—*Glups.*

—Sí, *glups.* No has tirado de la cadena… ¿Será posible? Media hora en el servicio y no has tirado de la cadena, pues olerá a rosas —refunfuñó dirigiéndose al baño.

Cuando entró se dio cuenta que no olía a rosas; de hecho, no olía a nada. Extrañada, levantó la tapa antes de tirar de la cadena… Nada… el váter no había sido usado; se dio la vuelta para mirarle detenidamente.

—Contéstame a una pregunta que me tiene intrigada.

—Dime.

—¿Qué has estado haciendo durante esta media hora en el baño?

—Leer.

—¿Leer?

—Sí.

—Vale —¡Hombres! ¡¿Y dicen que las mujeres somos complicadas?!—. No quiero saber nada más. Vamos a desayunar.

Contra todo pronóstico la cafetera era exprés, moderna, negra y hacía un café delicioso. Álex había imaginado que sería una cafetera heredada de alguna bisabuela o algo por el estilo, así que se llevó una grata sorpresa cuando la vio.

Luka hacía el café bien cargado. Natural para más señas. Sacó un par de tazones enormes de desayuno, los llenó de café hasta la mitad y añadió leche. Sacó una sartén para plancha del horno y la puso sobre la vitrocerámica, añadió un poco de mantequilla, cortó los cruasanes por la mitad y los cocinó.

El olor hizo que Álex salivara.

—Huele de maravilla.

Luka los puso en platos sobre la encimera, luego cogió su taza y tomó un sorbo de café mientras pensaba en todo lo que había ocurrido en poco más de doce horas. Uf.

Fue aún más lejos y recordó toda la semana anterior. ¡Uf! Hizo balance. En el lado positivo: había conocido a un tipo que parecía bastante majo. Ese mismo tipo parecía ser igual de friki que ella con las películas. También habían dado de qué hablar a la Marquesa, esta vez por cosas agradables, al menos para ella; su vecina seguro que opinaba de otra manera. Y por si fuera poco, había pegado unos polvos de impresión.

En el lado negativo: en menos de una semana ya habían discutido… Ay, señor, eso no pintaba bien, pero también se habían arreglado, o sea, que eso iba al lado positivo. Más cosas negativas… Mmm, había cogido sus llaves sin decírselo; eso no le gustaba ni un pelo, no, señor. Y qué más. En tres encuentros le había roto dos tangas y un bodi, mmm, se mordió los labios; tendría que proveerse de más ropa interior, barata a ser posible; no estaba la vida como para tirar el dinero. ¿Algo más? Si lo había, no lo recordaba.

—¿Qué piensas? —le preguntó Álex al verla tomar café ensimismada, en otro mundo.

—Nada. —Luka miró por la ventana de la cocina—. Parece que hace un día estupendo.

—Sí, pero engaña; hace bastante frío.

—Lógico, has salido medio desnudo —comentó sonriendo; se había quitado la chaqueta en el baño y ahora estaba desnudo de cintura para arriba, mostrando ese increíble torso.

—Es que alguien rompió mi camisa. —Álex se encogió de hombros sin darle importancia.

—Mmm, puedes ponerte la de Javi —resolvió Luka recordando la camisa que había usado el día anterior cuando salió de casa de Pili.

—¿Tienes camisas de Javi en tu casa? —interrogó él con un deje celoso en su voz. ¿No era el tal Dani el que estaba libre? Javi supuestamente era el novio de R2D2—. ¿Lo sabe Pili? —Aventuró recordando el nombre.

—Claro, me la dio ella ayer.

—¿Ayer?

—Sí. Es la camisa blanca que llevaba puesta cuando nos vimos.

—Ah… —recordó el trapo blanco que le colgaba por todas partes—. Sí, me vale seguro.

—Pues listo. Ya tienes ropa para bajar a la calle.

—¿Quieres que bajemos a la calle? —preguntó acercándose.

—No especialmente. ¿Por?

—Porque son las… —miró el reloj de la pared, que probablemente habría pertenecido a alguna tatarabuela— … doce y media pasadas y se me ocurren mil cosas que hacer durante el día —comentó agarrándola de la cintura y atrayéndola hacia él.

—¿Ir a la calle es una de ellas? —Luka puso sus manos sobre el torso desnudo y escondió la cara en el cuello sin afeitar dándole un lametón. Se había convertido en una adicta a su sabor.

—No especialmente. —Las manos del hombre le rodearon la cintura y bajaron para acariciarle las nalgas.

—Perfecto.

Luka le recorrió la mandíbula con pequeños besos y ligeros mordiscos.

Álex le apretó el trasero haciendo que la tripita que tanto adoraba se pegase contra su erección.

Se mecieron uno contra el otro disfrutando de las sensaciones que solo el cuerpo contrario podía proporcionarles. Los labios se encontraron, se reconocieron y se acoplaron a la perfección. Sabían a mantequilla y sexo, una buena combinación. Las manos de ambos comenzaron a recorrer los contornos, a buscar los puntos débiles en la danza lenta y sinuosa de los que saben perfectamente que no hay ninguna prisa.

Él la agarró por la cintura y la acomodó sobre la encimera, ella abrió las piernas para acogerle. Se devoraron el uno al otro con los ojos y los labios.

Estaban tan absortos en ellos mismos que no oían nada. Solo sentían.

Por eso, cuando unos golpes tremendos seguidos del agudo sonido del timbre retumbaron en toda la casa, se separaron sobresaltados.

—No des golpes que vas a escandalizar a toda la vecindad y ya sabes cómo es la Marquesa —comentó una voz conocida en el mismo instante en que la puerta de la calle se abrió de par en par golpeando la pared.

—¿Y qué importa la Marquesa cuando la vida de Luka está en peligro?

Luka bajó de un salto de la encimera y salió corriendo de la cocina, Álex se quedó parado en el sitio. Había reconocido las voces. *R2D2* y la bruja Piruja o sea, Pili y Ruth. ¿Qué hacían ahí?

—Ruth, Pili, ¿qué pasa? —preguntó Luka asustada por la discreta entrada de sus amigas.

—Ves como no estaba en la peluquería —exclamó Ruth cuando la vio.

—Vale. Pero tampoco está muerta y su cadáver abandonado en algún callejón oscuro —contestó Pili a la defensiva.

—Podía ser cualquier cosa. ¿Estás bien? ¿Cómo te encuentras? —Ruth rodeó a Luka para poder inspeccionarla bien por todas partes.

—¿Te ha pasado algo? ¿Tuviste algún problema? —Pili giraba alrededor de las dos amigas como una peonza.

—¿Por qué no cogías…?

—¿… el teléfono? —acabó Ruth—. ¿Por qué has desconectado…?

—¿… el móvil? —finalizó Pili—. ¡Joder, Luka! ¿No has visto los correos?

—Te he mandado mil —completó Ruth la frase.

—¿Cómo se te ocurre…?

—¿… hacernos esto?

—¡En qué narices estabas…!

—¡… pensando!

Hablaban tan rápido y estaban tan nerviosas que la una terminaba las frases de la otra sin siquiera darse cuenta, como solo lo hacen las amigas que llevan toda la vida juntas y se conocen a la perfección.

—¡Alto ahí! ¿Me podéis decir qué narices os pasa? —las interrumpió Luka levantando las manos en alto, mareada con tanta pregunta.

—Fácil. —Una voz grave y tranquila, de estas que dejan a todo el mundo en silencio, se elevó entre la algarabía femenina—. Ruth llamó a casa esta mañana temprano, comentando que no respondías al teléfono. Pili te llamó al fijo y al móvil y obtuvo el mismo resultado. Te mandaron correos que tampoco respondiste. Les dije que lo mismo estabas con tu vampiro, cosa que Pili desmintió fervientemente. Ruth, que estaba muy tranquila, vino a casa a hablar con Pili mientras daban tiempo al tiempo para volver a llamarte. A las once y media empezaron a hablar de las cosas que podrían haberte ocurrido; mencionaron vertederos, ríos, atropellos… y me intentaron convencer de venir aquí para ver si te había ocurrido algo. En ese momento Pili recordó que ibas a ir a la peluquería a ponerte tu color de pelo otra vez. —Javi miró a Luka e hizo un inciso—. Espero que lo hagas pronto, ese color es horrible —y continuó con su alegato—: Las convencí para que esperaran un poco más. Pero en el interludio llamó Dani y Ruth le contó lo que creía que te había pasado. Dani, que no es nada alarmista, decidió venir aquí para comprobar que estabas bien, pero luego recordó que no tiene las llaves de tu casa y que por tanto no puede entrar.

Javi respiró profundamente y miró a su novia y a sus dos mejores amigas y continuó:

—Así que hoy sábado, a las doce de la mañana, justo cuando están poniendo en *Bricomanía* cómo hacer un jardín zen, programa que llevo un mes esperando, no me ha quedado más remedio que salir pitando a tu casa para evitar que Dani, que tiene que estar a punto de llegar, tirara abajo la puerta a golpes. ¿Has entendido algo? —Luka negó con la cabeza—. Bien. Voy a por una cerveza, te aseguro que la necesito —aseveró Javi lanzando una durísima mirada a sus acompañantes femeninas.

—¿Qué tal? —Álex salió de la cocina y saludó a la concurrencia.

Tras escuchar toda la conversación, si es que a eso se le podía llamar conversación, y viendo el cariz que tomaba la situación, había decidido que estaba más seguro en un lugar donde tuviera espacio para defenderse, antes que esperar a que alguno de esos locos entrara y le acorralara entre dos paredes.

Dos pares de ojos femeninos lo miraron como si fuera un fantasma, que hacía acto de presencia cuando menos se lo espera y, por supuesto, sin ser bienvenido.

Al lado de las dos mujeres estaba el tío más impresionante que había visto en su vida. Por lo menos dos metros de altura, unos hombros que ocupaban todo el pasillo, manos grandes, brazos grandes, cuello grueso, ni pizca de grasa y mucho músculo. Álex lo miró fijamente a los ojos. Unos ojos que estaban ubicados en la cara masculina más amable, compresiva y compasiva que pudiera tener un hombre de esas dimensiones.

Javi sonrió divertido, imaginando qué había pasado. Le tendió la mano.

—Hola, soy Javi. Tú debes de ser... eh... ¿Drácula? —preguntó amistoso.

—¿Drácula? —Álex saludó al hombre sin dejar de mirar fijamente a Luka.

—Ya te dije que no sabía tu nombre. De algún modo tenía que llamarte —le explicó ella encogiéndose de hombros.

—¿Qué hace aquí Draculín? —preguntó Ruth con ojos como platos—. Esto... no te ofendas.

—Ya puestos prefiero conde Drácula, tiene más prestigio —solicitó Álex un poco picado.

—Sí, ¿qué ha pasado con el plan de ayer? —inquirió Pili antes de darse cuenta de lo que decía.

—¿Qué plan? —preguntaron Javi y Álex a la vez.

—Huy —se encogió Pili de hombros.

—Chicas, reunión en... —Ruth miró alrededor—. Mira que es pequeña tu casa, caramba. Reunión en tu cuarto, Luka. Y vosotros, iros a por unas cervecitas. Hale, venga. —Espoleó a los hombres hacia la cocina y luego tomó de las manos a sus amigas y tiró de ellas hasta la caja de cerillas que era el cuarto de Luka.

—¡¿Qué ha pasado?! —preguntó en ese momento una nueva voz, entrando como un tornado en la casa, por la puerta de entrada, que habían dejado abierta sin darse cuenta—. ¡¿Está bien Luka!?

—Joder. Esto parece una pésima obra de teatro —apuntó Luka quisquillosa.

—Eh. ¡No me jodas, Luka! Vengo corriendo, asustado porque me han dicho que te han violado, y me recibes así. Vete a la mierda —replicó Dani enfadado, aunque luego preguntó preocupado otra vez—: ¿Estás bien?

—¿Una cervecita, Dani? —Javi tomó a su amigo por los hombros y se lo llevó a la cocina.

—Pero ¿qué ha pasado?

—Yo te explico. Tú tranquilo. Deja a esas locas —dirigió una mirada penetrante y enfadada hacia las chicas— que se arreglen ellas solas. Seguro que el conde Drácula, aquí presente, nos puede explicar lo que yo no sé pero sí imagino, sin histerismos ni chorradas varias —dijo señalando a Álex.

—¿Tú eres el vampiro? —Dani sonrió recorriendo a Álex de arriba abajo. Caray, Luka no exageraba ni un pelo; estaba buenísimo—. Te falta la capa.

—En realidad me llamo Álex —se presentó rápidamente, incómodo ante la mirada evaluadora de su supuesto contrincante—. Y si ¿Javi? me explica de qué va esto, seguro que soy capaz de ponerle algo de lógica.

—No te equivoques, chaval. No hay lógica en todo esto. Eso es imposible cuando estas tres están metidas en el ajo.

Sábado 8 de noviembre de 2008, 13.07 h
Cuarto caja de cerillas

Las tres amigas estaban amontonadas sobre la cama hablando en susurros. Bueno, todas no; Luka y Ruth hablaban en susurros mientras que Pili hablaba en lo que para ella eran susurros y, para el resto del mundo, un tono de voz normal y corriente.

—No me ha pasado nada —afirmó Luka enfurruñada.

—¿Por qué no cogías el teléfono?

—Porque ayer nos la lió la Marquesa y lo desconectamos por si acaso.

—¿Y por qué has apagado el móvil?

—Por si a alguien se le ocurría llamar por la mañana.

—Aaaah —dijeron a la vez las dos amigas. Acababan de atar cabos.

—Perdona, no se me ocurrió —comentó Pili— pero es que se suponía que no ibas a pasar la noche con Colmillitos; recuerda… cosas de tu pelo.

—Que, por cierto, es lo más horrible que has hecho nunca —interrumpió Ruth a su amiga—, y eso que cuando te lo pusiste verde pensé que no podrías superarte. Pero sí, te has superado y mira que estuve a punto de avisarte para que no lo hicieras, pero como luego decís que siempre os estoy aguando la fiesta, que soy demasiado seria y que hay que probar cosas nuevas, pues me callé, pero desde luego que imaginé lo que iba a suceder, porque no tenéis entre las dos ni medio cere…

—Ya, ya lo sabemos, Ruth. No te embales que nos conocemos —replicó Luka interrumpiendo la perorata.

—Además, he pensado que, como aún tenemos el tinte rojo que compraste, podíamos intentar otra cosa, al fin y al cabo… —aventuró Pili pensativa dándose golpecitos en la boca.

—¡No! —respondieron Ruth y Luka a la vez. Luego se miraron extrañadas… ¿Habían coincidido?

—Chicas, es la primera vez en la vida que estáis de acuerdo y que justo ocurra para llevarme la contraria a mí no sé si me hace gracia.

—Nooooooooo, ha sido casualidad. —Luka miró a Ruth.

—Sí, uno de esos misterios sin resolver que tiene la vida. No le demos importancia —contestó Ruth comenzando a reírse.

La carcajada nerviosa de Ruth fue rápidamente acompañada de una más fluida y agitada de Pili y el círculo se cerró cuando la espontánea y estentórea de Luka se unió al coro. Las tres acabaron tiradas en la cama muertas de la risa. Los nervios y el susto por fin se esfumaron.

—Bueno, y, ahora que estamos más tranquilas, la pregunta del millón —Pili entornó los ojos y observó fijamente a Luka—. ¿Por qué está Drácula en tu casa?

—Se llama Álex. Y veréis, resulta que…

Y procedió a contarlo todo… varias veces.

—En fin, parece que al final te voy a conocer. Soy Dani —se presentó este extendiendo la mano.

—El jefe y amigo de Luka, ¿no? Yo soy Álex. —Álex se la estrechó quizás un poco demasiado fuerte—. El no… nuevo amigo de Luka. —¡Mierda! Había estado a punto de decir «novio». Si lo hubiera hecho, ya solo le habría faltado mear en las esquinas para marcar más todavía «su» territorio. Pero es que ese tipo le irritaba con sus puñeteros cojines.

—¿El no nuevo amigo? Genial, ya somos tres los no amigos —malinterpretó Dani. Luego le echó el brazo al hombro y lo llevó hacia la ventana como quien no quiere la cosa, ese torso descamisado merecía la pena verse a plena luz del sol—. No te lo tomes muy a pecho, las chicas a veces hacen y piensan cosas raras pero, con lo que se ve en la tele a diario, no les quito la razón. Lo cierto es que a mí me han persuadido de que había pasado algo, así que ya ves, son convincentes, sobre todo Ruth. ¡Uf! Cuando empieza a emplear la lógica es tremenda.

—*Tate* quieto, nene —avisó Javi saliendo de la cocina con tres cervezas en la mano y alzando las cejas hacia Álex—. *Que´s propiedá privá.*

—¿Perdón? —¿No hay nadie normal en esta casa? ¿En qué idioma hablaba Javi ahora? Y ¿por qué Dani no deja de sobarme?, pensó Álex sacudiendo los hombros para librarse del abrazo del susodicho. ¡Menudo repertorio de amigos tiene Luka!

—Nada, bromas privadas. No nos hagas caso. Y bien, ¿qué ha pasado?

Dani cogió sus cojines y se sentó sobre ellos mientras que Álex se colocaba en el sillón, en el extremo pegado a las cortinas, y Javi se acomodaba en el otro lado, dejando un buen hueco entre ellos.

Cuando estuvieron todos los botellines abiertos y les faltaron unos cuantos tragos, Álex contó su versión de los hechos, interrumpiéndose al llegar a ciertas circunstancias que a nadie de ese salón importaban y acabando con la entrada triunfal del «club de las locas» en la casa. En ese momento Javi retomó la conversación explicando a Dani lo que había contado antes. Aunque esta vez con muchas más risas y camaradería.

Tras dar por zanjado el tema, un silencio incómodo se apoderó del salón.

Se miraron los unos a los otros sin saber exactamente qué decir, al fin y al cabo eran perfectos desconocidos.

—Estoy pensando en hacerme un jardín zen... —expuso Javi.

—Qué interesante —aprobó Dani.

—Sí, lo estaban echando por la tele cuando tuve que salir corriendo hacia aquí.

—Ah. —Dani y Álex se miraron circunspectos. Tema cerrado.

Dani se mesó el pelo, su carácter no soportaba por mucho tiempo el silencio. Previendo posibles problemas, Javi decidió comenzar un nuevo tema de conversación.

—Parece que se avecinan malos tiempos —comentó—, empieza a ser complicado encontrar curro en las obras.

—¿A qué te dedicas? —preguntó Álex.

—Soy albañil.

—En los cristales también se está notando —confirmó Dani—. Y en las exposiciones ni te cuento, apenas se hacen ya. Y tú, ¿en qué trabajas?

—Vendo componentes electrónicos al por mayor —contestó Álex.

Los tres hombres se miraron encogiéndose de hombros, a ninguno le apetecía hablar de la crisis, ya estaban dando la voz de alarma en los medios de comunicación y no era un tema muy agradable para comentar. Hablar del trabajo tampoco era muy interesante, más todavía en fin de semana. Al final otro incómodo silencio se instaló entre ellos.

Parecía mentira, pero con las chicas alrededor nunca había silencio. Se las echaba de menos.

—¿Os conocéis desde hace mucho? —Álex expuso la pregunta que le venía rondando desde la noche anterior.

—Bueno, yo conozco a las chicas desde que tengo seis años —le informó Javi—. Mi familia vivía arriba de la casa de Luka. Pili en el portal de al lado y Ruth en el de enfrente; íbamos los cuatro al mismo colegio. Así que nos criamos juntos.

—Yo, sin embargo, los conozco desde hace menos tiempo —se apresuró a decir Dani—. Hará más o menos ocho años, cuando Luka empezó a montar exposiciones. Fui su primer jefe y espero que el último —sonrió ladino mirando a Álex. Se le acababa de ocurrir que incordiar al nuevo amigo de Luka podía ser muy divertido. El pobre muchacho se mostraba un tanto posesivo con ella. Mmmm, interesante—. Luka es una mujer estupenda y una trabajadora incansable.

—Tienes toda la razón —aceptó Álex frunciendo el ceño. ¿Su último jefe? ¿A qué narices venía esa afirmación?—. Pero no veo por qué iba Luka a querer quedarse en el mismo trabajo toda la vida. Probablemente aspire a algo mejor que ser una simple secretaria, limpiaretretes y descargadora de camiones —dijo retando a su supuesto contrincante—. ¿No crees?

—Vaya. Veo que te ha contado cosas del trabajo. En fin, puede que mi padre y mi hermano sean un poco obtusos, pero te aseguro que yo tengo muy presentes todas sus capacidades. —Dani enarcó las cejas varias veces, como si supiera algún secreto que Álex no conocía.

—¡Ay Dios! —suspiró Javi, viendo venir a Dani.

—¿A qué capacidades te refieres exactamente? —Álex se inclinó amenazante, sus ojos relampaguearon.

—Ya sabes, no creo que estés tan ciego como para no verlo —le restó importancia Dani.

—Lo mismo tenemos diferentes ángulos de visión, así que explícate —exigió Álex, alerta.

—¿No creéis que las chicas están muy silenciosas? —interrumpió Javi el duelo de miradas.

—Hombre, no creo que conozcas a muchas mujeres capaces de descargar camiones con pluma. —Dani ignoró olímpicamente a Javi y su intento por mantener la paz, se estaba empezando a divertir—. Esa chica sabe manejar palancas. Sí, señor, y parece mentira con esos dedos tan finos que tiene, pero no, no tiene ningún problema; por muy grande que sea la palanca, ella se las apaña para abarcarla con la mano, apretando lo justo para hacer que la obedezca, que se mueva a donde tiene que ir, arriba, abajo, suavemente, despacito. Y si la palanca se pone dura, tampoco hay problema, usa las dos manos con determinación y la lleva hasta donde ella quiera, más allá del límite; en fin, una joya.

—Mira, tío… —Las manos de Álex estaban convertidas en puños sobre sus rodillas, y sus labios apretados en una mueca furiosa.

Javi le pasó un brazo sobre los hombros y le dio un apretón.

—Está hablando de grúas, más exactamente de las palancas que manejan las plumas de las grúas de los camiones —le explicó

Javi sin dejar de darle palmaditas en la espalda mientras dirigía a Dani una mirada que decía «contrólate, o te controlaré yo». A veces las bromas de su amigo no eran nada graciosas.

—Aguafiestas —siseó Dani entre dientes—. Tendrías que ver cómo maneja las cajas de cristal, es impresionante. Tiene un control demoledor. Basta con que se acerque al camión y este ronronea. Y no la has visto cortar cristales, es digno de ver. Coloca la plancha, coge la rulina y se inclina sobre la mesa, los muslos pegados al borde, el brazo extendido, los riñones asomando por debajo de la camiseta estirada. Mmm… ¿Te has fijado en que tiene un tatuaje celta justo donde la espalda pierde su nombre? Pues, cuando corta cristales, se le ve entero por debajo de la tira del tanga. Lo dicho, digno de verse.

—Dani, majete, te toca ir a por cervezas a la cocina. ¡Ya! —ordenó Javi cuando Álex se levantó de golpe del sillón. Dani guiñó un ojo y partió raudo, veloz y riendo a la cocina—. No le prestes atención, disfruta incordiando y, si le sigues el juego, tú pierdes.

—Joder —gruñó Álex sentándose de nuevo.

Él no había visto ese tatuaje. Solo habían hecho el amor cara a cara, pero, esa noche, por todo lo sagrado que lo vería. Nadie iba a conocer mejor el cuerpo de Luka que él y menos ese bufón idiota que regalaba cojines viejos. Además, ¿cómo sería ese tatuaje? ¿Runas, letras, o algún dibujo celta? Mmm, su mente empezó a dar vueltas al asunto.

—¿Crees que el Real Madrid ganará la Liga? —preguntó Javi buscando un tema que esperaba fuese algo más seguro.

Cuando Dani regresó con las cervezas el ambiente ya estaba calmado de nuevo, los tres hombres eran del mismo equipo así que no se esperaban más accidentes y, además, la vena sádica de Dani parecía haberse evaporado.

Se enfrascaron en una charla apasionante sobre las técnicas de cada entrenador, en la que, por supuesto, ni Álex ni Dani fueron capaces de ponerse de acuerdo.

—Lo que no me explico es cómo, después de planear concienzudamente que «no» ibas a acostarte con Drácula/Álex, acabasteis en la cama…

—Esto… estaba cansada. —Aunque fueran sus mejores amigas, Luka no estaba dispuesta a confesar el *ménage à trois* entre los vaqueros, Álex y ella. Era demasiado íntimo.

—Lo que yo no me creo es que acabarais sobre los cojines de Dani con lo cómoda que es esta cama —terció Ruth, que no tenía una pizca de espontaneidad en todo el cuerpo.

—Ya ves, cosas que pasan. —No les había relatado todos los detalles pero sí comentó de pasada el tema polvo sobre cojines cuando les contó la discusión con la vecina de abajo.

—Además de incómodo —Ruth era incapaz de dejar un tema cuando empezaba—, es tan inesperado. Lo que no comprendo es, si en medio de la vorágine tenéis la sangre fría de buscar un condón entre la ropa, que imagino estaría revuelta y tirada por el suelo, y, luego, colocarlo en el pene, que es sencillo pero hace falta temple para que no se arrugue, ¿por qué no aprovechasteis ese momento para iros a la cama?

—Eh… mmm… —Luka tragó saliva; se les había olvidado usar preservativo, pero no había problema; Álex se había corrido fuera.

—Luka… —dijo Pili muy seria mirando a su amiga.

—No lo habréis olvidado —murmuró Ruth palideciendo y mostrando una mueca de horror en la cara.

—¿No habrás sido capaz de hacerlo sin condón? —interrumpió Pili alzando la voz, pasando de susurrar (según ella) a hablar normal (casi a gritos según el resto del mundo).

—No me puedo creer que digas que eso no fue un penalti, joder…

Un grito interrumpió la discusión sobre la jugada…

—¿No habrás sido capaz de hacerlo sin condón?

Sobre el salón cayó un espeso silencio cargado de animadversión, y Álex sintió cómo le asaeteaba la mirada hostil de los dos hombres que, hasta ese instante, habían sido sus compañeros de charla.

—*La´s cagao*, chaval —gruñó Javi, que ya no se sentía amable ni compasivo, sino todo lo contrario.

—Hasta el fondo —aseveró Dani con gesto serio.

Una puerta se abrió en el pasillo…

—¡Por Dios, Luka! Podría haberte dejado embarazada, o peor todavía, ¡tener alguna enfermedad contagiosa! ¡¿Desde cuándo no tienes cerebro?! Jolines, desde siempre —se respondió a sí misma la persona que hablaba—. Mira que te lo he dicho miles de veces, pero esto… ¡Esto es la gota que colma el vaso! No tienes ni pizca de sentido común. —Los pasos que recorrían el pasillo se oían cada vez más cerca y la voz, que si Álex no se equivocaba pertenecía a Ruth, parecía muy enfadada.

—No puedo estar embarazada. —Se escuchó un susurro furioso que pertenecía a Luka.

—¿Y por qué no? ¿Qué te hace distinta a mí, a cualquier mujer? —Los pasos se habían detenido al otro lado de la puerta del salón; los tres hombres se inclinaron hacia allí, intentando escuchar la conversación.

—Se corrió fuera —susurró Luka enfadada, los hombres aguzaron los oídos—. Regresemos al cuarto.

—Aun así, ¿no has oído hablar del líquido preseminal? Es igual de peligroso. Y eso es lo de menos, un embarazo puede ser lo más hermoso del mundo —afirmó Ruth con voz cariñosa— pero el sida te mata —finalizó subiendo de nuevo el tono. Tan enfadada que ni siquiera se molestaba en susurrar.

—Chicas, chicas, tranquilas, que os van a oír. —Esa era Pili usando su tono de susurrar, es decir, su voz normal.

—No tiene sida —replicó Luka indignada.

Álex se la imaginó con las manos en las caderas, la barbilla alzada y esa mirada furiosa que era incapaz de ocultar cuando se enfadaba. Observó a sus compañeros, y se hundió un poco más en el sillón ante la mirada reprobadora que le dirigieron. Ellos tampoco se estaban perdiendo ni una sola palabra de la conversación que tenía lugar justo detrás de la puerta, a escasos tres metros.

—¿Ah, no? A ver los análisis —exigió Ruth colérica.

—¿Qué análisis?

—Los de sangre que demuestren que está sano.

—No digas chorradas.

—No son tonterías. Es sentido común.

—Chicas, que nos van a oír. —Alto y claro, Pili. Alto y claro.

—Argh. Vamos al Lancelot. Y allí solitas lo hablamos, ¿vale? —La voz de Luka sonaba decidida.

¿Qué era el Lancelot?, pensó Álex.

La puerta del salón se abrió, Ruth entró, cogió su bolso y el de Pili y salió airadamente para un segundo más tarde volver a entrar y quedarse parada mirándolos a los tres fijamente.

—Nos vamos. Solas. —Posó su mirada en Álex y levantó un dedo acusador hacia él—. En cuanto a ti…

—Nada, nada, ni caso; vosotros a lo vuestro. —Pili interrumpió la amenaza cogiendo a su amiga del brazo y arrastrándola hacia la salida—. Hoy comemos en el Lancelot, te veo luego en Donde Ayer, cariño. Chao —le tiró un beso a Javi.

—Vale, luego nos vemos —contestó este alzando la mano y cogiendo el beso en el aire.

Cuando las chicas querían charlar a solas siempre iban al Lancelot, era su territorio privado. Javi lo sabía, Dani lo sabía y Álex estaba a punto de enterarse.

—Adiós, chicos —se asomó Luka al salón durante unos segundos. Tenía la cara colorada como un tomate—. Esto… te veo luego, Álex… Dani, pórtate bien, cielo. Javi, *por fis*, cierra la puerta con llave cuando os vayáis.

—¡Todos! —Se escuchó decir a Ruth—. Cuando os vayáis todos. No se puede quedar nadie en casa si no está Luka.

—Ya, ya, tranquila, Ruth, que Javi tiene cerebro —afirmó Pili desde el descansillo.

—Sí, pero Dani no y estoy empezando a pensar que Draculín tampoco.

Y allí se quedaron solos los tres hombres, dos amigos y un extraño.

—En fin… —Javi miró tranquilamente a Álex—. ¿Tienes sida o alguna otra enfermedad contagiosa? Lo digo por matarte por estrangulamiento sin hacerte sangre o, en caso de que no tengas nada contagioso, simplemente molerte a golpes.

Cuando Javi se enfadaba, no alzaba la voz ni se ponía tenso, solo usaba un tono irónico que ponía la piel de gallina.

—No tengo ninguna enfermedad contagiosa —aseveró Álex serio, esperando.

—¿Le creemos? Sería una pena estropear ese precioso cuerpo, «no crees» —indicó Dani con ligereza, aunque sus ojos no mostraban despreocupación. Conocía a Javi muy bien, y ese tono de voz era muy peligroso.

Javi respiró profundamente, se levantó del sillón y cogió la cazadora que se había quitado al entrar en la casa. La sujetó un momento entre sus grandes manos. Estiró la espalda y movió el cuello haciéndolo crujir.

Impresionaba. Mucho.

Se giró hacia Dani, que en ese momento estaba sentado muy rígido en los cojines, con el cuerpo a punto para levantarse a la más mínima señal. Luego miró a Álex. Este le devolvía la mirada sin pizca de temor. Eso hizo que le respetara. Un poco.

—Vamos a Donde Ayer.

—Vale. —Dani respiró de nuevo. Donde Ayer era para ellos lo que para las chicas Lancelot, un lugar de reunión.

Ambos amigos miraron a Álex; este seguía sentado en el sillón, mirándolos decidido.

No podía quedarse allí solo, eso estaba claro, pero todavía no tenía el número de teléfono de Luka y, si se iba, tendría que intentar comunicarse con ella por correo electrónico y no estaba dispuesto a arriesgarse a que le diera esquinazo. Aunque siempre podría volver a su casa ahora que ya sabía dónde vivía. Pero no le parecía muy varonil esperar en el portal como un perrito abandonado a que ella apareciese a saber Dios cuándo.

Sin saber bien cómo solucionar el dilema, se permitió un momento de duda hundido en el sillón, y ese fue su error.

Laura había estado escondida en los pliegues del bandó, había visto cómo su dueña se iba dejándola sola con «dos machos dos piernas» a los que conocía y otro al que no conocía. Por la tensión del ambiente, sentía en sus escamas que las cosas no estaban como tenían que estar y eso la ponía nerviosa. Los «dos piernas» que conocía estaban fuera de su alcance pero el «dos piernas» nuevo estaba justo debajo de ella, en el sillón. Y alguien tenía que pagar por las malas vibraciones de su dueña. Así que hizo lo que haría cualquier animal agradecido.

Álex sintió una sacudida en las cortinas, una mancha verdosa que bajaba velozmente hacia él y, antes de tener tiempo de levantarse, se encontró con una iguana de metro y medio sobre sus hombros, furiosa y dándole latigazos con la cola.

El primero le alcanzó en el pómulo.

El segundo en el cuello.

El tercero en el pecho, que llegó cuando la iguana descendió hasta su regazo clavándole las uñas en la entrepierna y moviéndose a una velocidad endiablada.

Dani se alejó —chico precavido vale por dos—, y Javi se acercó tranquilamente, agarró a *Laura* de la panza y la cola manteniéndola bien sujeta y separada él, y a continuación la encerró en su terrario. Luego miró a Álex, que se había levantado alucinando. El joven había recibido tres buenos golpes que, y lo sabía por propia experiencia, empezarían a doler dentro de muy poco. Miró a *Laura* y sonrió satisfecho.

—Ponte algo encima y ven con nosotros. Hablaremos.

Álex miró a la iguana y esta lo ignoró. Aguantándose las ganas de estrangularla se fue al dormitorio y cogió la camisa de hombre que Luka llevaba puesta el día anterior. No pensaba ir descamisado a ningún lado. Estaba saliendo del cuarto cuando recordó algo, se dio media vuelta, sacó la caja de condones del bolsillo del pantalón y buscó un sitio donde dejarla; pensaba usarlos sin falta esa noche y no era plan de perderlos y provocar el enfado de Javi. Y no porque fuera un cobarde, pero el amigo de Luka era muy, muy grande.

Abrió el cajón de la mesilla y metió la caja dentro; estaba lleno de cuadernos de todo tipo y, debajo de ellos, algo metálico brilló llamando su atención. Levantó los cuadernos. ¡Vaya! Largo, grueso, suave, liso, de color plata, en un extremo con la punta redondeada y en el otro con un depósito para las pilas. Lo sacó del cajón y pensó en los múltiples usos que podrían darle a ese objeto… todos ellos muy interesantes. Lo volvió a colocar en su sitio, lo tapó y salió de la habitación.

Le estaban esperando en el vestíbulo, Javi miró la camisa que llevaba puesta durante un momento.

—Me suena esa camisa —comentó. Cuando Álex se dispuso a hablar, alzó una mano—. No, no quiero saber nada más. Vamos a tomar unas cañas.

11

*E*l coche de Dani resultó ser una Fiat Scudo verde, vieja y llena de cortes en la tapicera y, gracias a eso, el orgullo de Álex subió varios puntos. Su coche era muchísimo mejor.

Montaron y recorrieron un trayecto de unos seiscientos metros. ¿Para qué andar si se podía ir en coche? Lo malo fue para aparcar, porque Donde Ayer resultó ser una cafetería —un cartel bien grande así lo proclamaba— ubicada en una calle en la que no había aparcamiento, por lo que, después de dar varias vueltas a la manzana, aparcaron la furgoneta a unos trescientos metros de la casa de Luka, justo a mitad de camino del bar, y subieron andando lo que faltaba. En total, tardaron veinte minutos en recorrer poco más de medio kilómetro.

Justo enfrente de Donde Ayer, cruzando la carretera, estaba situado Lancelot. Las chicas entraban en ese momento por la puerta y les saludaron para luego seguir a lo suyo.

Realmente no es que estuvieran muy lejos los unos de los otros.

Álex se relajó, no iba a necesitar hacer labores de espionaje para averiguar el teléfono de Luka. Estaba cruzando la calle. ¡Bien!

Donde Ayer era una cafetería a la antigua usanza, pintada en tonos cálidos, con cuadros de botellas de cerveza antigua en las paredes, una gran barra de madera que recorría todo el lateral, lámparas bajas colgando del techo, suelo de madera y mesas altas con barriles a los lados haciendo las veces de banquetas.

Se sentaron y al momento un camarero delgaducho y con un delantal verde musgo que le daba apariencia de gnomo acudió a atenderles. Sonrió sesgadamente a Dani, Dani le devolvió la sonrisa y Álex se quedó mirando un poco perplejo el intercambio de dientes. Pidieron cerveza, bebida nacional por excelencia, unas bravas y choricitos al vino. Era la hora de comer y tenían hambre.

Poco después la conversación giraba en torno a la crisis.

—Nos toca aguantar el tirón, apretarnos el cinturón y tirar para adelante —declaró Javi.

—Mmm… También ayuda mucho tener una secretaria con una sonrisa divina, una buena delantera y ganas de trabajar. De hecho yo diría que muchos de los clientes que acuden al taller lo hacen para ver cierto tatuaje cuando cierta persona corta cristales —insinuó Dani como quien no quiere la cosa, a la vez que palmeaba a Álex en el hombro.

—Hombre, otra cosa que atraería a los clientes sería ver al hijo del jefe desangrarse como un cerdo si, por casualidades de la vida, un cristal bien afilado se clavara en su estómago —apuntó Álex, quitándose de encima la mano de Dani. Empezaba a conocer su sentido del humor y no pensaba dejarse llevar… demasiado.

—Cierto… —reculó Dani. Vaya, el vampirito se rebela, pensó divertido—. Pon otra de cerveza, Luis —pidió al camarero con apariencia de gnomo, y esta vez, además de la sonrisa, hubo un guiño de ojos.

Con la siguiente ronda, retomaron el tema del fútbol.

—Parece que este año ganaremos la liga, y no es que el Madrid esté jugando bien, pero lo cierto es que estamos obteniendo resultados, aunque, claro, está empezando. —A ver cómo te lo montas para incordiar con este tema, retó con la mirada Javi a su amigo.

—No sé, se puede hacer mejor, desde luego. La verdad es que con esas piernas que tienen bien podrían correr más. —Dani aceptó el reto—. Y hablando de piernas…

—Nadie está hablando de piernas —cortó Javi, alerta. Su amigo iba a volver a incordiar, se lo estaba oliendo.

—Yo sí —replicó Dani—, me encantan las piernas fuertes, bien formadas, duras —recalcaba cada palabra dando una pequeña palmada en el muslo de Álex, como probando si iban con él esos adjetivos—. Si lo piensas bien, las piernas son una parte importantísima del cuerpo; sin ellas no podemos hacer casi nada.

Y, por otro lado, está la parte estética: unas piernas bonitas, largas, que acaben en un buen trasero. Uf, eso es lo más de lo más y, si sobre el culo hay un tatuaje, dan unas ganas de comérselo…

—Y hablando de comer, algo que me llama mucho la atención de la Edad Media es una tortura muy imaginativa y refinada que tenían. Verás. —Álex miró a Dani fijamente mientras le quitaba la mano que había dejado olvidada en «su» muslo. ¡Joder!, mira que era sobón el tipo—. Colocaban al torturado boca arriba, bien atado para que no se moviera, y después situaban una rata dentro de una jaula sobre su abdomen. Pero, ojo, la jaula estaba abierta por abajo, por lo que la rata tenía vía libre a la carne. Luego los carceleros se dedicaban a acosar al pobre animal con palos ardiendo hasta que este no veía otra salida que comerse la tripa del reo y cavar un agujero en sus entrañas para escapar. Es interesante, ¿verdad?

—¡Joder! ¿De dónde coño has sacado eso? —preguntó Dani con ojos como platos.

—Ah, nada, cosas que leo y se quedan guardadas en mi cerebro. Y no se sabe cómo, aparecen de repente, sin venir a cuento.

—Otra ronda —gritó Javi al camarero de las sonrisas—. Me parece que voy a necesitar un trago, esta conversación me sobrepasa.

En esta ocasión, cuando el camarero sonriente repartió las bebidas, Dani cogió la suya y los dedos de ambos se acariciaron. Por supuesto bajo la atenta mirada de Álex, que en esos momentos ya estaba hecho un completo lío.

—¿Os conocéis de antes?

—Claro, vengo aquí muy a menudo —afirmó Dani, mostrando a Álex su sonrisa diabólica. Le estaba confundiendo, lo sabía y lo hacía a propósito.

—Voy a comprar una revista que me indique cómo hacer un jardín zen. Llevo meses pensándolo y estoy decidido —empezó Javi un tema más o menos inocuo.

—¿Qué es un jardín zen? Estoy algo perdido —preguntó Álex con curiosidad.

—Es un jardín seco de origen japonés que consiste en una capa de arena y, sobre ella, grava, arena de otro color, piedras, elementos naturales. En fin, cosas que llevan a la meditación —explicó Javi.

—A mí también me relajan —comentó Dani bajo la atenta mirada de los otros dos hombres. Mantuvo las manos a la vista y quietas para el inmenso alivio de Álex—, sobre todo esos que tienen el rastrillo de madera con el que hacer dibujos en la arena.

—Sí —respiró Javi, no había problemas en el horizonte—. De ese tipo es justo como lo quiero, son los mejores porque así puedes cambiar las líneas de la arena según tengas el día.

—Entonces el dibujo no está predefinido, sino que lo vas elaborando día a día —se interesó Álex.

—Efectivamente, en el que yo tengo en casa, las líneas de la arena forman un *triskel* —comentó Dani como quien no quiere la cosa.

—¡Daniel! —lo interrumpió Javi de golpe. Lo veía venir.

—¿Qué? —contestó el interpelado alzando las manos—. Cada cual dibuja lo que quiere, ¿no?

—¿Qué es un *triskel*? —Álex picó el anzuelo.

—Un tatuaje celta. —Sonrió Dani y ya que tenía las manos alzadas aprovechó para pasar un brazo sobre la nuca de Álex, supuestamente para que le prestara atención—. Y no creas que es fácil de dibujar en la arena, menos mal que Luka accedió a posar para mí. El que tiene ella es justo un *triskel* —le informó—. Está anclado en sus caderas, por debajo de la cintura y por encima... Bueno, imaginas por encima de dónde, ¿verdad? —La mano que no estaba en la nuca de Álex le agarró un brazo para dar más énfasis a sus palabras, no por otra cosa, qué va...

—Ajá. —Álex se soltó bruscamente del amarre y miró fijamente a Dani. No es que le estuviera advirtiendo de nada, pero por si acaso—. En Tailandia, asistí una vez a una ceremonia en la que miles de creyentes acudían a un templo a hacerse tatuajes protectores y era verdaderamente impactante. Se arrodillaban desnudos ante el monje y este, tranquilamente, sin prisas, les iba tatuando la piel con una especie de punzón muy fino que iba golpeando rítmicamente con una piedra plana mientras les echaba cenizas ardientes sobre la herida para que cogiera color. La verdad es que me quedé bastante con el tema y me veo totalmente capaz de hacerlo. Si tan interesado estás en tatuajes, no me importaría tatuarte siguiendo este método.

—No, deja, no estoy tan interesado. —«Agudo el chico», pensó Dani, que se lo estaba pasando bomba incordiándolo.

—Asombroso. La de cantidad de tonterías que se pueden decir en un par de horas —disertó Javi—. Y parece ser contagioso, porque en estos momentos me estoy acordando de un documental que vi sobre la trepanación del cerebro. Según parece da resultado para deshacerse de los locos. —Y que eso lo dijera un tío de dos metros, ancho como una casa y con mirada furiosa, era cuanto menos impactante.

—Mmm.

—Vaya.

—¿Qué opináis de Fernando Alonso? —les preguntó Javi mirándolos muy, pero que muy seriamente.

Comentaron sobre Fernando Alonso, los trabajos, el estado del mundo —que más o menos arreglaron en un periquete—. Y por suerte, o por la mirada severa de Javi, no hubo ningún rifirrafe más, aunque Álex tenía que reconocer que, una vez había captado el humor incordiante y burlón de Dani, hasta se había divertido.

Parece mentira, pero, cuando se está a gusto, el tiempo pasa muy rápidamente y, en esta ocasión, ese fue el caso. Eran las seis más o menos cuando unas risas alborotaron la cafetería.

Los tres hombres se giraron, las chicas acababan de llegar.

Luka sintió una sensación especial al ver juntos a sus dos mejores amigos y su ligue esporádico. El tranquilo, el incordio y el vampiro. Parecía una película de Clint Eastwood.

Javi, con su imponente físico y su pelo cortado al uno, era en realidad un osito de peluche, tranquilo, sereno y muy inteligente. Sabía leer en las caras de la gente y no hablaba a ser que tuviera muy claro lo que quería decir.

Dani, al contrario que Javi, era alto y delgado como un junco y, con su pelo negro a trasquilones y de punta y esa cara de «te la voy a liar antes de que te des cuenta», era un bromista consumado, siempre pensando en maneras de incordiar al personal.

Sus amigos eran dos fuerzas de la naturaleza, la calma y el huracán, el bufón y el pensador. Y ahora a la estampa se unía Álex. Alto, guapo, ni tan serio como uno, ni tan bromista como el otro, justo un término medio.

—Hola, cariño, chicos. —Se acercó Pili alegremente, dando un beso a Javi, un achuchón a Dani y quedándose parada ante Álex, pensativa—. Bah, por qué no —le dio un ligero abrazo a Álex.

—¿Qué tal la reunión? —preguntó Ruth—. Luis, estás divino con el uniforme nuevo. ¿Al final vas a ir a la exposición? —le preguntó al camarero que estaba cerca tomando una comanda.

—Seguro que sí. Dani me tiene casi convencido —contestó este guiñando el ojo a Dani.

—Por supuesto que vienes —le exigió Dani dándole una palmada en el culo según pasaba por su lado y, cómo no, dejando a Álex totalmente petrificado. A ver, ¿no llevaba todo el día insinuando cosas sobre Luka?

—¿Qué tal, chicos, Álex? —saludó Luka—. ¿Qué te ha pasado en la cara? —interrogó al ver el moratón en su pómulo.

—Me encontré con la cola de *Laura* —explicó Álex levantándose con la intención de darle a su chica el saludo que se merecía.

—Hola, preciosa, ¿cómo está el sol de mi vida? —la abrazó Dani anticipándose y dándole un sonoro beso en la mejilla.

—Exagerado —rió ella apartándole.

«Eso sí qué no», pensó Álex irritado; le había saludado específicamente a él, a Álex, alias *conde Drácula*, y nadie tenía derecho a arrebatarle «su» saludo. Así que ni corto ni perezoso, pasó la mano por la cintura de Luka, arrebatándola de los brazos de su amigo —que, por cierto, le daba la impresión de que no se decidía entre «ostras o caracoles»—, y la hizo girar para saludarla como era debido, es decir, con un beso largo y húmedo que la dejó sin aliento.

Luka se dejó llevar por las sensaciones, olvidándose de todo lo que les rodeaba; acarició con las manos la nuca del hombre y se pegó tanto a él que notó claramente el pene creciendo contra su tripa. Arqueó la espalda, acoplándose mejor, y, mientras tanto, la boca masculina le recorrió el pómulo para acabar posándose sobre el lóbulo de su oreja y mordisquearlo con sensualidad durante unos instantes.

—Tus amigos nos están mirando —susurró Álex deteniendo sus caricias.

—*Glups*. —Luka se separó de él totalmente avergonzada, jamás había besado a nadie en público y menos en un bar. El Vinagres era demasiado relamido como para dejarle hacer eso, y el Zombi no podía ser considerado «alguien».

—Espera. No te alejes —le suplicó Álex al oído a la vez que

la apretaba contra su erección, mostrándole por qué no debía apartarse.

—Ah, vale —aceptó, girándose con cuidado de quedar con la espalda apoyada en el pecho del hombre.

Todos, absolutamente todos sus amigos, la estaban mirando fijamente.

En todo el tiempo que se conocían, era la primera vez que la veían demostrar deseo por alguien. Sí, había hablado con ellos del Vinagres —nada bueno, por cierto—, y también les había comentado a grandes trazos —muy grandes, muy soslayados y muy poco esclarecedores— sus encuentros con el conde Drácula, Álex. Pero nunca en toda su vida la habían visto así.

Dani sonreía aprobador, Ruth la miraba con los ojos abiertos como platos, Pili se tapaba la boca para que no la viera reír satisfecha y Javi la examinaba atentamente mientras apoyaba la barbilla en la coronilla de su chica.

¿Por qué reaccionan así todos?, pensó Álex.

—Parece que haya pasado un ángel, chicos. ¿Algún problema? —investigó Luis extrañado. Entonces vio a Luka... y se fijó en su melena—. ¡Demonios! ¿Luka, querida, qué te ha pasado en el pelo? ¡Oh, dios mío! ¿Has denunciado a la peluquera que te ha hecho eso?

—¡No seas exagerado, Luis! —Pili lo miró a la defensiva—. No está tan mal.

—Bueno, esto es como cuando te pusiste el pelo verde, ¿verdad? —Miró a Luka compasivo—. Siento haberlo comentado.

—No pasa nada, Luis. ¿Qué queréis tomar, preciosas? —preguntó Javi asumiendo el control al ver que nadie se dignaba a salir de su asombro.

—Un café con leche, la leche templada y dos azucarillos, por favor —pidió Ruth—. Por cierto, Álex, ¿te han comentado que vamos a montar una exposición en Estampa? Estamos recaudando fondos para el campamento de verano de mis niños.

—Sí, los burócratas de mierda están recortando presupuestos —afirmó Pili feroz—. Yo quiero un descafeinado de máquina, con la leche muy caliente.

—Será dentro de quince días. Nosotros vamos a ir todos. Tú incluido. —Dani se giró hacia Luis y le guiñó un ojo—. A mí ponme un Trina de limón.

—Va a ser una exposición superinteresante. Cuando Dani propuso la idea y Ruth nos enseñó las pinturas, no pude dejar de asombrarme. Es increíble lo que pueden hacer sus muchachos —comentó Luka relajada contra el pecho de Álex—. Yo tomaré un café con leche fría desnatada y dos sacarinas, Luis.

—Una sin, por favor. ¿Tus muchachos? —Álex observó a Ruth extrañado, sin darse cuenta de que recorría con los dedos la tripita de Luka, para mayor asombro de los amigos de esta.

—Los ancianos con los que trabajo. Son geniales.

—La vamos a montar entre los dos, Dani consiguió que su tío —Luka señaló a su amigo— nos cediera una sala en la Galería Estampa. Lo tenemos todo más o menos estudiado, la semana que viene empezamos.

—Y va a quedar perfecto. Seguro. Tienes que venir y comprar varios cuadros —terció Ruth procediendo a explicarle.

»Trabajo en un centro para mayores dedicado a ancianos con problemas de alzhéimer, demencia senil, dificultades de motricidad, psicológicas, de memoria… Todos los años, en verano, montamos un campamento financiado con fondos del Estado y aportaciones voluntarias. Pero este año el gobierno nos los ha cancelado. Muchos de mis ancianos no lo tienen fácil para pasar unos días de asueto. Y los que económicamente sí pueden chocan con el escollo que supone conseguir una persona con los conocimientos adecuados para ayudarles durante ese periodo. Los campamentos son necesarios para que mis niños —y, aunque se refería a los ancianos, Ruth los sentía como si fueran sus niños— tengan otra visión, otro espacio que no sea siempre el mismo. Además es una experiencia sumamente gratificante para aquellos que tenemos la suerte de poder presentarnos voluntarios y pasar con ellos esos días mágicos. Te puedo asegurar que no hay nada que complete tan perfectamente a una persona como estar con mis niños. Cuando te sonríen es fascinante y cuando consigues que se rían contigo, con una canción, con un cuento, es simplemente maravilloso —suspiró maravillada.

»Este año, al encontrarnos con la imposibilidad de llevarlo a cabo gratuitamente, los empleados, voluntarios y familiares hemos tomado en consideración la opción de financiarnos nosotros mismos. La reducción del tiempo de estío de un mes a dos semanas nos permite un ahorro significativo. Por otra parte, muchas de las cuidadoras que trabajan con nosotros han decidido cuidar a nuestros mayores durante esas dos semanas sin pedir un sueldo por ello. Contamos también con la ayuda de voluntarios sin cualificar, como yo misma, que, aunque no podemos desempeñarnos igual de bien que ellas, ponemos nuestro granito de arena. Aunque lo más hermoso, quizás por lo inesperado, sea que personas de las que no teníamos conocimiento han acudido con ideas, con proyectos para recaudar fondos, algunos de ellos totalmente viables.

»Y una de esas propuestas surgió de la cabeza de Dani —dijo sonriéndole—. Verás, trabajamos con mis niños en un taller de pintura, hacen unos lienzos preciosos y yo tengo los que me han regalado enmarcados en casa. Dani los vio y decidió hacer una exposición. Las ventas irán directamente al campamento que queremos viabilizar. Pienso que es una idea maravillosa.

—Bah, a cualquiera que hubiera visto las pinturas se le hubiera ocurrido —comentó Dani incómodo.

—Y por si no fuera poco con la idea —continuó diciendo ella, ignorando la queja de su amigo—, Dani ha conseguido que nos presten gratuitamente el espacio para exponerlos en una de las salas de exposiciones más prestigiosas de Madrid. Y no solo eso, ha conseguido donaciones de molduras para los marcos y cristales. Va a montar la exposición en su tiempo libre, gratis; ha convencido a pasantes y representantes de otras galerías para que asistan y, bueno, ha movido todos los hilos. Eso es simplemente extraordinario —suspiró Ruth besando al avergonzado Dani—. Eres el mejor.

—Bah, sabes de sobra que lo hago porque me divierte; no le busques tres pies al gato —respondió Dani rechazando los halagos—. Por cierto, vampirito, tú trabajas con componentes eléctricos, ¿no? —interrogó perspicaz—. ¿Tienes algún almacén? ¿Venta al por mayor? He pensado en iluminación por fluorescencia e incandescencia, para una luminosidad media de 150 sin sobrepasar 3200 K y un IRC de 90 sobre 100. Lo que pasa es que sobrepasa el precio que puedo pagar. ¿Lo podrías sacar de tu empresa con algún descuento?

—Pásame una lista y te lo consigo sin problemas —afirmó Álex mientras acariciaba lentamente la barriguita de Luka por encima de la sudadera, completamente embebido en el proyecto. Le había sorprendido la implicación del bufón en ello. Tras sus bromas parecía haber alguien que pensaba en los demás. Y mucho.

—¿A buen precio? —insistió Dani, no podía desperdiciar ni un solo euro de los niños de Ruth.

—Tú dame la lista y ya me encargo yo de que se caigan del camión el martes como muy tarde —respondió Álex apoyando la barbilla en el hombro de Luka y besándole la mandíbula.

—¿Qué es caerse del camión? —preguntó Ruth intrigada e ingenua.

—Pues eso mismo, que algo se cae del camión y por tanto desaparece del almacén —le explicó Luka mientras acariciaba con la nariz el pómulo de Álex, áspero por la falta de afeitado.

—Daños colaterales típicos de los repartos —confirmó él besando la frente de «su» chica.

—Bien. Pues entonces manos a la obra.

Dicho y hecho, Dani fue hacia la barra, pidió papel y lápiz y empezó a escribir con los garabatos que él consideraba letras todo lo que le hacía falta. Cuando lo tuvo se lo enseñó a su inesperado proveedor y este, a su vez, rebatió o aconsejó distintas soluciones. Antes de que nadie pudiera decir esta boca es mía, dos hombres que segundos antes hablaban de torturas y tatuajes se habían convertido en conspiradores, con el único fin en mente de montar la mejor exposición del mundo.

En poco menos de media hora, un papel escrito con palabras no aptas para profanos en electrónica fue guardado en el bolsillo de la chaqueta de Álex.

—Vaya lista, Dani; ¿qué vas a iluminar? ¿Una sala o El Escorial? —preguntó un risueño Luis sin su delantal verde.

—El Escorial, por supuesto. ¿Acabas ya el turno? —contestó el interpelado

—Ahora mismo.

—Perfecto —Dani le sonrió pecaminoso—. Javi, el partido, ¿dónde siempre?

—Sí. He quedado allí con los demás.

—¿Te apuntas al partido en la Bodeguita, Luis?

—Cómo no —aceptó este yendo hacia la puerta—. Nos vemos fuera.

—Bueno, yo también me voy. Ah, una cosa, Luka, ya se me olvidaba, ¿mañana vas a ver a Mar? —preguntó Ruth.

—Claro.

—Toma, dale esto. —Ruth rebuscó en su bolso y sacó unos folletos—. Lo mismo le interesa. Son los cursos de baile de los que hablamos la última vez. Por cierto, Pili, ¿te llevo a casa? Me pilla de paso.

—Perfecto, pero antes tengo que ir al baño un momento. —Y aunque esto lo dijo Pili, desaparecieron las tres amigas.

—Os esperamos fuera, no tardéis. —Javi miró el reloj, faltaba menos de una hora para el partido (cincuenta y cinco minutos exactamente) y hasta llegar a la Bodeguita tenían como mucho veinte minutos. Iban a llegar muy justos.

Álex salió con los demás, pero, a diferencia de ellos, no estaba impaciente por ver el fútbol, sino por quedarse a solas con cierta personita.

Luis los esperaba pacientemente, apoyado contra la pared. Cuando los vio salir, una sonrisa iluminó su cara y se le pusieron ojitos tiernos.

«¿Ojitos tiernos? Estoy sufriendo alucinaciones, está claro que he bebido más cerveza de la cuenta», pensó Álex extrañado. Aunque en realidad no había bebido tanto.

Por eso, cuando vio que Dani se acercaba al camarero y le daba un beso largo, húmedo y con lengua, y que, además, este le respondía con entusiasmo, Álex no pudo menos que quedarse patidifuso.

¿Qué coño hacía un tío que llevaba todo el santo día dando por culo con el tatuaje que Luka tenía encima del susodicho morreándose con otro tío? Aunque también era cierto que, cuando menos se lo esperaba, aparecían las manos del susodicho encima de, recordó frunciendo el ceño, sus muslos, sus hombros, su nuca…

—¡Joder! —siseó Álex.

Y no gruñó esa palabra porque fuera homófobo, ni mucho menos, sino porque Dani llevaba toda la jornada insinuando «cosas» y ahora resultaba que no… ¿o que sí? ¿En qué quedamos?

Parte de la sorpresa que Álex sintió se le debió reflejar en la cara —y en todo el cuerpo, porque se había quedado parado en mitad de un paso—, porque cuando Dani terminó con sus menesteres procedió a aclararle la situación como «buen» amigo que era.

—¿Has visto *Espartaco*?

—¿La película? —Álex le miró sin salir de su asombro, ¿a qué narices venía eso ahora?

—Sí. La de Tony Curtis, Laurence Olivier y Kirk Douglas.

—Claro.

—¿Recuerdas el diálogo entre Tony Curtis y Laurence Olivier, el de los caracoles y las ostras?

—Eh, sí.

—Pues eso mismo. —Dani le palmeó en la espalda guiñándole un ojo, a la vez que Javi se atragantaba riendo sin parar y Luis le miraba con una ceja alzada—. Ya salen las chicas, vámonos que llegamos tarde. ¿Te apuntas al partido, Álex?

—En estos momentos tengo otras cosas que hacer, pero gracias —rechazó Álex. Tenía que pensar, aclararse un poco y, sobre todo, pasar un rato a solas con Luka.

—Cosas más interesantes, imagino —rio Dani, que de tonto no tenía ni un pelo.

—Dani, nos vamos —le cortó Javi—. Pili, te veo en casa —se despidió de ella con un beso—. Chicas, hasta la próxima. Ah, Luka, saluda a Mar de mi parte.

Y con las mismas, Javi y compañía echaron a andar —casi correr, solo faltaban cuarenta y cinco minutos para el partido—, Pili y Ruth se despidieron para luego dirigirse hacia donde quiera que hubieran dejado el coche y, por casualidades de la vida, —¡ja!— Luka y Álex se quedaron solos.

—Dime una cosa… ¿Has visto *Espartaco*? —le preguntó Álex con seriedad.

—Claro.

—¿Recuerdas el diálogo sobre ostras y caracoles?

—Por supuesto, es uno de los diálogos más inteligentes de la historia del cine. Dice todo lo que quiere decir, sin mencionar absolutamente nada de lo que quiere expresar. Es impactante.

—¿Podrías recordármelo? —Álex se sabía el diálogo de memoria, pero quería que otra persona se lo confirmase.

—Eh, claro… era algo así: Craso, el poderoso general romano, está tomando un baño y su esclavo, Antonino, le está frotando la espalda.

[…] Craso: ¿Te reprimes de todo vicio para respetar las virtudes morales?

> Antonino: Sí, amo.
>
> Craso: ¿Comes ostras?
>
> Antonino: Cuando las tengo, amo.
>
> Craso: ¿Comes caracoles?
>
> Antonino: No, amo.
>
> Craso: ¿Consideras moral comer ostras e inmoral el comer caracoles?
>
> Antonino: No, amo. Claro que no.
>
> Craso: Cuestión de gustos, ¿no?
>
> Antonino: Sí, amo.
>
> Craso: Y el gusto no es lo mismo que el apetito, y por tanto no se trata de una cuestión de moralidad; ¿no es así?
>
> Antonino: Podría verse de esa manera, amo.
>
> Craso: Es suficiente. Mi toga, Antonino. Mi gusto incluye… tanto los caracoles como las ostras.

—Efectivamente, ese es —asintió Álex.

—¿Si lo sabías por qué me lo has hecho recitar? —preguntó Luka intrigada.

—Necesitaba confirmar que era así exactamente. —¡Mierda! Dani era más peligroso de lo que pensaba. Iba a por Luka y, según parecía, tampoco se disgustaría si en el lote también entraba él, ¡ostras y caracoles!

Sábado 8 de noviembre de 2008, 19.25 h
En la furgoneta de Dani

—Respóndeme a una cosa, Dani. ¿Desde cuándo te gustan las mujeres? —preguntó incrédulo Luis.

—No me gustan.

—¿Y a qué ha venido lo de las ostras y los caracoles? —continuó Luis confuso—. El pobre chico va a pensar que te quieres ligar a Luka.

—Exactamente, Luis —le respondió Javi—. Justo en el clavo.

—Y tampoco sueles ser tan sobón. Álex va a pensar que te lo quieres ligar también a él —indicó Luis divertido.

—*P´os va´ser* que sí —afirmó Javi en su idioma de «señor, la que se va a liar».

—¿Y no crees que le va a sentar ligeramente mal? —Luis ya no sonreía, se carcajeaba.

—Ay, querido, eso solo el tiempo lo dirá y, mientras tanto, nos vamos a divertir de lo lindo a costa del vampirito —sentenció Dani pensativo, se le estaban ocurriendo un montón de putaditas.

Le caía bien Álex. Y cuando alguien le caía bien ya podía echarse a temblar.

12

Sábado 8 de noviembre de 2008, 19.30 h

«$\mathcal{A}$quí estamos —pensó Luka—, parados en mitad de la calle, en pleno invierno, pasando frío». Miró a su acompañante y su cuerpo tiritó por simpatía al de él.

Álex no llevaba calcetines ni calzoncillos, la camisa era bastante fina y la cazadora de cuero no abrigaba apenas. A eso había que sumar una extraña inquietud acerca de una película, bueno, no exactamente una película, sino sobre un diálogo, un diálogo que subrepticiamente hablaba de ostras y caracoles, mujeres y hombres, «por delante y por detrás».

Le observó atentamente, su rostro pensativo tenía un moratón en la mejilla. ¿De verdad se había encontrado con la cola de *Laura*? Ay, señor. Luka no había querido mencionarlo en la cafetería, pero dudaba mucho que *Laura* le hubiera atacado sin motivos. Su «niña» era amable y cariñosa, siempre y cuando nadie la pusiera nerviosa.

—¿Qué tal fue la comida?

—Bien —respondió él sumido en sus lóbregos pensamientos.

—¿Qué tal con mis amigos? —insistió ella.

—Bien, hablamos de todo un poco.

—No se metieron contigo ni nada por el estilo, ¿verdad? —Luka rezó para sí.

—No, claro que no. —«Dani solo me tocó los cojones ligeramente», pensó él.

—¿Y ese moratón? —indagó ella señalando el pómulo multicolor del hombre.

—Mmm. —Álex se tocó la mejilla—. *Laura* bajó de las cortinas y me dio un amable coletazo.

—¡Huy! ¿No le hiciste nada?

—¿Yo? —exclamó indignado, ¿le atacaba una iguana furiosa y encima él era el culpable?

—*Laura* no suele atacar —protestó Luka a la defensiva.

—Pues a mí sí —replicó Álex. Sus brazos en jarras indicaban que no se consideraba culpable de nada.

—Mmm. Qué raro —musitó ella. Decidió dejarlo correr hasta que regresara a casa y pudiera ver a *Laura,* y ya podía correr Draculín si le había pasado algo a su amiga.

—Y a ti, ¿qué tal te fue la comida? —preguntó él.

—Mmm, bien.

—Tu amiga Ruth parecía algo enfadada.

—No, es solo que estaba algo preocupada —murmuró Luka mirando a sus pies y mordiéndose los labios.

—¿Por?

—Mmm, imagino que porque no me localizaban, porque no esperaba encontrarme con nadie en casa, por el tema de su ONG, por el sida, porque el invierno va a ser crudo, por las enfermedades de transmisión sexual, porque hace frío, por la crisis, los embarazos, las Navidades que se acercan... lo típico. —Metió las causas de la discusión justo en medio de la parrafada, esperando que no se diera ni cuenta.

—¿El sida es algo típico en vuestras conversaciones?

—No. —Mierda, se había dado cuenta—. Pero en fin, ya sabes, es algo que está muy de actualidad.

—Yo no tengo sida, ni ninguna otra enfermedad —repuso él un tanto ofendido.

—¡Genial! Yo tampoco. —Luka mostró una sonrisa tan forzada que se hizo daño en los labios.

—Perfecto.

—Y... ¿te has hecho algún análisis de sangre recientemente? —preguntó temerosa.

—¿Qué? —El asombro distorsionó las normalmente afables facciones de Álex.

—Ya sabes, algún análisis de sangre reciente para ver cómo andamos de defensas y tal, lo típico. —Luka se mordió los labios y decidió que iba a matar a Ruth. Tras cuatro horas oyéndola despotricar sobre su falta de sentido común, le había prometido conseguir un análisis de sangre de Álex, y he aquí que él no se lo había tomado nada bien.

—¿Quieres un análisis de sangre?

—Sí. —Luka respiró hondo y recitó de carrerilla la frase que Ruth había utilizado para convencerla de esa empresa, al menos una de ellas—: La vida actual es muy complicada, hay infinidad de virus y bacterias pululando a nuestro alrededor de las que no tenemos conocimiento y que pueden atacar nuestro sistema inmunológico. No podemos siquiera intuir las que nos atacan por el aire pero podemos, y debemos, evitar las que se trasmiten por contagio sexual y, ya que no hemos sido prudentes y nos hemos arriesgado, debemos conocer las consecuencias que este ataque de lujuria haya podido tener. Y en caso de que las hubiera, hacerles frente. Por eso, lo más coherente en este momento es hacernos un análisis de sangre. —Cuando terminó la diatriba, lo miró ansiosa en busca de su respuesta; Ruth la había convencido a ella, quizá su razonamiento lo convenciera a él.

—¡Joder! ¿Y todo eso lo has pensado tú solita? La mitad de las palabras que has usado me suenan más a cierta amiga tuya.

—No era que ella no tuviera razón, que la tenía, si no que no le sonaba a ella misma… aunque eso del ataque de lujuria le había gustado mucho.

—Sí, bueno, pero estoy en lo cierto. ¿No? Mira, yo sé que no tengo nada y te creo cuando me dices que no tienes nada, pero la verdad es que no nos conocemos apenas y que cada cual tiene su vida y sus experiencias —eso también lo había dicho su amiga—, así que no cuesta nada cerciorarnos, ¿no crees?

—Está bien. El lunes me haré un análisis. —Le parecía una auténtica chorrada, él no tenía apenas vida sexual y jamás lo había hecho sin condón, pero si un análisis le quitaba esa expresión nerviosa de la cara se lo haría.

—Perfecto —contestó ella más animada—. Yo haré lo mismo. Bueno… no estamos muy lejos del centro cívico y tengo que recoger el coche. —En caso de que no se lo hubiera llevado la grúa… Acababa de recordar que no lo dejó muy bien aparcado exactamente.

—Vamos, pues —aceptó Álex pasando un brazo por la cintura de Luka.

—¿Me acompañas? —¡Vaya! Eso no se lo esperaba, había imaginado que se despedirían y cada cual iría por su lado.

—Claro. ¿Por qué no iba a acompañarte?

—Pensé que te irías a tu hotel a por algo de ropa, debes tener frío.

—No lo había pensado. —Claro que no, entre el tatuaje, las ostras, los caracoles y los análisis de sangre estaba tan apabullado que ni recordaba que iba a medio vestir—. Si quieres recogemos tu coche, vamos a por el mío y luego pasamos la noche en mi hotel.

—No. Hoy imposible. —El día siguiente era segundo domingo de mes y eso era sagrado—. Mañana tengo cosas que hacer temprano. Lo siento.

—¿Cosas importantes? —le preguntó a la vez que la mano que abrazaba su cintura hacía presión para que comenzaran a andar. Ahora que Luka lo había mencionado sí que tenía un poco de frío—. ¿No se pueden dejar para otro día?

—No —contestó rotunda—. Imposible. Mañana es segundo domingo de mes y desde hace cuatro años el segundo y el cuarto domingo de cada mes voy a comer con mi ahijada. No pienso variar mi rutina. —El Vinagres no le había dejado nunca ir con su ahijada porque la madre de la niña, Enar, no le parecía buena compañía.

En cuanto logró deshacerse de aquel tipo, lo primero que hizo fue prometerse que jamás volvería a desaparecer de la vida de Mar, y no pensaba incumplir su promesa ahora, ni por un vampiro del tres al cuarto, ni por el hombre de su vida… aunque pudieran ser la misma persona.

—Si vas a comer con ella no veo ningún problema en que desayunes conmigo. —La mano que rodeaba su cintura comenzó a acariciarle lentamente la cadera.

—La verdad es que salgo muy pronto de casa, a las diez como muy tarde ya estoy preparándome. —Esa mano quería convencerla, Luka lo sabía y no se iba a dejar.

—Bueno, hasta las diez tenemos tiempo —rebatió él besándola en la frente para luego bajar lentamente por su cara hasta apropiarse de su boca en un beso lento y sensual.

—Sí —aceptó Luka rendida… Álex besaba de maravilla. ¡Mierda!—. No, no puedo; acabaría remoloneando contigo y llegaría tarde. Necesito estar en casa, tener mi ropa, mis cosas. Además, tengo que dar de comer a mis niñas y si paso la noche fuera tendré que pegarme un madrugón tremendo y seguro que se me pegan las sábanas. Irrevocablemente, no.

—Es importante para ti —no era una pregunta—, así que pasaré la noche en tu casa y cuando te vayas me iré a mi hotel ¿Te parece bien así? —comentó hundiendo su cara en el cuello de ella a la vez que la mano que acariciaba su cadera estrechaba su lazo y la abrazaba.

—Me parece perfecto, pero ¿y tu ropa?

—No pienso llevarla puesta mucho tiempo, como mucho… —Hizo una pausa bruscamente—. ¿A cuánto estamos de donde tienes el coche?

—A unos diez minutos, ¿por qué? —¿Que tenía esto que ver con la ropa?

—Ajá, pienso estar vestido, como mucho, quince minutos más.

—¿Quince minutos?

—Diez para llegar al coche —la lengua de Álex acarició la boca de Luka—, cuatro más para llegar a tu casa —le dio un pequeño mordisco en el labio inferior— y uno para quitarte la ropa.

Invadió su boca, asaeteando con la lengua su rugoso paladar, volviéndola loca. Luego se separó apenas unos milímetros de sus labios tentadores.

—Espero que en ese momento tú estés impaciente por desnudarme y, cuanta menos ropa lleve, menos tardarás. —Y, tras decir esto, Álex volvió a devorar la boca de Luka.

—¡Serán guarros! A su edad y sobándose como dos perros en celo. ¡Asquerosos! —Escucharon una voz indignada a su espalda.

—Vamos, madre, no haga caso. ¿Qué se puede esperar de la loca esa?

Luka y Álex se separaron sobresaltados. Justo detrás de ellos estaba la mujer más arrugada y con la ropa más negra que Álex había visto jamás y, para colmo, estaba agarrada del brazo de…

—Joder, la puñetera Marquesa tenía que estar por la zona; manda huevos —comentó Luka en susurros—. Hola —saludó incómoda.

—¡Desvergonzados! ¡Sátiros!

—Vamos, madre, que casi es la hora —gruñó la Marquesa mirándolos altivamente.

—¿Qué coño hacen esas aquí? —preguntó Álex al oído de Luka, haciéndola estremecer con su cálido aliento.

—Misa de ocho. Iglesia. Ahí —le respondió Luka también entre susurros, señalando una iglesia que había cerca.

—Espero que se diviertan en misa, señoras —les deseó Álex en voz alta y con un ligero deje irónico.

—¡Joven impertinente! ¡Grosero! ¡Insolente!

—Vamos —Álex agarró a su amiga de la mano y echó a correr—, alejémonos antes de que nos echen mal de ojo.

—Demonios, sí —jadeó ella riendo a la vez que corría.

Corrieron un rato hasta que Luka no pudo más y se detuvo, apoyando las manos en las rodillas entre resuellos y risotadas. Álex la observó, estaba sonrojada por la carrera, el pelo revuelto le caía a ambos lados de su cara y su magnífico culo asomaba respingón por debajo de la enorme sudadera. No pudo resistir la tentación, le dio una buena palmada en el trasero para a continuación ir subiendo poco a poco las manos por las nalgas hasta llegar a la cinturilla de los *leggings*. La maldita sudadera tapaba justo el lugar en el que estaba el tatuaje que se moría por ver. Pasó los dedos lentamente por debajo de la prenda y comenzó a subirla pero ella se incorporó de golpe dejándole con la miel en los labios. Casi había conseguido ver el jodido tatuaje. Casi.

—Eh, mantén las manos quietas, vaquero. No quiero que nos vuelvan a llamar la atención —le regañó clavándole el índice en el torso.

—Me has herido —contestó él agarrándose el pecho y poniendo cara de sufrimiento.

—Bufón —rio Luka. En ese momento algo llamó su atención—. Leches. Espera aquí un segundo.

—¿Adónde vas?

—A la tienda —dijo entrando en un todo a cien.

Entró, preguntó a la dependienta por el rifle de aire comprimido del escaparate, ese que llevaba un tapón de corcho atado a la punta, y que al dispararse salía proyectado para acabar cayendo a cierta distancia todavía atado con el hilo, y lo compró. Salió de la tienda con una sonrisa que, a Álex, le dio miedo.

—¿Para qué quieres eso?

—La verdad es que no lo sé, ha sido como una premonición, lo he visto y no he podido dejar de comprarlo… ya se me ocurrirá algo —comentó con una sonrisa que decía que ya se le había ocurrido y que era mejor no saberlo…

—Si piensas matarme con eso me avisarás antes, ¿verdad?

—¡Por favor! Esto no hace daño ni a una mosca. Además, yo no soy tan malvada.

—Malvada, no. Retorcida. —A saber qué se le había ocurrido hacer con eso. Para bien o para mal, tarde o temprano se enteraría, y esperaba que fuera para bien.

Llegaron al Clio, que, milagrosamente, todavía seguía aparcado con una rueda encima de la acera y sin ninguna nota de multa. Montaron; bueno, más bien Luka montó y Álex se encogió dentro.

¡Dios! Sí que era pequeño el puñetero coche.

—¿Y cómo es que comes con tu ahijada cada dos domingos? —preguntó él, curioso.

—Cada dos domingos, no. El segundo y el cuarto domingo de cada mes.

—Es lo mismo.

—No, no lo es. Hay meses que tienen más fines de semana que otros y, si quedara un domingo sí y uno no, sería más complicado para calcular las vacaciones y todo eso. De esta manera sé exactamente cuándo quedo y puedo planificarlo todo en función de esos días.

—¿También vas a verla cuando estás de vacaciones?

—Por supuesto —respondió rotunda.

—¿Aunque estéis tú o ella fuera de Madrid?

—Sí. Tengo coche; esté donde esté, me desplazo sin problemas —afirmó chasqueando los dedos.

—¡Vaya! Es raro que alguien haga eso.

—¿El qué?

—Programar y modificar su vida por otra persona. Eres increíble —declaró dándole un beso en la mejilla.

—Bah, exageras, ni programo ni modifico nada. Tú todos los días te afeitas, ¿no? Pues yo dos fines de semana al mes como con Mar. Ni más ni menos. —Luka le restó importancia.

—Visto así… Imagino que tu ahijada estará contenta de tenerte de madrina.

—Ahora sí, antes apenas nos veíamos —contestó entriste-cida, aunque enseguida sonrió de nuevo—. La verdad es que lo pasamos genial, es una cría encantadora y superdivertida.

—Y sus padres se quedan tranquilos unas horas sin ella —apuntó Álex, recordando la cantidad de veces que su madre se había quejado de no tener ni un solo minuto para ella misma.

—Lo cierto es que sí. Irene se queda muy tranquila los do-mingos —respondió Luka sonriendo, pero la sonrisa no llegaba a sus ojos.

—Mmm. Irene. ¿Sale en las fotos del comedor? —No recor-daba a ninguna Irene.

—No, ella no está.

—Qué raro… —Luka le miró extrañada, y Álex se apre-suró a explicarse—. Tienes una pared llena de fotos de tus ami-gos, ¿y entre esas fotos no está la persona que te hizo madrina de su hija?

—Irene no es la madre de Mar. Su madre es Enar y de ella sí que tengo fotos.

Álex se mordió los labios mientras hacía memoria e intentaba recordar a Enar… Arrugó el ceño cuando recordó a la chica rubia con cara de corazón y embarazadísima que sonreía desde la pared del salón de Luka.

«Si tengo que tener esta conversación, prefiero tenerla en el coche mirando a la carretera que en casa mirándole a la cara», pensó Luka. Lo cierto era que a él no le incumbía una mierda nada de lo que ella hacía, pero, no sabía por qué, quería sincerarse, al menos un poco.

—Cuando Enar se quedó embarazada era muy joven, ape-nas diecisiete años, y la verdad es que ninguno de nosotros te-nía por aquel entonces la cabeza muy bien amueblada —frun-ció el ceño al decir esto—. Bueno, Ruth sí la tenía bien amueblada, pero no le hacíamos caso; al fin y al cabo la adoles-cencia está para hacer locuras, ¿no? —preguntó, buscando aprobación y retando a la vez.

—Sí. Yo las lié buenas a los dieciocho. —Aunque nunca había sido tan irresponsable como para dejar embarazada a ninguna chica, pero, viendo la cara de Luka y recordando lo ocurrido la no-che anterior, se cuidó muy mucho de decirlo.

—Pues eso nos pasó a nosotras, las hormonas revolucionadas,

los primeros trabajos, el primer dinero propio… el primer novio, y a Enar le salió mal la jugada. Un polvo y zas, embarazo al canto. —Ironía, desencanto, todo se mezclaba en la voz de Luka según iba narrando la historia—. Matrimonio, fin de los estudios, convertirse en madre, llevar una casa… Poco a poco empezó a alejarse de nosotras, tenía cosas más apremiantes que hacer y nunca tenía tiempo para hacerlas. La vida siguió su curso, Pili y Javi lo tomaron más en serio y casi desaparecieron del mapa, Ruth se fue a Detroit y yo me lié con el Vinagres. Todos desaparecimos a la vez y ninguno nos dimos cuenta de que a Enar se le estaba cayendo el mundo encima. Un buen día se largó de casa y dejó a su hija al cuidado de la abuela. —No había sido así exactamente pero a él le importaba una mierda—. Fin de la historia. Así que, cuando retomé mi vida, decidí que Mar y yo seríamos grandes amigas y aquí estamos.

—Una historia triste —comentó Álex.

—Una historia de mierda —confirmó Luka—. Ya hemos llegado.

Las maniobras para aparcar el coche le dieron a Luka el respiro que necesitaba. Concentrada en meter un Clio en un hueco para un Smart, tuvo el tiempo justo para calmar su resentimiento y esbozar una sonrisa que, aunque falsa y forzada, era mejor que un gruñido.

Álex comprendió que era mejor no indagar en el tema por mucho que le intrigara la historia y por mucho que le reconcomieran los términos «vinagres» y «retomar su vida» aunque… Qué carajo, él no era un caballero honorable y comprensivo de novela; era un tío normal y corriente con una curiosidad normal y corriente, y la palabra «relación» junto al nombre «vinagres» le había sonado a chino.

—¿Quién es Vinagres? —Visto los motes de los vecinos, casi pensaba que era uno de ellos.

—Un tío avinagrado —sentenció Luka con una mirada que decía «fin de la conversación».

Álex asintió, y ella, sin decir nada más, abrió la puerta del portal.

Cuando entraron en el piso, Luka fue directa a por sus niñas, sacó a *Laura* de su terrario, la miró muy atentamente, le revisó la cola, las patas, el lomo, la tripa.

—Bien, señorita, me va usted a decir por qué se ha portado mal —regañó a la iguana.

Puesto que el estado físico del animal era impecable, estaba claro que la culpa del incidente con la mejilla de Álex era culpa de *Laura*.

—No está nada bien que ataques a los invitados, te lo he dicho mil veces.

—Sss. —La iguana sacó la lengua.

—A mí no me respondas. —Luka la miró muy seriamente, enfadada—. Te he dado una educación, compórtate.

—Sss. —*Laura* movió la cola, amenazante.

—¡Pero bueno! Te acabas de quedar sin remolacha, por lista. —Luka soltó al animal en el suelo y, dándole la espalda, se fue al acuario a ver a las tortugas, bajo la atenta mirada de Álex, que no salía de su asombro.

Laura zigzagueó lentamente hasta dar con su testa en el tobillo de la mujer.

—No —la rechazó Luka.

La iguana le dio un nuevo golpe con la cabeza.

—Te he dicho que no. Primero atacas a mi amigo y después me levantas la cola. Estás castigada sin remolacha —sentenció ignorándola de nuevo. Luego cogió a una de las tortugas y comenzó a acariciarla con la nariz, Álex no supo distinguir si se trataba de *Clara* o *Lara*—. Cosita preciosa, ¿qué tal el día? —La tortuga le mordisqueó la nariz—. Ahora, espera un poco. —Cogió la otra tortuga y repitió el mismo ritual de caricias en el caparazón—. ¿Os habéis portado bien? No como otras, espero. —Miró seriamente a *Laura* y volvió a darle la espalda.

Álex observó alucinado cómo la iguana se enroscaba en la pierna de Luka y trepaba por ella.

—¿Qué te he dicho? Has sido muy mala —regañó Luka de nuevo a *Laura*. Esta ya estaba a la altura de su cintura y alargaba su cabeza hacia la cara de su ama—. Está bien, pero que no se vuelva a repetir —aceptó la joven a la vez que bajaba la cabeza, dejando la cara a escasos centímetros de la iguana. El animal sacó la lengua y le lamió el carrillo…

A espaldas de ambas, Álex puso cara de asco.

Luka soltó a las tortugas, abrazó a su iguana y se acercó a Álex con ella en brazos.

Álex dio un paso atrás con gesto asustado. ¿Qué pretendía Luka?

—Ven, tócale la cabeza.

—Ni loco. —Alzó las manos para protegerse.

—No seas gallina. —Le acercó más al enfurruñado reptil.

—Hombre precavido vale por dos y tu iguana tiene muy malas pulgas. —Dio un paso atrás.

—Exagerado. Vamos, ven, que te va a pedir perdón. —Extendió los brazos hacia él con la iguana plácidamente recostada en ellos.

—No jodas, los bichos no piden perdón —replicó Álex bajando los brazos lentamente y quedándose muy quieto. Luka estaba como una cabra, pero él lo estaba aún más por prestarse a ese juego.

—*Laura* sí. La he educado yo y sabe bien lo que le conviene.

Puso la iguana a la altura de la cara de su amigo.

—¡Joder! —El animal le miró con antipatía, sacó la lengua y le dio un rápido lengüetazo en la barbilla; luego se volvió apresuradamente hacia su dueña, trepó por entre sus brazos y se acomodó en su cuello.

La cara de asco de Álex solo era comparable con la cara de asco de *Laura*.

—Muy bien, mi cielo. Tendrás tu remolacha. Pero a partir de ahora, no quiero más movidas —le advirtió Luka bajándola al suelo y yendo hacia la cocina.

Laura miró a Álex proponiéndole un pacto con la mirada: «tú no te acerques a mí y yo no me acercaré a ti».

Álex levantó las manos en un gesto de exasperación y luego comenzó a reírse a carcajadas, esto era cosa de locos. Se fue al baño a lavarse la cara con una tonelada de jabón y cuando salió vio a Luka dando de comer a sus bichos. Remolacha, pepinos y brócoli para *Laura* y pienso para las tortugas. ¿Pienso? ¿No gusanos?

—¿Has cambiado de dieta?

—¿Perdón? —Luka estaba inclinada sobre el acuario, la sudadera resbalando sobre su trasero.

—Las tortugas… no les das gusanos. —Álex posó la mirada en ese lugar que la tela tapaba, ojalá tuviera rayos X como Superman para poder ver el tatuaje. ¡Mierda! ¿Por qué tenía que acordarse de eso ahora?

—No. Esta noche toca pienso; no les voy a dar siempre lo mismo, ¿no? —Totalmente ignorante de los pensamientos del hombre, Luka siguió a lo suyo mientras él se acercaba por detrás.

Álex se pegó a ella y Luka dio un respingo al sentir su enorme y rígida polla contra sus nalgas.

—Vaya. Estamos animados —comentó mirándole sorprendida.

Álex pegó su torso a la espalda femenina y trazó con las manos el camino de las caderas a los pechos a la vez que sus labios recorrían la suave curva del cuello. Ella respondió empujando su culo contra él y llevando las manos desde el acuario hacia su nuca. Sonó un ruido.

—¡Ay! ¡Mierda! —Se había olvidado del bote de pienso que sujetaba y este se le había caído al suelo y se había vaciado entero—. ¡Qué desparramo!

Se agachó para recoger las bolitas y presentó una estupenda panorámica de sus nalgas a su atento espectador, que no perdió un segundo y plantó las manos en el sitio donde más deseaban estar, el borde de la sudadera. Pasó los dedos por debajo de la tela y fue subiéndola poco a poco, expectante por ver el jodido tatuaje que no se podía quitar de la cabeza.

—Eh, muchachote, agradecería tu ayuda por aquí, ¿sabes? —Luka se movió hacia otro lado buscando más bolitas sin molestarse siquiera en mirarle.

—Joder. —Álex se inclinó para ayudarla intentando deshacerse del pensamiento de que había estado a punto de descubrir el puñetero tatuaje.

—Oye, si tanto te molesta no hace falta que me ayudes.

—Perdona, me he hecho daño al agacharme —se disculpó; era cierto, relativamente; le dolían la polla y las manos de frustración.

Se apresuró en recoger todo el pienso y se acercó a Luka nuevamente; sus intenciones eran claras, la quería desnuda. Ya.

Luka se giró hacia el mueble del comedor, abrió un cajón y sacó unos cuantos folletos publicitarios de comida a domicilio mientras se mordía el labio inferior. Sus intenciones también eran claras. Tenía hambre. Ya.

—¿Qué te parece comida china para la cena?

—No me hace mucha ilusión, la verdad —comentó él recordando la alimentación de ciertas tortugas. ¡Puaj!

—Mmm. ¿Un kebab? —El folleto del turco tenía una pinta estupenda, tanto que Luka sintió cómo rugía su estómago.

Y sí, resultaron ser dos kebabs que pidieron a la mayor brevedad posible y que les comunicaron sufrirían una espera de una hora en la recepción del pedido por afluencia de público.

«¡Mierda!», pensó Luka muerta de hambre.

«¡Genial!, pensó Álex muerto de otra clase de hambre.

Es curioso como la desgracia de uno puede ser la alegría del otro.

Sábado 8 de noviembre, 21.30 h

Luka frunció el ceño, fue a la cocina y abrió la nevera. Miró arriba y abajo, a un lado y a otro, incluso abrió el congelador. No había nada comestible, todo tenía que descongelarse y hacerse. Mierda.

Álex observó a Luka inclinada sobre la nevera, la mano apoyada sobre la puerta y las piernas ligeramente abiertas. Se acercó a ella teniendo mucho cuidado de no tocar su cuerpo y, cuando solo unos milímetros los separaban, puso una mano en su espalda.

—¿Tienes hambre? —le preguntó con voz ronca.

—Más que el perro de un ciego —gruñó ella sin molestarse en mirarlo.

Observó ladeado la desolación que habitaba la nevera, aparte de un bote de gusanos no había mucho más que comer; mejor, no quería más estorbos. Durante todo el santo día cada vez que había intentado algo, cada vez que su polla se había puesto dura, hasta el punto de dolerle los huevos, alguien los interrumpía. Ahora no iba a permitirlo. Dejó que su mano resbalara por la espalda hasta encontrar la costura central de los *leggings* y bajó por ella acariciando el trasero a su paso. Luka se tensó. La mano siguió su camino, recorriendo lentamente esa línea tentadora que le mostraba el camino a seguir llevándolo hasta el final de las nalgas. Extendió los dedos dejando el corazón sobre la costura y los otros abarcando la parte en que las piernas se unen al trasero, presionó ligeramente y luego dejó que siguieran paseando por el interior de los muslos, soslayando el sexo palpitante de la mucha-cha, ignorándolo.

A través de la tela, Luka pudo sentir su caricia. Unos labios cá-lidos rozaron su cuello lamiendo zonas que ella pensaba que no eran erógenas, resultó que estaba equivocada. Sintió subir por el brazo que apoyaba en la nevera los dedos de la mano libre del vampirín, lentamente, trazando curvas sobre la sudadera, dete-niéndose en la parte interna del codo a la vez que la otra mano se-guía atormentando sus muslos sin llegar a ninguna parte, o al menos a ninguna parte interesante. Era como si todas las sensa-ciones y todo el calor de su cuerpo se hubieran concentrado en esos tres únicos puntos en que él la tocaba.

La lengua juguetona de Álex se posó en su nuca, humede-ciéndola antes de apartarse. Después sopló sobre ese mismo lu-gar. El espasmo de placer que atravesó a Luka fue inmediato, sus pezones se irguieron, su vulva latió, humedeciéndose, y sus cade-ras se arquearon, buscándolo... pero, en contra de sus deseos, él se alejó, dejándola desamparada.

Álex solo la tocaba en dos puntos del cuerpo. Los dedos que recorrían los muslos retomaron el camino de la costura para ir subiendo poco a poco, apartándose del sitio al que pertenecían para volver a posarse sobre la espalda y a continuación abando-naron su piel, dejándola fría, vacía.

Luka respiraba impaciente mientras la mano que aún perma-necía en contacto con su cuerpo subía por la parte interna de su brazo hasta la muñeca y se detenía allí para trazar con las yemas de los dedos unos pocos y abrasadores círculos. Luego, continuó su sutil recorrido hasta llegar a sus dedos y después se alejó... abandonándola.

—Sígueme... —susurró él en su oído.

Un roce en el aire, una mano esperando ser apresada.

Y ella capturó su mano y le siguió...

Sus cuerpos solo se unían por las yemas de los dedos como si estuvieran atados por un hilo frágil y cálido que en cualquier mo-mento podría romperse.

Los pasos firmes de Álex se dirigieron inexorables al dormi-torio. Encendió la luz del pasillo, dejándolo tenuemente ilumi-nado. Atravesó la puerta y tiró suavemente de la mano de Luka, acercándola a él hasta que ni siquiera un soplo de aire pudo deslizarse entre sus cuerpos. Acarició su nuca y se inclinó a besarla. No fue un beso rápido, tampoco salvaje o excitante; fue como un soplo de aire cálido, como la brisa del mar que en verano acaricia y aplaca la piel quemada.

Trazó con la lengua el camino húmedo de sus labios parándose en la comisura, descubriendo cada pequeña arruga, dibujando la unión de estos hasta que se separaron espontáneamente permitiéndole el acceso. Recorrió los dientes deteniéndose en los colmillos, probando su filo para luego abandonarse en el paladar, presionando, tentando hasta encontrar respuesta, hasta iniciar un pulso de apéndices húmedos e impacientes.

Luka se derritió en su boca mientras las manos de él presionaban su cintura para acercarla más, para pegarla a él. Cuando la tuvo tan cerca como quería, dejó que los dedos resbalaran hacia abajo buscando el borde de la sudadera hasta encontrarlo. Extendió la palma y se introdujo delicadamente por debajo de la tela, dejando esta presa en la uve que formaba el pulgar para luego ir subiendo poco a poco, acariciándole las caderas, los costados, asimilando cada una de las hendiduras de las costillas, arrastrando la tela hacia arriba hasta llegar a las axilas.

Aún inmersa en aquel beso elegante y sutil, Luka sintió las manos que paraban de desnudarla y después de algunos segundos —los que tardó su cerebro en hacer *clic*— elevó los brazos que había mantenido caídos a ambos lados del cuerpo.

Las manos de él continuaron con su etéreo camino a través de su cuerpo. Subieron por sus brazos con la sudadera todavía enganchada y, cuando ella los levantó del todo, la molesta prenda los recorrió abandonando por fin su piel y yendo a parar al suelo.

Luka dejó caer sus manos hasta la nuca del hombre y allí las mantuvo, relajadas, jugando con los rizos suaves, anudándolos a sus dedos. No permitiría que aquel beso terminara nunca. Álex le recorrió la columna vertebral con caricias lánguidas, tan tenues que apenas si las notaba, y la ansiedad por sentirlo más cerca, más apretado, dentro de ella, hacía que escalofríos de placer recorrieran su cuerpo.

Los dedos del hombre encontraron el cierre del sujetador y lo desabrocharon para luego posarse sobre el encaje y llevarlo hacia el comienzo de los pechos, rozando la base de estos, dibujando estelas de placer sin llegar a la areola, sin acercarse siquiera a los pezones, que esperaban impacientes cualquier caricia, sintiéndose tan abandonados, tan ansiosos en su dureza que Luka casi lloraba por ellos. Los pulgares subieron acercándose a ellos por encima del sujetador, delineando el encaje de los bordes de este, ignorándolos de nuevo.

Luka gimió cuando las manos apretaron la tela y la alejaron de la piel. Bajó los brazos lentamente, recorrió con las manos el pecho del hombre, parándose en su cuello, estudiando la clavícula para acabar posándose sobre la camisa a la altura de los pezones masculinos. También estaban duros, también querían atención. Se dispuso a dársela cuando sintió que las manos de Álex dejaban sus pechos y se deslizaban hacia arriba, acariciándole los hombros para luego enredar los dedos en las tiras del sujetador y bajárselas lentamente por los brazos, acariciando de nuevo la sensible piel del interior mientras el sujetador caía al suelo. Se pegó más a él, a su torso. La camisa, antes tan suave, ahora se tornaba áspera contra sus pezones insatisfechos. Se apretó contra él, sintiendo los pechos hinchados, inhiestos, preparados... e ignorados cuando las manos de él bajaron hasta la cintura y se detuvieron allí.

Ambos se quedaron inmóviles, solo las lenguas seguían su viaje a través de las bocas impacientes, combatiendo entre ellas por ser la que más placer otorgase.

Álex deslizó los dedos por debajo de la cinturilla de los *leggings*, recorrió la exquisita tripita para luego continuar por las caderas y quedarse inmóvil en la base de la espalda. Acarició con los pulgares el lugar donde intuía que estaría el tatuaje, intentando sentir bajo las yemas de los dedos su dibujo. Después introdujo las manos bajo la tela elástica y recorrió las nalgas apretándolas, buscando en la unión entre ellas hasta dar con el coxis. Lo presionó con el índice una y otra vez hasta sentir que la espalda de Luka se arqueaba contra él. Y entonces y solo entonces, cuando los ramalazos de placer recorrían el cuerpo femenino haciéndola jadear en su boca, él continuó su recorrido por las nalgas. Bajó por la grieta entre estas, acariciando y apretando el ano a su paso, para abandonarlo en pos del perineo. Se detuvo y buscó la humedad que bañaba el sexo femenino. Impregnó los dedos en ella y volvió a subir por las nalgas, deteniéndose un poco más en el ano para acabar de nuevo en la base de la espalda asiendo los *leggings*.

Las piernas de Luka temblaban y se abrían sin poder evitarlo; era tan maravilloso, tan dulce, que apenas si podía respirar.

Álex terminó el beso y la miró a los ojos, leyendo la pasión en ellos. Luego lamió sus mejillas, su barbilla y descendió por la clavícula, arrodillándose ante ella, reverenciándola mientras aferraba los *leggings* y los iba deslizando por sus caderas, por sus muslos.

Los labios masculinos descendían a la par que sus dedos, caminando por su cuerpo con tiernos lametones y delicados besos, soslayando de nuevo los pezones y escabulléndose hacia el ombligo, dibujando cada letra de la palabra «Condones» pintada con rotulador rojo en su abdomen. Detuvo las manos en la parte posterior de las rodillas y acarició esos puntos de placer que no deberían existir por el bien de la estabilidad, pero que existían y que obligaron a Luka a sujetarse a los hombros masculinos, temerosa de derrumbarse cuando este jugueteó con la lengua en su ombligo, metiéndola y sacándola, dibujando en la mente de Luka imágenes de cosas más grandes y duras entrando en sitios más cálidos y húmedos.

Luka jadeó, incapaz de contenerse. Su vagina comenzó a temblar, se contrajo anhelando algo que el maldito hombre no le proporcionaba. Cuando sintió que por fin los *leggings* recorrían sus tobillos y abandonaban su cuerpo, soltó temblorosa las manos de los hombros de Álex y se sujetó a su cabeza, abriendo más las piernas e inclinando hacia delante las caderas, instándole con su cuerpo y sus manos a que la besara donde en esos momentos era imprescindible, pero Álex la ignoró. O era idiota o quería hacerla sufrir; no había más opciones y no sabía por qué, pero se quedaba con la segunda. Desde el ombligo sintió los labios de él seguir el camino ascendente que llegaba hasta su boca olvidando de nuevo sus pezones, ¡maldito fuera!, para depositar un beso tan casto y tan tierno que apenas si se dio cuenta.

Álex la miró fijamente, pasó una mano por debajo de sus rodillas y otra por su espalda y la levantó en vilo para luego girar hacia la cama y depositarla en ella con suma delicadeza.

Él seguía totalmente vestido.

Luka asistió excitada al espectáculo de un hombre, Álex, desnudándose lentamente. Parándose en cada jodido botón de la camisa hasta que quedó totalmente desabrochada, para luego bajar muy lentamente hasta la bragueta de los vaqueros. El pene se le marcaba grande y duro bajo la tela y él se lo acarició perezosamente, mirándola a los ojos en todo momento. El glande despuntaba por encima de la cintura de los pantalones y Álex le prestó una especial atención, recorriendo con el índice la abertura de la uretra, esparciendo una tímida gota de esperma por la cabeza gruesa y encarnada de su polla, apretando y abriendo la abertura, exprimiéndola.

Cuando oyó jadear a Luka sonrió, y bajó la mano hacia los botones del pantalón; los desabrochó con lentitud, prodigándose caricias y disfrutando de la mirada de ella según su verga iba asomando por el hueco de la tela. Luego, dejó resbalar los pantalones por sus piernas y de una patada los lanzó junto al resto de la ropa.

Era una imagen imponente, la camisa blanca abierta, el pecho musculoso asomando por ella, el vello rubio rodeando los pezones y bajando como una flecha por el abdomen hasta expandirse en el pubis, el pene rígido, enorme y surcado de venas, oscilando ante ella.

Álex se lo recorrió con una mano, arriba y abajo, paró en el capullo, frotó el frenillo e hizo que el glande llorara gotas de semen que después recogía con el pulgar para luego extenderlas con pereza por todo el tallo de la polla, abarcándola entera con sus dedos, bajando y subiendo por ella.

Cuando Luka le vio bajar la mano que le quedaba libre a los testículos y comenzar a frotarlos con sensualidad, se dio cuenta de que era la primera vez en su vida que veía masturbarse a un hombre por ella. Para ella. Y era sin lugar a dudas la imagen más hermosa y erótica que había visto jamás.

—No sabes cuánto te deseo —gimió él entrecortadamente—, he soñado contigo todo el día.

Y en ese momento se arrodilló ante ella, le abrió los muslos y se apropió de su clítoris, lamiéndolo y mordisqueándolo, a la vez que penetraba con los dedos la vagina una y otra vez, hasta que toda ella tembló, corriéndose en su boca con un grito silencioso.

Álex bebió del orgasmo femenino hasta que sintió que cesaban los temblores y, entonces, trepó por su cuerpo; le dio la vuelta tumbándola boca abajo, pasó una mano por su estómago haciéndola alzar el trasero hacia su erección y la penetró lentamente, pegándole el pecho a la espalda, besando su nuca y apretándose contra ella. Se movió en círculos sin sacar en ningún momento el pene, aprendiendo cada punto erógeno de su vagina, sosteniéndose tras ella con una mano y acariciándole esa dulce y blanda barriguita con la otra hasta que la oyó gemir. En ese instante deslizó los dedos hasta su vulva, la recorrió despacio, encontró el clítoris y lo pellizcó suavemente. La vagina tembló, empapándole la mano en fluidos y Álex bombeó.

Sacó el pene con insoportable lentitud hasta dejarlo casi fuera, manteniendo el glande dentro para, de un único envite, hundirse en ella y salir con rapidez de su cálido interior. Volvió a penetrarla al instante siguiente, embistiendo salvajemente, golpeando el perineo con la pelvis y el clítoris con los testículos mientras sus dedos ascendían hasta sus pechos y los provocaban. Pellizcó aquellos pezones que tan olvidados tenía, haciéndolos rodar entre el índice y el anular, a la vez que su polla entraba y salía sin pausa, cada vez más rápido, más fuerte, más profundo.

Luka se mecía contra él, extasiada, temblando y gritando hasta que sintió que todo se desvanecía, que la luz estallaba en su cabeza a la vez que un orgasmo demoledor se apropiaba de su cuerpo.

Álex sintió que el calor inundaba sus testículos ascendiendo por su polla, haciéndole temblar todo el cuerpo, tan caliente, tan húmedo, sin condón… Joder.

Apenas tuvo el tiempo justo de salir de ella y derramarse sobre su espalda a la vez que un rugido abandonaba sus pulmones. Respiró agitadamente, intentando volver a la realidad. Cuando lo consiguió vio a Luka derrumbada sobre el colchón, totalmente relajada, con los labios entreabiertos y los ojos cerrados. Era la imagen más hermosa que había visto en su vida.

Suspiró, se había vuelto a olvidar del maldito condón, era la tercera vez que le ocurría. No obstante, un pensamiento acudió a su obnubilado cerebro: se había corrido sobre su espalda, justo en el lugar donde debía estar el tatuaje. Sonrió orgulloso para sí. «Que se joda Dani, él lo ha visto, genial, pues yo me he corrido sobre él, ¡toma!»

Miró la espalda femenina para fijar esa imagen victoriosa en su mente, pero… no vio el tatuaje.

El dormitorio estaba en penumbra, iluminado por la luz del pasillo; quizá fuera eso. Se incorporó sobre un codo buscando el interruptor encima de la cama, dio con él y encendió la luz. Una luz blanca y potente que alumbraba cada rincón del cuarto, pero que no mostraba el maldito tatuaje.

Luka gruñó, se tapó los ojos con la almohada y alzó una mano en busca del interruptor impertinente que mostraba al mundo —a Álex— todos los michelines que la oscuridad había ocultado.

Él volvió a pulsarlo.

¡Mierda!

Luka se removió en la cama hasta colocarse por debajo de las sábanas, lo que fuera con tal de no aparecer a plena luz mostrando ¡todo!

Álex, impaciente, quitó las sábanas que cubrían el cuerpo femenino. ¡El tatuaje no estaba! Observó detenidamente la zona. ¡Nada!

Pensó, un poco aturullado, que quizás su semen había tapado el dibujo. ¡Imposible! Pero, por si acaso, pasó la mano por la base de la espalda manchándose con el esperma —que por cierto y para más señas era lechoso y casi transparente—, y dibujando con él un tatuaje que no estaba… ¿Qué demonios?

—Apaga la luz. Ya —exigió Luka, enfadada por estar tan expuesta.

—¿Dónde está tu tatuaje? —le preguntó él, recorriéndola con la mirada; quizás había entendido mal y estaba en otra parte del cuerpo.

—Mmm, ¿qué? —murmuró ella sin saber por dónde venían los tiros.

—El tatuaje celta, el *triskel*… ¿Dónde lo tienes?

—¿Qué tatuaje? —Luka se giró para mirarle, asegurándose de volver a subir la sábana hasta la barbilla. ¿De qué narices hablaba ahora?

—¡El tatuaje que supuestamente está en tu espalda! —exclamó él, perplejo. ¿Tan extasiada estaba que no sabía de qué le hablaba? ¿Y por qué demonios se cubría con la sábana?

—No tengo ningún tatuaje en la espalda, ni en ningún lado; no me gustan. ¿De dónde has sacado esa tontería? —le interrogó Luka alucinando; acababa de tener el mejor polvo de su vida y le preguntaba por tatuajes… estaba como una cabra.

—Dani me dijo…

—¿Dani? ¡Ay Dios!

—Sí. Me dijo... En tu espalda... Justo sobre el culo... —«Joder, joder, joder» pensó intuyendo la broma. Será cabronazo.

—¿Dani te dijo que tenía un tatuaje?

—Sí.

—¿Y le hiciste caso?

—Esto... sí.

—¿Y te dijo que él lo había visto? —dijo sonriendo.

—Pues sí.

—Y te lo tragaste. —Ya no sonreía, ahora se estaba riendo a mandíbula batiente.

—¡Joder! Me contó cada maldito detalle, cómo era el dibujo, que la gente lo veía cuando cortabas cristal, que se lo comían con la mirada. ¡Me ha tenido duro y pensando en el puto tatuaje de los huevos todo el día y ni siquiera existe! —exclamó Álex gritando.

—¡Dios! —Luka apenas podía respirar de la risa—. ¡Lo que daría por haber estado en ese momento!

—¿Te parece divertido? —preguntó molesto.

—Sí —contestó ella con los labios apretados, intentando contener la risa, hasta que al final no pudo más y estalló en una sonora carcajada, retorciéndose sobre la cama y apretándose el estómago.

—No te rías. —Pero aunque intentaba no reír, Álex acabó estallando junto a Luka con los ojos llorándole de la risa y pensando que el muy cabronazo de Dani se la había jugado. Pero se las pagaría, de eso se encargaría él.

13

*A*penas habían dejado de reír, cuando sonó el telefonillo.

—Imagino que serán los kebabs. Voy a por ellos…

—Espera. —Álex sacó su cartera.

—No, deja, a la cena invito yo —insistió Luka con rotundidad a la vez que se enfundaba en el vestido más grande y espantoso que Álex había visto en su vida.

—¿Qué es «eso»?

—¿Qué pasa? ¿No te gusta? Si es supersexi —comentó riendo a la vez que acariciaba el vestido marrón con dibujos abstractos rosa fucsia que le quedaba cuatro tallas grande—. Es mi vestido especial.

—¿Especial?

—Sí… el que me pongo cuando no tengo ganas de vestirme y que me queda tan grande que no marca mi inexistente ropa interior… —comentó enarcando las cejas un par de veces.

—Ah… —Álex la observó escabullirse del dormitorio con una sonrisa, le había gustado su última acotación.

Todavía tumbado en la cama, se inclinó hacia la mesilla con el propósito de sacar los condones y dejarlos sobre la almohada para que estuvieran lo más a mano posible para la próxima vez; a ver si así eran capaces de hacerlo como era debido, es decir, con precaución. Sus dedos tocaron los cuadernos revueltos que había bajo la cajita y recordó con una sonrisa el pequeño y plateado secreto que había encontrado debajo de ellos esa mañana. Se incorporó sobre un codo y sacó los condones y uno de los cuadernos al azar. Su mente calenturienta le indicaba que, si estaban sobre un consolador, quizá tendrían escritas las fantasías prohibidas de Luka…

Era un cuaderno normal y corriente, de tapas verdes; no ponía nada en la cubierta, así que lo abrió curioso —y, por qué no decirlo, imaginando leer cosas calentitas— y se encontró, con gran sorpresa, ante páginas y páginas escritas con letra infantil, a lápiz para más señas.

> Enero de 1991:
>
> Ruth se *a empeñao* en que *ezcrivamos* un diario. Y no sé para qué. Pero dice que si no lo *escrivimos* no podemos *acer* un club y entonces si no tenemos un *clud* no jugamos todas a la goma, así que tengo que *ezcrivir* un diario estúpido que no me apetece. Pili opina como yo. Bueno, pues hoy es un rollo, la profe me ha *echo* copiar *diec vezes* cada falta del *dittado* y eran un montonazo. Vaya rollo.

Álex no pudo evitar reírse, había dado con el diario infantil de Luka. Desvió la mirada a la puerta abierta y prestó atención. Luka estaba en ese momento atendiendo al repartidor. Ojeó por encima el cuaderno mientras la oía charlar animadamente con el chico del restaurante turco, por lo visto se conocían. Miró el cuaderno y fue a la última entrada, era de febrero de 1992; estaba claro que a Luka no le gustaba mucho escribir, pues había resumido año y medio en un cuaderno de pocas páginas.

> Febrero de 1992:
>
> Ruth está enamorada de Marcos y Marcos no le *ace* caso. He pensado una venganza y la hemos hecho. Le hemos escrito una carta «especial» y se la hemos mandado. A Marcos no le ha sentado *vien* y se ha enfadado mucho, nos ha perseguido por todo el colegio y le ha puesto barro en las coletas a Ruth. Ahora Ruth ya no está enamorada de Marcos, dice que lo odia, estoy buscando una *nueba* venganza. Se va a cagar.

¡Madre mía!, si a Luka se le había ocurrido una venganza y era la mitad de ocurrente a los diez años que ahora, estaba claro que la carta sería digna de ver, pensó sonriendo.

En ese momento oyó cerrarse la puerta del piso y, sin saber por qué, ocultó rápidamente el cuaderno debajo de la cama. No creía que a ella le gustara que lo leyera.

Luka entró en la habitación con una sonrisa en los labios.

—Ya está la cena —canturreó—; me voy a duchar y en cuanto salga cenamos, ¿te parece?

—Por mí perfecto.

En el mismo momento en que ella abandonó la habitación, Álex se agachó y sacó el cuaderno de su escondite. Lo guardó en la mesilla y, sin detenerse a pensar, cogió otro; la primera anotación era de 1993, lo descartó en busca de alguno un poco más reciente. Fue sacándolos uno a uno, en algunos había poesías de Machado y citas románticas, en otros canciones de los años noventa, fotos de cantantes pegados en las páginas… Eran una especie de baúl de los recuerdos. Había de todo en esos cuadernos. Revolvió un poco y al final del cajón, casi oculto por los demás, encontró el último. Era muy fino y elegante, con tapas de color marrón y lomo dorado, y solo estaba escrito a medias. Lo abrió por la primera página y leyó.

> 6 de enero de 2003:
> Ruth me ha regalado este diario; se ha empeñado en que llevo un año conviviendo, haciendo el gilipollas y perdiendo el tiempo con el Vinagres y, como parece que no me doy cuenta —es que no estoy haciendo ninguna de esas cosas; bueno, convivir, sí. El resto, no—, me ha dicho que lo mejor que puedo hacer es escribir día a día mis vivencias, a ver si así me cosco de cómo va el tema… Bueno, pues me niego a escribir el día a día, menudo rollo, pero una promesa es una promesa, y yo le he prometido que escribiré —joder, me recuerda al club que montó en EGB—, así que, el último día de cada mes, dejaré aquí mis impresiones.

Interesante, pensó Álex. Luka ya había mencionado antes al Vinagres y parecía que por fin iba a saber quién era ese tipejo.

> 31 de enero de 2003:
> El mes ha trascurrido conforme lo previsto, con tiempo claro y monótono en su mayor parte, a excepción de algunos chubascos tormentosos los viernes a mi regreso de casa de Pili, debidos princi-

palmente a la negativa del Vinagres a que lo deje solo y «abandonado» durante la tarde.

Mar calma en fin de semana, aderezada con aburrimiento crónico la noche de los sábados durante el polvo semanal: «sábado, sabadete... me echan un polvete». El ciclón Vinagres apareció eventualmente a mitad de mes debido a una equivocación en el menú de la semana —cambié el pollo por la ternera y rompí el escalafón de las comidas—, por lo que la tempestad descargó con vientos de componente histérico sobre la mesa del salón, causando daños irreparables a gran escala y la consiguiente visita al Ikea en busca de nueva mesa. Como la rotura ha absorbido parte de los recursos domésticos, no podemos ir al cine este mes —por mi culpa, especifica el Vinagres; él no se habría enfadado si yo hubiera seguido el esquema de comidas—, motivo por el cual me veo obligada a usar al galán de la peli del mes pasado para los sábados sabadetes. Ello me lleva al aburrimiento crónico que sufro en estos menesteres desde mediados de mes, ya que la última película vista en el cine fue Harry Potter y cada vez que lo uso para mis fantasías polveriles me siento un poco pedofílica... Tiempo previsto para el próximo mes: estable. Sin cambios. Invariable. Inalterable.

Mierda, ¿qué era eso? ¿Un diario? ¿Un parte meteorológico? Álex estaba totalmente perplejo y, sobre todo, estaba muy enfadado. ¿Quién coño era el ciclón Vinagres? Fuera quien fuera, de una cosa estaba seguro, el tipo ese le caía fatal. Oyó en ese momento cerrarse el grifo de la ducha y tuvo un segundo de indecisión... ¿Guardaba el diario o no lo guardaba? Su experiencia con su madre y su hermana le decía que las mujeres, tras ducharse, se daban cremas, se secaban el pelo y hacían cosas que las tenían ocupadas al menos diez minutos más... Con el oído atento, continuó leyendo donde lo había dejado.

28 de febrero de 2003:
Febrerillo el loco... Tiempo tormentoso durante el primer tercio mensual, avanzando hacia claros soleados durante la mitad —quizás debido a San Valentín— y finalizando en chubascos de intensidad variable, con mar gruesa debido al cambio de la marca de vino a degustar durante la comida de la última semana —se terminó Don

Simón en el mercado y compré Don Pepe—. Fin del aburrimiento crónico polveril gracias al descubrimiento inesperado de Julie Garwood, su libro *El secreto* y su protagonista, Iain Maitlan, con el que he descubierto una nueva dimensión a la hora de ejecutar mis fantasías solitarias. Tiempo previsto para el próximo mes: estable y sin cambios en la relación, con posibles imprevistos en la sección amistad debido a amenaza en el paraíso matrimonial de Enar. Rodi está introduciendo elementos poco destacables en el círculo de su familia. Me mantendré ojo avizor, o al menos todo lo que me permita el ciclón Vinagres.

Álex aguzó el oído, Luka acababa de abrir la puerta del baño. Rápidamente introdujo el diario en el cajón y esbozó su mejor sonrisa de «yo no he sido».

—¿Aún estás así? —le preguntó Luka, embutida dentro de su albornoz gigante.

—No tenía nada mejor que hacer —evadió la pregunta dando unas palmaditas a la cama y esperando que ella se sentara a acompañarlo.

—¿No? Pues yo sí. Me voy a cenar.

—Vaaale. Me ducho y te acompaño. —Álex se levantó, imponente en su desnudez, con su pene medio erecto al pensar en la ausencia de ropa interior bajo el albornoz de Luka.

—Como veas —dijo ella por decir algo, ya que sus ojos se habían clavado en cierto apéndice.

Álex sonrió al pasar por su lado, deteniéndose para depositar un prometedor beso en la frente de la muchacha.

Tras ducharse se dirigió al salón. Luka se había cambiado de ropa y ahora llevaba una camiseta enorme y desgastada de color rojo y estaba sentada en los cojines de Dani. Sobre el baúl que hacía de mesa había dos platos con comida, uno bastante más vacío que el otro.

Álex observó como ella cogía distraídamente las pocas hebras de verdura y cordero que sobresalían del kebab y se las llevaba a los labios chupándose los dedos, golosa, para recoger hasta la última gota de salsa. No lo pudo evitar, se puso duro al momento. Debió gemir porque en ese instante Luka lo miró y enarcó las cejas al ver que bajo la toalla que rodeaba sus caderas aparecía una «antena parabólica».

—¡Llegas a tiempo! —declaró, ignorando con sus palabras, pero no con sus ojos, el estado en que él se encontraba.

Se acomodó como pudo sobre los cojines notando los testículos llenos y calientes y se dispuso a soportar la tortura.

Vieron un rato la tele mientras comían, pero entre su imaginación desbordada y la lengua de Luka lamiéndose el labio para recoger la salsa que se escapaba del kebab, su pene corría peligro de explotar, así que decidió sacar un tema que le tenía intrigado y que además precisaba solución.

—Oye —dijo como quien no quiere la cosa—, ¿Dani es bisexual?

—¿Dani? —respondió Luka extrañadísima—. No.

—Ah. —Mierda, ella no sabía que a su jefe le iban tanto los hombres como las mujeres. ¡Demonios!—. ¿Estás segura?

—Totalmente, a Dani jamás le han gustado las mujeres —afirmó Luka contundente.

—¿Es homo? —inquirió sorprendido.

—Sí. —Luka lo miró irritada entendiendo mal su sorpresa—. ¿Tienes algún problema con eso? Porque me parecería retrógrado si así fuera —le advirtió a la defensiva.

—No. Ninguno… Es que pensé… Me dio a entender…

—¿Qué? —Luka se estaba enfadando, no permitiría que nadie se metiera con Dani por su opción sexual.

—Que había tenido una relación contigo.

—¿¡Qué!?

—Eso. Me contó lo de tu tatuaje.

—El que no tengo.

—Sí, ese. Que lo había visto; bueno, por la manera de hablar parecía que lo había visto muy en directo y tal.

—¿El tatuaje que no tengo?

—Sí, joder, ese. —Álex comenzaba a sentirse estúpido—. No sé, pero insinuó cosas.

—¿Qué cosas?

—Que tus piernas eran larguísimas, que daban ganas de comerse tu tatuaje, que manejas muy bien las palancas… —Esto último lo dijo plantándose la mano en el pene, especificando la palanca a usar.

—¿Las palancas? —lo interrumpió Luka mirando el movimiento de su mano.

—Sí, las palancas.

—¿Qué palancas? —inquirió observándole fijamente. Álex estaba grillado o borracho o loco.

—Las palancas de las plumas de los camiones.

—¿Y?

—¿Y? Pues que, según Dani, las manejas muy bien, las agarras con ambas manos y haces de todo con ellas... —Álex movía la mano sobre su pene como si se estuviera masturbando.

—¿De todo? ¿Te refieres a descargar camiones? —dijo Luka totalmente alucinada, intentando asociar camiones, palancas y onanismo.

—Joder. Dejémoslo. Me ha tomado el pelo, no lo entenderías.

—Mmm... —Luka sumó piernas larguísimas, tatuajes inexistentes dignos de ser comidos, manos manejando/pajeando palancas y de golpe su cerebro hizo *clic*—. ¡No! —Y no dijo más... solo empezó a reírse y siguió riéndose y siguió...

—Eh, a mí no me parece nada divertido. Incluso llegué a pensar que quería tener algo con nosotros dos, una especie de *ménage à trois* o yo qué sé —replicó Álex indignado, a él no le hacía maldita gracia.

—*Ménage à trois.* —Luka dejó de reír de golpe, eso no le gustó ni un pelo. No tenía, ni quería tener una relación con Álex, pero en estos momentos él era «su» chico, y si a Dani se le pasara eso por la cabeza le cortaría los huevos.

—Sí, me pasó el brazo por los hombros, me guiñó un ojo...

—¿Dani? —¿Su Dani? Imposible, él jamás se mezclaría con mujeres y heteros... y, entonces, zas, lo entendió todo. Empezó a reír sin poder parar.

—¿Qué te hace tanta gracia?

—Te la ha jugado pero bien.

—¿Qué?

—Una broma... te ha gastado una broma... Dani jamás querría nada con un hetero; dice que somos demasiado cuadrados, rígidos —consiguió decir Luka entre carcajada y carcajada—, limitados, que somos limitados.

—Lo voy a matar. —Álex se levantó de golpe y empezó a recorrer el diminuto salón—. Te juro que lo mato.

—No, no seas tonto, no lo mates. Juégasela —le sugirió Luka con una mirada muy peligrosa—. Él te ha hecho creer cosas, ¿no?

Pues tú haz como que te las has creído y que te han gustado. —Su sonrisa era maligna, propia de una diablesa.

—¿Quieres que…? —balbució Álex. Imposible, ella no podía estar proponiendo eso.

—Que te insinúes tú también, que le pases la mano por el hombro, que le acaricies el muslo… ya sabes.

—¿Para qué? —Álex estaba intrigado, se puso en cuclillas delante de la joven y esperó a conocer la totalidad del plan.

—¿Te has parado a pensar el aprieto en que le pondrás? Lo que pensará si ve que tú entiendes y que estás conmigo. Dani jamás le quitaría su pareja a un amigo. Se verá en un terrible dilema: no ligará contigo, pero no sabrá cómo hacer para que yo me entere de que pretendes ponerme los cuernos… con él.

—Pero… —Diabólica se quedaba corto, Luka era terrorífica.

—Lo va a pasar fatal —sonrió maléfica.

—¿Estás segura de que quieres hacer eso? Es tu amigo. —Álex casi sentía lástima por Dani. Casi.

—Se ha reído de ti. Eso requiere venganza… una venganza muy especial —afirmó con sonrisa torcida—. Donde las dan, las toman.

—Recuérdame que jamás me meta contigo —solicitó Álex dejándose caer a su lado.

—Llegas tarde, amigo. Aún tengo la palabra «condones» escrita en mi tripa.

—Argh. —Álex se fingió aterrado, aunque lo cierto es que se sentía totalmente feliz. Estaba claro que no se iba a aburrir nunca junto a esa mujer.

Juntos planificaron al mínimo detalle la venganza. Cada movimiento, cada insinuación. Álex sabía que era imposible que él hiciera las cosas que ella le proponía —se moriría de risa antes de conseguirlo— pero era tan divertido comentarlo que se dejó llevar por el entusiasmo. No fue hasta que Luka bostezó cuando se dieron cuenta de lo tarde que era. Las dos de la madrugada, el tiempo había pasado volando y al día siguiente tocaba madrugar —relativamente.

Recogieron entre los dos los restos de comida —escasos, tenían muchísima hambre— y después Luka buscó a su iguana, que, cómo no, estaba subida a las cortinas. La bajó y la encerró en su terrario para a continuación hacer las abluciones nocturnas y meterse en la cama.

—¿Dejas todo el día fuera a la iguana? —preguntó Álex con reparo. No quería toparse con ese bicho de improviso en cualquier momento.

—No. Solo cuando estoy en casa. Su terrario se le ha quedado pequeño y, hasta que consiga ahorrar para pillar otro, la única manera de que tenga espacio es dejarla fuera.

—Ah. Menos mal que las tortugas están bien en su sitio, si no tendríamos que ir mirando el suelo para no pisar animales —comentó jocoso.

—Bueno, en realidad ellas también están algo estrechas… pero… qué se le va a hacer —contestó ella dando por zanjado el tema con un sonoro bostezo.

—La bella durmiente tiene sueño —canturreó Álex divertido.

Estaba tumbado sobre la cama con los brazos cruzados detrás de la cabeza y el pene empinado bajo la sábana. Cada vez que relacionaba Luka con cama su polla se erguía expectante.

—Qué va… —rechazó ella tapándose la boca ante un nuevo bostezo y dejando caer a continuación la mano sobre el pecho de Álex—. Cómo voy a tener sueño con lo mucho que dormimos ayer…

—¿Te estás quejando?

—En absoluto…

La mano de Luka se movía alrededor de las tetillas de Álex sin un rumbo determinado, el sueño la estaba venciendo y acariciar el suave vello de su torso la relajaba. Una de sus uñas chocó contra un pezón y este se tensó. Repitió la caricia, intrigada, el pezón se endureció un poco más. Miró la cara del hombre; tenía los ojos cerrados, la boca medio abierta y respiraba agitado. Bajó la vista hacía el pene, seguía erguido y alerta. Se acercó a la tetilla y la probó con la lengua. Álex gimió y arqueó ligeramente la espalda. Luka lo miró muy atentamente y volvió a lamerlo. Un nuevo gemido.

—¡Esto te gusta! —exclamó asombrada. Su experiencia era bastante limitada, felación y penetración; el Vinagres no consentía nada más, pues lo consideraba una pérdida de tiempo, claro que también era cierto que tenía el gatillo rápido.

—¡Joder, sí!

—Nunca lo habría pensado —musitó mientras sus dedos recorrían juguetones el pezón.

—¿Qué? —preguntó Álex asombrado abriendo los ojos e irguiéndose sobre un codo… Luka no era virgen, por tanto había follado, ergo tenía que conocer la anatomía erógena masculina, ¿no?

—Oh, cállate y vuelve a tumbarte. —Luka estaba totalmente despierta y quería investigar.

—Como ordene su majestad.

—Bien, y quédate quieto.

Luka se mordió el labio y se pensó por dónde continuar. Recordó las caricias que le había prodigado Álex en sus anteriores encuentros y decidió empezar por ahí, luego ya improvisaría. Dejó la mano donde estaba y se inclinó sobre su oído, lamió y mordisqueó tímidamente el lóbulo hasta que lo sintió gemir. Animada por el incipiente éxito apretó un poco más los dientes a la vez que movía la lengua, él jadeó.

—Esto es muy interesante —le susurró al oído.

—Me alegro. —Álex sonrió; si ella quería investigar, a él le parecía perfecto.

Luka deslizó la lengua por el cuello, buscando cada vena y besándola para luego mordisquearla y lamerla. Incluso se le fue un poco la mano en una succión y le dejó un pequeño chupetón bastante visible.

—Mañana tendrás que ponerte algo con cuello alto —comentó cabizbaja.

—¿Por? —Álex abrió un poco los ojos, perdido en una niebla de placer.

—Te he hecho un chupetón —le explicó esperando una mala reacción. Una vez hizo algo parecido y la bronca fue tremenda.

—Perfecto. Sigue así —la instó Álex inclinando la cabeza para dejar la clavícula más accesible.

¡Vaya!

Si eso era lo que él quería, lo iba a tener. Luka prestó toda su atención a la clavícula sin olvidarse de acariciar las tetillas y, de paso, ya que estaba puesta, recorrer las pantorrillas masculinas con sus pies desnudos. Álex comenzó a jadear. Luka paró de golpe.

—Mmm, esto no funciona —declaró irritada con ella misma.

—Sí que está funcionando. A la perfección —declaró Álex alerta. Por Dios, no podía parar en ese momento; lo mataría de la frustración

—No. Tengo demasiados frentes abiertos, no me centro en nada específico.

—Da lo mismo, te lo aseguro.

—No.

—Pero…

—A callar. Y estate quietecito —ordenó.

—Sí, *bwana*.

Luka se lamió los labios, Álex no parecía estar disconforme con que ella investigara y ella desde luego lo estaba disfrutando. A ver, las felaciones se le daban de maravilla o al menos eso le parecía; se podía decir que dominaba el asunto, pero el resto… Se puso manos a la obra.

Se montó a ahorcajadas sobre él. Les separaba una sábana y el tanga. Se lo pensó un segundo.

—Prohibido moverse y, sobre todo, prohibido romperme el tanga; me estoy quedando sin ropa interior.

—Lo que tú digas —acató él sin dudar, deseando que continuara de una maldita vez.

Y Luka continuó.

Recorrió el cuello y el pecho con delicados lametones y provocadores mordiscos, alternando unos y otros en función de los gemidos estrangulados que escapaban de los pulmones del hombre. Luego subió hasta su boca besándolo apasionadamente a la vez que apoyaba su cuerpo totalmente sobre el de él. Sintió que los pezones, los masculinos y los femeninos, se erguían y se olvidó del beso para seguir investigando.

Álex jadeó quejumbroso hasta que notó que los dientes incidían sobre sus tetillas, atormentándolas y provocándole tal placer que no pudo evitar mover sus caderas contra el cuerpo posado sobre ellas, buscando al menos un poco de alivio. Luka respondió apretándose contra él, tanto que notaba en su polla endurecida la humedad acogedora de ella, incluso con la maldita sábana en medio dando por culo.

Luka abandonó las tetillas dolorosamente erguidas y se dirigió hacia abajo, al ombligo. Álex subió las caderas.

—Pero te quieres estar quieto, así no me puedo concentrar —se quejó ella, sintiendo chispazos en el clítoris. Si él seguía haciendo eso, acabaría metiéndoselo dentro y su investigación quedaría en suspenso.

—No puedo —jadeó él.

—¿No puedes qué? —preguntó ella meciéndose sobre él.

—Quedarme quieto.

—Ah, bueno. Entonces, háblame de ti —solicitó ella mirándole.

—¿Qué? —Él siguió moviendo las caderas.

—Que me hables de ti. —Se separó, poniéndose a cuatro patas como los gatos, sin dejar que se tocaran en ningún punto.

—¿Para qué? —se quejó él.

—Para desviar mi atención a otros temas que no sean mi clítoris y mi vagina.

—¿Quieres desviar tu atención? —Joder, estaba como una puta cabra.

—¿Quieres que siga con mi investigación? —preguntó Luka alejándose todavía más de él.

—Mi familia vive en Barcelona, la componen mis padres, mi hermano, mi sobrino y mi hermana.

—Perfecto. Sigue así.

Y Álex siguió así.

Luka comenzó a recorrer de nuevo las tetillas, que habían perdido su dureza, cosa que no le complacía en absoluto y, mientras, él le contaba que su hermano pintaba.

Bajó hasta el ombligo y lo recorrió tímidamente con la lengua. Luego se quedó parada y le dio unos golpecitos en las costillas. Álex continuó donde se había quedado.

—Mi hermana hacía antes ejercicio, pero lo dejó porque….

Luka continuó con el ombligo, recorriendo con los dedos el vello que lo rodeaba; luego se encontró con el impedimento de la sábana, así que se levantó ligeramente y la quitó de un tirón. Álex jadeó y paró de hablar a la vez que su rígida e hinchada polla se balanceaba reclamando atención. Luka olvidó por un momento la conversación —si tenía que ser sincera consigo misma, no le estaba haciendo el menor caso— y recorrió con la punta de los dedos las inmediaciones de la erección. Las caderas masculinas se movieron buscando mayor contacto y Luka volvió en sí.

Frunció el ceño y le golpeó ligeramente las costillas de nuevo.

—Puso un tatami en casa, pero al final lo abandonó a favor del *footing*...

Álex sentía las caricias de Luka como si fueran fuego recorriéndole las ingles, bajando por sus piernas en un movimiento tan lánguido que le daban ganas de cogerla entre sus brazos y penetrarla salvajemente. Los dedos se posaron en la parte interna de sus muslos para luego alejarse. Abrió los ojos. Ella lo estaba mirando a la vez que se mordía los labios. ¡Dios! ¿Qué estaría planeando? De repente levantó la pierna que tenía colocada a un lado de la cadera masculina y la recolocó, posando la rodilla entre los muslos de él. Álex abrió inmediatamente las piernas, expectante. Ella sonrió, lo miró, frunció el ceño y le golpeó los labios suavemente con el índice.

«Joder».

—A mi padre le gusta jugar al mus, y casi siempre gana...

Luka sonrió satisfecha, ahora tenía que colocarle más o menos como quería. Se movió hasta quedar arrodillada entre sus muslos; luego le dobló y levantó las rodillas haciendo que se abriera más todavía, dejándolo totalmente expuesto a su mirada. Los testículos se veían tensos y pesados, el glande se hinchaba y enrojecía por momentos a la vez que el líquido preseminal hacia su aparición. Deseó probarlo con su lengua pero se contuvo. Recorrió con las yemas de los dedos la ingle, cuidándose mucho de tocarle la polla, y bajó lentamente dibujando un triangulo que evitaba su escroto. Encontró la zona perineal, esa que él había tocado antes y que a ella la había vuelto loca. Sin dejar de mirarlo, se metió los dedos en la boca y los humedeció.

Álex miraba asombrado a la mujer sensual y erótica que tenía entre las piernas. Esa gata salvaje no podía ser Luka... O sí, se respondió a sí mismo, acordándose de la mamada espectacular que le había hecho el día anterior. La vio llevarse los dedos a la boca y chuparlos con avidez. Cuando ella levantó la mirada y frunció el ceño, él recordó que había parado de hablar.

—Mi madre asiste a reuniones con su club, en las que habla de juguetes eróticos. —¡Mierda! ¿De verdad le había contado eso?

La vio sonreír para a continuación bajar la cabeza. No pudo evitar jadear cuando sintió que le levantaba la bolsa escrotal para luego recorrerle el perineo con los dedos húmedos arriba y abajo, llegando casi hasta el ano para después revertir el recorrido, acercándose hasta los testículos y de nuevo bajar. Repitió el movimiento una y otra vez, con lentitud y suavidad, hasta que Álex sintió que los muslos y las nalgas se le endurecían, contrayéndose a la vez que los huevos se tensaban y elevaban ante la inminencia del orgasmo.

Luka sentía el calor en su vagina. Jamás hubiera pensado que dar placer a un hombre pudiera ser tan excitante, o tal vez fuera que Álex era «el hombre». La confianza y libertad que le había dado eran como fuego para su libido. Se sentía mojada, abierta y necesitada. Quería sentirlo dentro y que le acariciara el clítoris con esos dedos divinos que tan bien sabían hacerlo. En definitiva, estaba muy, pero que muy excitada. Vio el glande amoratado y anhelante, derramando lágrimas de semen, y no pudo evitar desear probarlo, aunque eso diera al traste con su investigación sobre las zonas erógenas alternativas del cuerpo masculino.

Bajó la cabeza y lamió lentamente el perineo, sintiendo como él se tensaba. Subió poco a poco rodeando la bolsa del escroto para luego abarcarla muy suavemente entre sus labios, azotándola delicadamente con la lengua.

Álex jadeó y se agarró a las sábanas poniendo toda su fuerza de voluntad en la tarea de no moverse. Sintió los labios de Luka comiéndose sus huevos y estuvo a punto de explotar cuando le recorrió el tallo de la polla con la lengua, jugueteando con las abultadas venas que lo recorrían. No pudo evitar arquear la espalda y ofrecer la verga al altar de los labios femeninos. El ofrecimiento fue aceptado con un ligerísimo arañazo, totalmente premeditado, por parte de los dientes de Luka, un recordatorio de que no debía moverse.

Álex se movió y jadeó cuando ella lo reprendió de nuevo de la misma manera. Le extasiaba sentir esos delicados y blancos dientes sobre su polla.

Cuando Álex se agitó de nuevo, Luka comprendió que lo hacía a propósito. Sonrió y recorrió con los dientes todo el pene, de arriba hacia abajo y luego al contrario hasta dar con el glande. Una vez allí, se sintió demasiado excitada como para bajar. Había llegado la hora de probar el líquido lechoso fruto del placer de su chico.

El primer lametazo en el capullo mandó una descarga eléctrica por todo el cuerpo de Álex, el segundo hizo que una presión casi insoportable se instalara en su pelvis. Cuando ella empezó a jugar con el frenillo, los testículos se tensaron y le dolieron y, al sentirla recorrer la uretra, abriéndola con la lengua, absorbiendo el poco semen que se escapaba, la temperatura de su cuerpo subió varios grados. Se agarró con fuerza al colchón —Luka no tenía cabecero en su cama— y gimió alzando las caderas.

—Ponme un condón —suplicó.

Ella o no le oyó o no le hizo caso, así que a él no le quedó más remedio que bajar las manos y agarrarla del cabello para que levantara la cabeza y dejara de hacer las deliciosas cosas a que se dedicaba.

—Ponme un condón —exigió entre jadeos.

—¿Qué?

—Ponme un condón. Están sobre la mesilla.

—¿Por qué? —preguntó ella respirando sobre el tumefacto glande, para luego desviar su atención y volver a devorarle el pene. La piel de Álex tenía un sabor delicioso.

—Tienes… veinte segundos… antes de que te folle. —Los jadeos no le permitían decir la frase sin interrupciones.

—¿Ahora?

—Diecinueve…

Luka soltó lo que tenía entre manos —con bastante pena por cierto— y cogió la caja de condones.

—Dieciocho… —Si se concentraba en los números aguantaría, pensó Álex.

La joven cogió un condón y rasgó la envoltura.

—Diecisiete…

Lo sacó de su envoltorio.

—Dieciséis.

Lo colocó sobre el glande.

—Quince.

Lo deslizó por el pene.

—Catorce.

—Ya está —declaró satisfecha mientras cogía la polla entre sus manos y la acunaba amorosa.

—Trece… a la mierda.

Álex se sentó de golpe, la asió por las caderas y la levantó en vilo para luego tumbarla boca arriba en la cama. Agarró el tanga dispuesto a desgarrarlo, pero en ese instante recordó que tenía prohibido romperlo y, con un gruñido exasperado, lo deslizó hacia un lado de la ingle. Después penetró en ella de un solo empellón y se quedó quieto. Inmóvil.

—Eh, habías dicho veinte segundos —indicó ella con una gran sonrisa, sintiéndose adulada por la impaciencia que él había mostrado. Le envolvió las caderas con sus piernas y se meció contra él. ¡Qué sensación tan fabulosa! Pero ¿por qué él no se movía?

—Estate quieta —le exigió Álex con los dientes apretados a la vez que con una mano le levantaba la camiseta por encima de los deliciosos pechos que tanto ansiaba ver.

—No quiero —replicó Luka sintiendo el calor ascender por su vagina. Apretó los músculos internos.

—Para. —Álex se dejó caer sobre ella manteniéndola inmóvil con el peso de su cuerpo.

—¡Pues vaya! Tantas prisas para… nada —bufó Luka—. Me estás asfixiando.

—Joder —gruñó él. Estaba al borde del orgasmo, un solo empujón y se correría. Y no quería eso. Inmóvil dentro de Luka se apoyó en un codo para liberarla de su peso.

—Si te mueves, me tumbo sobre ti otra vez. ¿Entendido? —le advirtió. Si se movía no podría controlarse.

—A sus órdenes, mi general —contestó ella contrayendo la vagina, haciéndole jadear de placer.

Álex puso una mano entre sus cuerpos y buscó el clítoris, cuando lo encontró fue recompensado con un gemido. Perfecto. Tenía que distraerla, hacer que dejara de abrasarlo con las contracciones de su vagina.

Comenzó a acariciárselo, introduciendo un dedo en la vagina, pegándolo a su polla y humedeciéndolo. Luka jadeó, él volvió al clítoris y lo rodeó, lo apretó, lo masajeó. Ella contrajo la vagina, él estuvo a punto de correrse. Luka empezó a respirar agitadamente haciendo que sus pechos se irguieran con los pezones duros como piedras coronándolos. Álex se olvidó del control, de ir despacio y de todo. Agarró el pie de Luka, lo colocó con el talón en su hombro haciendo presión, abriéndola más todavía, permitiendo una penetración más profunda. Clavó las manos en el colchón, a ambos lados de la cabeza de Luka; debía sostenerse sobre ella para no cargarla con su peso.

Ese fue su último pensamiento coherente.

Embistió con fuerza, con un ritmo primitivo que solo sabía de placer y posesividad, hundiéndose hasta tocar el fondo de la vagina y presionando contra ella para ir más allá. Los embates eran tan fuertes que Luka acabó apretando las manos contra la pared para evitar darse con la cabeza en ella. El orgasmo fue demoledor; los cuerpos ardieron, temblaron, dejaron de respirar y se desplomaron. Álex recordó hacerse a un lado para no aplastarla en el último momento; no le gustaría asfixiarla si perdía el conocimiento, cosa que casi, casi había ocurrido.

Transcurridos unos segundos de casi inconsciencia, escuchó la respiración profunda y acompasada de su compañera. Se había quedado dormida.

Se deslizó fuera de la cama y la tapó con las sábanas y el edredón que estaban tirados en el suelo mientras la observaba embelesado. Había sido increíble y la sangre todavía corría veloz por sus venas. Se sentía incapaz de dormirse en esos instantes. Decidió ir al salón a fumarse un cigarro.

Apenas fumaba, pero el cigarro ritual después de un buen polvo se le hacía imprescindible en estos momentos. Antes de salir del dormitorio echó una ojeada a la mesilla. Luka estaba dormida, no se enteraría… No debería… Pero qué narices, de cobardes estaba lleno el mundo. Volvió sigilosamente sobre sus pasos, apoyó una rodilla en la cama y la besó en la frente; ella no se movió, estaba profundamente dormida. Abrió el cajón, cogió el diario y salió.

Al llegar al salón abrió la ventana, se fumó un cigarro con el libro todavía entre las manos, dudando. Tiró el cigarro por la ventana. Qué demonios.

Se tumbó a lo largo del sillón inclinándose hacia el respaldo para tapar su fechoría si le descubrían, abrió el libro en su regazo y leyó.

31 de marzo de 2003:

Marzo ventoso… El pronóstico refranero se ha cumplido a rajatabla. Chubascos tormentosos de primera categoría han recorrido mi casa durante todo el mes. Los fines de semana se han mantenido estables en el mal tiempo debido, cómo no, a que yo «emigro» a casa de Pili los viernes. Llueve sobre mojado. Rodi definitivamente ha introducido elementos no deseables en su hogar. El Vinagres se niega a que visite a Enar y los terremotos asolan mi casa por ese motivo. Leves, de intensidad 5, solo causan daños menores en el mobiliario. Ni idea de cómo será el mes que viene

30 de abril de 2003:

Abril lluvioso… Totalmente cierto. La lluvia en forma de lágrimas en mi cara se ha mantenido estable durante todo el mes. El tifón Vinagres lanza coletazos contra nuestra relación cada vez que intento escaparme para ver cómo va Enar. No hay nada destacable que contar en la monotonía de mis días.

Sábado, 31 de mayo de 2003:

… ¿Hace de mayo florido y hermoso? Y una mierda. El mes ha transcurrido sin cambios en el orden esquemático de mi relación con el Vinagres, con algunas precipitaciones leves en forma de malentendidos y enfados por su parte debido a un error MÍO —cosa que se ha encargado de recordarme durante un par de semanas— en el color de las toallas del cuarto de baño. A fin de mes intervalos tormentosos con ligeros chubascos por culpa de MI visita a Pili, dando lugar a marejada y fuerte marejada este sábado debido a MI propuesta, fuera de todo esquema, de salir a algún lado. Tiempo previsto para el mes que viene: tormenta inminente —ME niego a quedarme en casa, mañana ME largo al rastro, aunque sea sola—, que posiblemente se convertirá en borrasca por la noche debido a la fuerte bronca prevista para cuando regrese, que será más tarde que temprano.

30 de junio de 2003:

Sin cambios para comentar. La vida sigue igual, como diría Julio Iglesias.

31 de julio de 2003:

Mes aburrido y previsible con borrascas generalizadas y rompimiento de muebles. Escasez de lluvias ya que me parece una tontería llorar pues no consigo nada. Mar gruesa a diario, antes, durante y después de las múltiples discusiones. Lo único bueno, ya no hay sábados sabadetes, ninguno está de humor. En otro orden de cosas, Enar parece que ha vuelto a la normalidad y los elementos indeseables se han alejado.

31 de agosto de 2003:

Hoy finaliza el asueto estival. El tiempo se ha mantenido estable durante todo el mes, rozando el aburrimiento más absoluto durante las —escasas— conversaciones con el Vinagres, aderezadas con intervalos de aburrimiento a secas en los momentos de playa —a solas— y escasos claros soleados de lectura amena de libros románticos —¿por qué el Vinagres no será como Dereck Craven?—. Tanta arena en la playa ha hecho que mis pensamientos vayan a la deriva. Observo mi mano y veo que mi vida es igual a ese puñado de granos de arena apresados en mi puño; por mucho que intente retenerlos, poco a poco se van escapando sin que pueda evitarlo, formando una lenta catarata dorada entre mis dedos con todos los sueños y ambiciones que sé que no se van a realizar y, cuando al final mi mano queda vacía, veo que mi vida es igual. Bah, en cuanto llegue a Madrid se me pasa —seguro—. Tiempo previsto para el próximo mes: periodos de aburrimiento acompañados de estrés generalizado por la vuelta al trabajo y anticiclón los viernes debido a la visita a casa de Pili. Dios, cuánto la echo de menos.

Septiembre de 2003:

Vuelta al trabajo, vuelta a las broncas, seguimos con el aburrimiento. No hay más que contar.

Octubre de 2003:

Tiempo nuboso con intervalos tormentosos. Este mes he hablado con Irene, está preocupada por su hija, se está mezclando —otra vez— con quien no debe. Coqueteos con el alcohol y las drogas amenazan la estabilidad familiar de Enar y se prevé que la asistente social la visite en breve para interesarse por el bienestar de Mar. Tanto Rodi como Enar niegan este hecho y no se toman en serio la amenaza. Me escapé y hablé con ellos; demasiada mierda en el cerebro hizo imposible una conversación inteligible, al menos para mí.

En otro orden de cosas, el huracán Vinagres amenaza con interrumpir la relación —¿qué relación? Cohabitar en la misma casa no significa tener una relación— en caso de que se me ocurra volver a mezclarme con tal gentuza. Al descubrir que sí se me había ocurrido, tuvo lugar la primera tormenta de la temporada; rayos y truenos zarandearon la tierra dejando algunos moratones en la parte alta, a la altura del hombro. Por su parte, dicho huracán también salió perjudicado ya que la tierra respondió a uno de sus truenos y lanzó un relámpago que acabó impactando sobre él, provocando sangre en sus, hasta entonces, impolutas fosas nasales.

Noviembre de 2003:
No quiero contar nada. No merece la pena.

Diciembre de 2003:
Llega la Navidad con sabor a mazapán, dulces, peladillas y champán… o al menos eso decían los payasos de la tele.

En casa el tiempo previsto está lleno de altibajos con peleas rutinarias en días alternos y tormentas en fin de semana. En el resto del mundo cabe destacar que Rodi lleva desaparecido desde noviembre y a Enar o no le importa o no se ha dado cuenta. Irene la visita a diario, intentando aportar lógica y mesura a la vida de su nieta Mar, pero no solo no lo consigue sino que la situación está acabando con ellas dos. He intentado hablar con Enar pero no me contesta al teléfono —o quizás se lo han cortado por falta de pago— así que la he visitado. Tenía la casa llena de mierda y de gente —no sé qué era mejor si la una o los otros— y Mar estaba escondida en su habitación. No sé cómo, he convencido a mi antigua amiga para que me la dejara el fin de semana y, gracias a Dios, Enar ha aceptado. He dejado a la niña con su abuela y hemos decidido hablar con los asistentes sociales y buscar una solución.

Sea la que sea y cueste lo que cueste.

Mar está tan delgada que apenas si se la ve, sus ojos no brillan y apenas habla.

Enero de 2004:
El mundo es una mierda, mi vida es una mierda y el Vinagres es un mierda… Joder… estoy con la regla, no tengo el cuerpo para contar nada.

Febrero de 2004:
Febrero pasa sin pena ni gloria en cuestiones meteorológicas. El hu-

racán Vinagres se ha convertido en un ciclón de proporciones catastró-
ficas, aunque al menos ya no me aburro; estoy demasiado ocupada dis-
cutiendo.

Nubes tormentosas atraviesan de cabo a rabo mi vida, convirtién-
dola en meras cenizas de lo que antes era. No es que antes fuera mucho, pero al menos era ordenada.

El Vinagres se muestra cada vez más imprevisible amenazando con
descargar precipitaciones destructoras, sobre todo en fin de semana,
cuando los trabajos de ambos acaban y nos encontramos con demasiadas horas del día para estar juntos.

El anticiclón Pili apenas basta para paliar las consecuencias del trá-
gico huracán Enar. Rodi sigue desaparecido. Enar ha pasado de coque-
teo a romance con la dama blanca y los asistentes sociales han decidido
dejar en custodia a Mar con su abuela. Esto es lo único bueno de todo
el mes.

Sigo prisionera del ciclón Vinagres con algunas fugas esporádi-
cas para ver a mi ahijada, que, al regresar a casa, se convierten en
mar gruesa que se estrella contra mis sentimientos, olas de furia
demoledora de más de diez metros de altura y una fuerza de 6 en
la escala Richter —ocasionando daños ligeros a edificios— que
amenazan con acabar con mis ahorros por la cantidad de muebles
destruidos.

Marzo de 2004:

Tormentas generalizadas hacia mitad de mes debido a mi fuga
—solo fui a hacer una visita a Mar— han desencadenado el huracán
de nuevo, asolando esta vez todo el tercio norte de nuestra casa. Los
cuadros a punto de cruz de Pili acabaron destruidos debido a la fuerte
marejada provocada por dicho huracán; espero poder arreglarlos.

Rodi sigue desaparecido y Enar ha seguido sus pasos durante la última mitad del mes. Mar vive con su abuela y parece que los días soleados han regresado, al menos para ella.

Previsión para el mes que viene: posible terremoto en casa.

Abril de 2004:

Un terremoto de 6,9 en la escala de Richter ha asolado mi domicilio —ya no lo puedo llamar hogar—, causando daños severos en el
mobiliario y discusiones de intensidad variable al alza en fin de semana. El anticiclón Pili trae calma los viernes, pero por desgracia el

huracán Vinagres se encarga de aportar chubascos tormentosos incluso entre semana.

Por otra parte, Mar sigue viviendo en casa de su abuela y Enar ha aparecido con nuevo novio, nuevo *look* y nuevos amigos —si malos eran los viejos, estos son peores—.

Tiempo previsto para el próximo mes: inestable.

P. S.: A veces, solo a veces, y sin que lo reconozca ante nadie, tengo miedo… Miedo si suena el teléfono, miedo si llego tarde… miedo de más broncas. Cierto es que, desde que me «tocó» la primera vez y le respondí con el puñetazo en la nariz, no ha vuelto a tocarme, pero, si los muebles son muestra patente de hasta dónde puede llegar su furia, debo admitir que la cosa se está poniendo peligrosa y que tengo miedo. Mierda.

Mayo de 2004:

Tras el terremoto de 8,5 en la escala de Richter —destrucción total—, atravieso un clima de calma chicha aderezado por interminables jornadas de cielo claro en casa de Pili. He emigrado del domicilio compartido con el Vinagres y ahora estoy de ocupa en casa de mis progenitores.

He prometido visitar a mi ahijada al menos dos veces al mes y lo voy a cumplir.

Tiempo previsto para el próximo mes: variable, con cambios. Posibles visitas al cine y a mis amistades, negativa rotunda a poner toallas conjuntadas en el baño. En definitiva, voy a hacer lo que se me ponga en la punta la nariz.

Noviembre de 2004:

Volé de casa de mis padres. Ahora estoy viviendo en un piso alquilado que es una birria, pero es mío, solo mío. Y yo decido lo que quiero hacer en él.

Enero de 2005:

Tras la euforia por vivir sola, ahora me encuentro con que me siento sola. Esto de tener algo mío y solo mío me está convirtiendo en Gollum: mi piso, mi sillón, mi cocina. Monto fiestas en fin de semana, pero las voces, las risas, la compañía no perduran entre semana, y yo soy Gollum, fea e inmersa en mi vida, mía y solo mía…

Marzo de 2005:

¡Lo he hecho! He adoptado dos tortugas, son lo más maravilloso que he visto en mi vida. Parecen personitas pequeñas, cariñosas y, lo más importante, dependen totalmente de mí, me necesitan y yo las necesito. Ya no estoy sola cuando vuelvo a casa. Mi casa ya no es mía y solo mía. Por cierto, me ha tocado un piso de protección oficial, en un par de años, cuando lo acaben de construir, seré dueña de NUESTRA propia vivienda: mía y de mis niñas.

Diciembre de 2006:

Hoy he tenido mi mejor regalo de Navidad: *Laura*. Mi iguana. La encontré en el centro de protección de animales, la habían abandonado, apenas si tiene seis meses. Es totalmente asocial y da latigazos a todo el mundo. Seguro que seremos grandes amigas, somos tal para cual.

Marzo de 2007:

Es una tontería que escriba más en este diario, porque, cuando escribo, leo lo anterior y me dan ganas de pegarme un tiro por lo idiota que fui.

Mis niñas son preciosas. *Laura* me adora y yo la adoro, se sube a mi regazo y me da lametazos en la barbilla, es un sol. *Clara* y *Lara* me mordisquean la nariz cuando las cojo. Nos tenemos las unas a las otras y es suficiente.

Enar se ha perdido totalmente, sigue viviendo en el barrio pero es como si no estuviera.

Mar vive con su abuela y yo la veo el segundo y el cuarto domingo de cada mes. Es una chica maravillosa y lo mejor que me ha pasado nunca.

Rodi lleva desaparecido tres años, ojala esté muerto. Si no fuera por él, Enar no hubiera caído en esta espiral de drogas y maltrato.

Tengo un piso propio —a medias con el banco— y unos amigos increíbles. He decidido dejar de leer lo que he escrito aquí porque no merece la pena recordar el pasado. Es una mierda. Cierro este diario, dejando, eso sí, apuntadas unas normas básicas para mi bienestar. Rezo para que, si alguna vez se me pasa por la cabeza enamorarme de un tío, recuerde estas normas, y las cumpla.

DECÁLOGO DE LUKA:

No fiarse de ningún hombre, a excepción de Javi, Dani y mi familia directa.

No dejar que nadie me diga si mi pelo, mi figura o mi inteligencia es o no es de su agrado. Si esto sucede cortar la amistad de golpe. Nadie puede juzgarme.

No permitir que nadie ordene mi vida, ni me diga dónde, cómo o cuándo hacer lo que sea. Si esto sucede, cortar la amistad de golpe. Nadie puede controlarme.

No consentir que nadie me levante jamás la voz —ni la mano—. Nadie tiene ese derecho. Si esto ocurre, avisar a Javi de inmediato para que le corte los huevos al agresor. Javi se ha ofrecido para ello muy gentilmente.

No hacer caso de palabras bonitas ni promesas fáciles de hacer, pues son fáciles de romper. Si esto ocurre es que me he vuelto idiota de nuevo y mejor me pego un tiro.

Vivir mi vida sin mirar alrededor, no vaya a ser que la vuelva a liar.

No permitir JAMÁS que nadie controle mis amistades ni que las juzgue. Si esto ocurre cortarle los huevos a quien lo haga. (Con ayuda de Javi.)

No pensar jamás que es mejor estar acompañada que sola. *Laura, Lara, Clara* y yo nos valemos y nos bastamos para formar una familia feliz.

No permitir que ningún desconocido —masculino— se cuele en mi vida sin antes estudiar muy mucho las circunstancias.

NO ENAMORARME JAMÁS. Porque, si, sin estar enamorada del Vinagres, mira lo que me ha pasado, el día que me permita enamorarme, fijo que me arruino la vida.

Esa era la última entrada en el diario.

Álex lo cerró y miró el reloj, las cinco de la mañana. Era tarde. Más le valía meterse en la cama ya. Mañana lo pensaría más detenidamente.

Se levantó del sofá, anquilosado, se estiró haciendo crujir la columna y observó a los animales. Los vio de forma distinta. Recorrió la habitación con la mirada. Lo veía todo diferente ahora, los muebles viejos en comparación con los caros terrarios y acuarios, las fotos de sus amigos colgadas en la pared, los cojines de Dani como recordatorio de que estaban pendientes de ella… Cerró los ojos y se fue al dormitorio. Luka dormía, depositó el diario al fondo del cajón, donde lo encontró. Se vistió con las pocas prendas que todavía estaban intactas. Salió del piso cogiendo las llaves multicolores; jamás había visto un llavero con llaves de tantos colores, y tan distintos y poco conjuntados. Bajó sigiloso las escaleras, caminó un poco hasta su coche y se metió dentro. Una vez allí, con las puertas y las ventanas cerradas, comenzó a golpear el volante y el salpicadero con todas sus fuerzas.

—Joder, joder, joder.

Un rato después, con las muñecas doloridas por los golpes propinados, apoyó los codos en las rodillas y descansó la frente sobre sus manos. ¡Odiaba al tipejo! Cómo lo odiaba.

14

Álex entró cautelosamente en el dormitorio, Luka dormía todavía y él había logrado controlar un poco su ataque de furia. Observó a la mujer. Era preciosa —sin contar su pelo naranja radiactivo— pero no era solo eso. Era divertida, inteligente, diabólica, una verdadera caja de sorpresas. Tan pronto te devoraba la polla como una cortesana como a los dos minutos se asombraba por la más ingenua caricia.

Aunque le pesara reconocerlo, incluso había sentido celos del cariño y los mimos que prodigaba a sus mascotas, ese afecto sin pretensiones ni concesiones, tan puro y simple, sin artificios ni teatro. Quería que lo compartiera también con él y, de hecho, si tenía que ser franco, desde el principio lo había compartido; habían hablado con sinceridad, cara a cara, y cuando ella se había disgustado se lo había manifestado sin dudarlo. Le había mostrado su elenco de amigos orgullosa y le había permitido unas horas para conocerlos mejor. Lo que tenía lo daba abiertamente, sin dudarlo. Ojalá supiera quién era el Vinagres. Lo mataría con sus propias manos.

Álex era consciente, mientras la observaba embelesado, que el sexo con ella era increíble y que aún, y esa era la palabra clave, no estaba irremisible y perdidamente enamorado, pero andaba cerca, muy cerca. Y visto lo leído, le iba a costar mucho que ella se lo demostrara en caso de que alguna vez llegara a corresponderle. No dudaba de que Luka se sentía atraída hacia él. Por lo pronto ya se había saltado una de las normas de su decálogo, «no permitir que nadie se cuele en mi vida», y él pensaba seguir colándose, sin dudarlo. También creía que confiaba en él, más o menos. Pero de ahí a que ella se permitiera enamorarse después de lo sucedido en su vida, iba un mundo.

Se quitó la ropa en silencio y se tumbó de lado en la cama, observándola. Se pegó a ella, besó su nuca y le pasó un brazo sobre la cintura posesivamente. La mañana llegaría en pocas horas y tenía que dormir aunque solo fuera un poco.

Cerró los ojos. Luka se movió, acurrucándose contra él, pegando el trasero a su pene. Álex sonrió; aunque fuera dormida, estaba claro que un poco sí se fiaba de él.

Luka despertó sobresaltada por el sol que entraba a raudales entre las cortinas, parpadeó confusa y miró el despertador de la mesilla. Las diez y cuarto. ¡Se había olvidado de poner la alarma! Se levantó sobresaltada de la cama y corrió a ducharse. Cuando el chorro de agua cayó sobre su cara recordó de golpe que Álex había pasado la noche con ella, en su cama. Otra vez.

«¡Joder!»

Bueno, no pasa nada, pensó. Hoy es domingo y, en cuanto salgamos por la puerta, adiós muy buenas y, mañana, ¿quién sabrá?

Mmm, ¿los rollos esporádicos pasaban la noche en casa? No tenía ni idea. De todas maneras, nada de compromisos ni ninguna expectativa. Como había dicho Pili: dar tiempo al tiempo. Y, sobre todo, no fiarse. Lo primero que tenía que hacer era cambiar la cerradura; el viernes Álex reconoció haber cogido sus llaves, a saber si no había hecho una copia.

Salió del baño y se empezó a vestir. Había conseguido ventaja al despertarse antes que él, y la iba a aprovechar. No pensaba dejarse ver medio en bolas y con los pelos enredados… De hecho, no pensaba dejarse ver los pelos. Punto.

Un conejo blanco con un reloj de época en la mano lo instigaba sin pausa. Estaba en un mundo multicolor, de intensos tonos verdes, azules y rosados. Frente a él, se inclinaba una casa enorme de paredes demasiado blancas y tejados demasiado rojos, casi como si fuera la ilustración exagerada del cuento de un niño. El conejo blanco saltaba nervioso a la vez que su nariz se encogía impaciente mientras miraba el reloj y las grandes orejas colgaban caídas a los lados y golpeaban a Álex en la espalda.

—Tarde, tarde, llego tarde —canturreaba frenético con voz ¿femenina?

El conejo le gritaba en el oído causándole un ligero dolor de cabeza. Cogió la almohada y se escondió debajo.

—Vamos, dormilón, es tarde, taaaaarde. Despierta de una vez —gritó de nuevo el conejo con la voz de Luka… ¿Qué coño?

Álex despertó, desconcertado por el sueño, abrió ligeramente los ojos y la encontró ante él, dando saltitos sobre un pie enfundado en un calcetín del mismo color de su pelo mientras encajaba en el otro una bota de piel. Su cabello mojado se mecía en ondas sobre su rostro. Llevaba puesta, más o menos, una camisa vaquera sobre un jersey naranja, unos vaqueros desgastados que aún no había tenido tiempo de abrochar y, debajo de ellos, lo que parecía un tanga rosa. La polla de Álex se alzó esperanzada.

Luka consiguió calzarse la bota, se apartó el pelo del rostro y lo miró. Miró también su erección y luego bufó.

—¡Es tarde! Te lo dije, si te quedas, llegaré tarde. Mira qué hora es, las diez y media. Todavía tengo que acabar de vestirme y llegar al centro… Tarde. Joder. Nunca llego tarde.

—Bueno, no pasa nada porque llegues un poco tarde… ¿Vas al centro de Madrid? —comentó como quien no quiere la cosa, si era así iba a llegar bastante tarde.

—Al centro de Alcorcón. Vamos, corre. Me voy en diez minutos.

—Vale. —Álex se acurrucó de nuevo en la cama, no había dormido ni cuatro horas y tenía sueño.

—Vamos, que nos vamos —exclamó ella destapándole y tirándole del brazo para que se incorporara. Craso error, ya que él aprovechó el movimiento para agarrarla y hacerla caer sobre él. En el sitio en que debía estar exactamente.

—Voy —dijo besándola.

Luka se rindió a sus besos durante un par de minutos, pero luego lo empujó implacable, cogió los pantalones y la camisa y se los tiró encima.

—Me voy. Ya. Y no te puedes quedar aquí solo.

—Está bien —gruñó él.

Álex se vistió rápidamente, apenas tenía ropa, y se dirigió a la cocina para tomar un poco de leche. Mientras tanto ella echó de comer a los animales y se puso una gorra sobre su pelo. Lo miró enarcando las cejas, cogió las llaves multicolores y salió por la puerta.

—Voy, voy —refunfuñó Álex irritado por tantas prisas.

—¡Vamos! —Luka estaba esperándole en la puerta del ascensor, impaciente—. Toma.

—¿Qué es esto? —Cogió el papel que le daba, en él estaba apuntado un número de teléfono con el nombre de Dani al lado—. Perfecto, cuando tenga lo de la exposición le aviso. Dame tu número de paso.

—No.

—¿No?

—Ya tienes mi correo electrónico. No te hace falta el teléfono para nada y yo odio hablar por teléfono —declaró saliendo veloz del ascensor.

—Pero de todos modos, podría necesitar decirte algo. Prometo no llamar si no es imprescindible —indicó con una sonrisa en la boca.

—Nunca hay nada imprescindible. Además, detesto que me llamen por teléfono. De verdad. —Luka llegó a la puerta del portal y se giró para mirarle fijamente—. Lo odio.

—Vale. —Álex recordó lo que había leído en el diario y levantó las manos en un gesto de rendición—. Como prefieras. —Antes o después encontraría a ese tipo, y lo mataría.

—Bien. Ya nos escribimos. —Luka sacó apresurada las llaves del coche.

—Espera. —Álex le asió las manos, acercándola a él—. Dime dónde trabajas.

—¿Para qué?

—Para poder llevar el material cuando lo tenga.

—Mmm. —Luka se mordió el labio, dubitativa—. Mira, no sé dónde tienes que dejarlo, pero no creo que debas ir a mi trabajo. Llama a Dani y él te cuenta, seguramente tendrás que llevarlo a Estampa. —Álex no tenía por qué saber dónde estaba su curro.

—Pero… vale —aceptó él, dándose por vencido.

—Nos vemos —se despidió Luka abriendo la puerta del coche.

—Un momento.

Luka se giró impaciente, solo para ir a caer entre los brazos de Álex.

—Un beso de despedida —susurró dándole un beso tierno, dulce y profundo—. Mañana en cuanto consiga conexión a Internet te escribiré.

—Estupendo —contestó ella incrédula. Se montó en el coche, arrancó y se fue.

Llegó a casa de Irene a las once y cuarto. Mar y su abuela la esperaban con el desayuno puesto en la mesa. Hablaron un poco sobre todo y nada, comentaron los progresos en el cole y, por último, cuando Mar fue a su habitación a arreglarse, las mujeres aprovecharon para hablar de temas que los niños no debían conocer, aunque en este caso, por desgracia, sí conocieran.

Entre susurros apresurados y miradas de refilón hacia el cuarto de la niña, Luka se enteró de que Enar buscaba dinero desesperadamente. Había acudido la semana pasada a casa de Irene con esa intención, cosa que no era nueva. Al menos una vez al mes su antigua amiga acosaba a su madre para sacar algo, cualquier cosa. Pero esta última vez había sido peor, se había presentado cuando Mar estaba en el colegio, exigiendo y amenazando, y, cuando no consiguió lo que buscaba, arrasó la casa y cogió las pocas cosas de valor que había en ella.

Luka la maldijo; si el abuelo estuviera vivo él podría hacer algo, pero por desgracia había muerto antes de que su hija arruinara su vida y la de su familia. Luka instó nuevamente a Irene para que lo pusiera en conocimiento de la policía. Pero esta no podía hacer eso; para bien o para mal, la había parido y ahora debía soportarlo como buenamente pudiera. Luka entendía su postura, sabía que ambas se culpaban en silencio por lo que había pasado. Ella por no haber estado allí cuando todo empezó a torcerse; Irene por no haber sabido imponerse a su hija, por no haber podido ayudarla o controlarla, por no haber impedido que se casara con Rodi. Y lo más insoportable era que ambas intuían que eso no era cierto, que no eran culpables, pero aun así la culpa siempre estaba presente.

Cuando la puerta del cuarto se abrió, ambas callaron. Mar era una niña preciosa, alta para sus once años y algo rellenita. Recogía sus rizados cabellos rubios en una trenza descolocada y unas gafas enormes ocultaban sus preciosos ojos marrones. Se mostraba muy tímida y reservada con los desconocidos, pero, gracias a los tres años que llevaba visitándola, Luka era ahora su amiga, su mejor amiga si prestaba oídos a las alabanzas de la niña. No tenían secretos entre ellas, quizá porque no hablaban jamás de Enar o a lo mejor porque las dos se encontraron solas y asustadas en sus primeros encuentros y poco a poco se habían ido abriendo. Lo cierto era que Luka no podía considerar siquiera el no visitar a su ahijada y, aunque solo lo hacía dos veces al mes, para ellas, esos días eran un verdadero tesoro.

Irene se había negado en rotundo a que se llevara a la niña más a menudo, puede que por miedo a que se la robaran sin que Luka pudiera evitarlo o acaso por el motivo que Irene le había dado en su día, porque Luka tenía que rehacer su vida al igual que ellas y no podía convertir a Mar en su excusa para no salir con otras personas.

Fuera como fuese, dos domingos al mes se tenían por completo la una a la otra y lo iba a aprovechar al máximo.

—¿Qué tienes pensado para hoy, tía Luka?

—Mmm… pues… me he enterado de que han abierto en el Tres Aguas un bufé de… ¡comida italiana!

—¡Genial!

—Y luego… he conseguido unas entradas para… tachán, tachán…

—¡Dilo!

—Ir al teatro a ver el musical… ¡*Grease*!

—¡Alucinante!

—¿Y sabes qué es lo mejor?

—¿Qué?

—Que el musical es a las ocho de la noche.

—¡Hala! Y desde que acabemos de comer hasta las ocho de la noche… —continuó Mar.

—¡Estaremos raja que rajarás! —acabaron las dos a la vez, gritando la coletilla de todos los domingos y saltando como dos niñas muy, muy felices.

—Pasáoslo bien —les deseó Irene sonriente; le costaba no estar con su nieta durante un día, pero, con solo ver las caras de felicidad de las dos muchachas, sabía que estaba haciendo lo correcto.

Y

Y efectivamente, el domingo, como todos sus domingos, fue espectacular. Comieron pasta hasta que les dolió la tripa, rieron hasta que les dolieron las mandíbulas y se contaron sus secretos hasta que les pitaron los oídos.

Mar le contó que había un chico que le gustaba, iba a su mismo curso y estaba —palabras textuales— como un tren. Luka a su vez le contó que había conocido a Álex, que parecía ser un tipo majo y que a lo mejor volvía a verlo algún día. Mar se quedó alucinada, era la primera vez desde que salían juntas que Luka le hablaba de un hombre que no fuera Javi, Dani o Gabriel, su odiado jefe. Su mirada se entristeció, sus manos se pararon sobre su regazo y bajó la cabeza.

—Eh, ¿qué pasa? —preguntó Luka al ver el mutismo de la niña.

—¿Te irás con él?

—¿Cuándo?

—Siempre.

—¿Siempre? ¿No sé a qué te refieres?

—Papá conoció a María y se fue con ella para siempre. Mamá conoció al Huesos y se fue con él para siempre. Ahora tú conoces a Álex… ¿Te irás con él?

—No, cariño; claro que no. Es solo un amigo más, y tú eres mi mejor amiga, mi princesita elfa. ¿Si no vuelvo contigo quién hará magia para que yo me ría? Acaso quieres que me convierta en una bruja malvada y amargada… —comentó intentando hacerle cosquillas, pero sin lograrlo.

—Tú ya eres una bruja. —Mar rio sin ganas ante la aseveración que siempre hacía Luka. En el momento en que se conocieron, Luka le aseguró que era su princesa elfa y que tenía la magia para hacerla reír y desde entonces se lo repetía cada vez que se veían, para que no lo olvidara nunca—. Pero…

—¿Pero qué? Dímelo, cielo. Ya sabes lo que prometimos.

—Que nunca nos mentiríamos… —La niña inspiró profundamente y dijo aquello que más temía—. ¿Y si no es bueno? María y el Huesos no lo fueron y mis padres no se dieron cuenta. ¿Y si te equivocas? Tú misma has dicho que ya metiste la pata una vez.

—Sí, la metí, por eso tengo mucho cuidado de no volver a meterla. Pero si no te fías… mmm… Dani y Javi opinan que es un buen tipo. Y Pili también.

—¿Y Ruth? —Mar conocía bien a los amigos de Luka, y sabía cómo era Ruth.

—Bueno, Ruth no opina que sea malo, solo que no tiene la cabeza bien puesta sobre los hombros. Pero eso no es malo, solo significa… —¿cómo explicar a una niña de once años la prevención de enfermedades sexuales?— que es muy despistado.

—¿Puedo conocerlo?

—Eh… ¿para qué?

—Parece importante.

—¿Álex? Qué va, nada más lejos de la realidad. Es una persona que conocí el otro día y con la que me resulta divertido hablar. —Y sentir su compañía y dormir con él y ver películas y contarle mis cosas y, en definitiva, estar con él… ¡Ay Dios!

—Ah… ¿pero es tu amigo?

—En principio sí —respondió Luka dudosa; no le gustaba nada el cariz que estaba tomando la conversación, ni sus pensamientos… ¿Era su amigo? Sí. Y más.

—Y, ¿crees que alguna vez será algo más que un amigo? —Mar había visto a demasiados amigos con su madre y si tía Luka tenía un amigo quería estar preparada para lo peor. Cuando lo conociera y viera que era una persona peligrosa, podría hablar con ella y decírselo. Y quizás tía Luka le hiciera más caso que su madre, aunque no lo creía. Le entraron ganas de llorar, volvería a pasar, lo sabía.

—No. Definitivamente, no —aseguró Luka observando la cara triste y desesperada de la niña—. Has visto mi casa, es muy pequeña. ¿Dónde lo metería? —dijo intentando bromear. Si no se entendía ella misma, ¿cómo se lo iba a explicar a Mar?

—Podrías guardarlo bien dobladito en el *jacuzzi* enano —respondió Mar riendo, y luego asestó la puñalada—. Pues, si solo es un amigo, quiero conocerlo, igual que a los demás.

—Bueno, se lo puedo consultar. Lo cierto es que es una persona muy ocupada y no sé si va a poder ser.

—¡No me lo quieres presentar! —chilló la niña. Él era malo, seguro que era malo, por eso no se lo quería presentar, para que no lo descubriera. Seguro que se emborrachaba y rompía cosas y haría que Luka fuera como él y los dos se reirían de ella y la olvidarían en la calle y no volverían a estar juntas como ahora. No pudo pensar más. Se echó a llorar.

—No, mi elfa preciosa; no llores. Claro que te lo quiero presentar, es solo que no sé si podrá ser.

—No pasa nada, pero… ¿te volveré a ver el cuarto domingo? —Hipó la pequeña, haciéndose a la idea de que todo iba a empezar a ir mal. Otra vez.

—Claro que sí. —Luka miró a la niña y supo todo lo que pasaba por su cabeza en ese momento, el Huesos y Enar… y ahora ella le contaba cosas sobre Álex y luego se negaba a presentárselo… como su madre cuando todavía era coherente. Se decidió en un segundo—. Y además, lo convenceré para que se pase un ratito pequeñín a vernos; seguro que encuentra hueco.

—¿De verdad? —Mar observó a su tía con los ojos entornados. Cuando lo conociera, si era una mala persona, que lo sería, convencería a tía Luka para que se alejara de él. Y de paso hablaría con Ruth por teléfono a ver qué opinaba realmente. Ruth sabía bien lo que se hacía.

—De verdad de la buena.

La velada terminó apoteósicamente con la representación magistral de *Grease*, un CD con la banda sonora en español del musical y una espléndida *pizza* que devoraron sentadas en la cocina de Irene.

Eran casi las doce de la noche cuando Luka regresó a su casa. Al comprar las entradas sabía que llegarían tarde, pero había merecido la pena hasta el último minuto del día. Lo malo era que ahora que estaba sola se enfrentaba a un gran dilema. No sabía si volvería a ver a Álex, no sabía si seguirían siendo… ¿el qué? ¿Pareja? ¿Amigos?

Dentro de dos semanas él podría desaparecer del mapa, pero… ¿Y si era al contrario? ¿Y sí seguían viéndose? ¿Y sí era tan buen tipo como parecía? Si se seguía mostrando tan agradable y encantador, entonces Luka tendría un gran problema, porque Álex era perfectamente capaz de encandilar a Mar igual que la había encandilado a ella y, entonces, Mar podría pensar en él como tío Álex. Y si Mar empezaba a pensar eso ya serían dos las que lo pensarían porque, y esto era lo más peligroso, a veces, sin darse cuenta, sin quererlo, ella ya lo pensaba. Lo imaginaba con ella en casa, todos los días, durante toda su vida. ¡Ay Dios! ¡Jamás!, se prometió a sí misma. Por encima de su cadáver. Su vida era perfecta tal cual estaba y Álex era un ESE, un encuentro sexual esporádico.

Y no iba a ser nada más.

Ni loca.

15

Lunes 10 de noviembre de 2008

*L*o primero que hizo Luka el lunes fue llamar a Dani para avisarle de que llegaría tarde. Lo segundo, buscar una clínica privada y hacerse los análisis de sangre. Lo tercero, comprar una cerradura nueva para la puerta de su casa. Y lo cuarto, trabajar, trabajar y trabajar.

Cuando por fin llegó a su casa eran las nueve de la noche, jugó con sus niñas, cambió la cerradura, cenó y por último miró los correos. No los quería mirar, no quería saber si Álex había cumplido su palabra de escribir. Porque si no escribía significaría adiós muy buenas y eso era bueno porque ella lo interpretaría como el fin de las expectativas afectivas. No le haría mucha gracia, pero se evitaría complicaciones futuras. Pero, si él sí que había escrito, ella se haría ilusiones y cuando la empezara a putear, porque la putearía, acabaría hecha polvo....

Hizo *clic* sobre el icono del administrador del correo.

Se encontró con cientos de correos: de sus amigas, interesadas por Mar y por saber cómo había ido el domingo; de su madre, que seguía en la playa, spams vendiéndole cosas; y, medio oculto en toneladas de propaganda, un correo de Álex. Se lo pensó un buen rato antes de abrirlo y, cuando lo leyó, se quedó impactada. Era peor de lo que pensaba. No solo se estaba haciendo demasiadas ilusiones, sino que él encima la alentaba.

¡Ay, Dios! Cuando se diera el batacazo iba a ser tremendo.

Υ

Estaba molido.

En un solo día se hizo el análisis de sangre, consiguió los materiales de Dani, habló con el arquitecto, con el aparejador y con los obreros y puso en marcha el proyecto de la nave industrial. En un par de semanas podría empezar a trabajar en serio.

Por la tarde había visitado el ático que pensaba alquilar en la calle Retamas. Era impresionante. Totalmente amueblado, tres habitaciones, dos cuartos de baño, cocina con *office*, salón comedor y, lo más importante, en la parte de arriba, en el ático propiamente dicho, un espacio diáfano con todas las paredes forradas de espejo.

Se puso duro solo con pensar lo que podría hacer allí. Con Luka. Dentro de Luka. Sobre Luka.

Las posibilidades eran infinitas.

La dueña le explicó que la anterior inquilina practicaba *ballet* en ese espacio. A él le daba exactamente lo mismo para qué utilizaran antes el ático, lo que le importaba en esos momentos —a él y a su erección— era para qué lo iba a usar él. Firmó el contrato al momento. Alquiler por seis meses renovable por otros seis y con opción a compra.

Al llegar al hotel encargó por Internet sábanas, toallas, mantelería, vajilla… Después habló por teléfono con sus padres contándoles las cuestiones del trabajo e indicándoles que le mandaran las cajas que había dejado embaladas a su nueva dirección y, sin saber qué mosca le había picado, les comentó, como de pasada, que había hecho alguna que otra amistad. Su madre enseguida le preguntó de qué sexo, él respondió, su madre le previno, él la ignoró, su madre se preocupó, él le refirió que se hiciera a la idea, su madre se asombró, él le confirmó que Luka era especial y, mientras tanto, a cientos de kilómetros de donde estaba Álex, su padre sonrió mientras escuchaba a escondidas desde el teléfono supletorio. «Sí, señor. No te acobardes, hijo, que tu madre solo te pica para que caigas aún más profundo», pensó intrigante.

Álex colgó el teléfono, sacó papel y lápiz y comenzó a dibujar detalladamente lo que quería poner dentro del ático. Este era muy espacioso, ocho metros de largo por cinco de ancho con una puerta corredera de cristal que daba a una enorme terraza y una escalera de caracol en una esquina que bajaba al piso inferior. Le cabría todo perfectamente. Investigó por Internet a ver si eran posibles algunas de las cosas que buscaba, y sí. Sin ningún problema.

Coloreó la cama de dos metros que iría en el centro, justo enfrente de la terraza; se puso duro imaginando a su chica, a Luka, tumbada sobre ella desnuda, por supuesto, y, ya que estaba imaginando, lo hizo a su gusto. Estaba atada con cintas de seda a los postes de la cama. Frunció el ceño, borró el cabecero y dibujó unos postes. Soltó el lápiz y se desabrochó los botones. La bragueta le estaba apretando considerablemente y, ya que tenía la mano por esa zona, decidió comprobar el tamaño de su erección. La aferró en su puño y confirmó que fácilmente llegaría a los veinte centímetros… no estaba nada mal. Cerró los ojos y continuó imaginando.

Luka atada a la cama, las piernas y brazos extendidos en forma de aspa, él arrodillado ante ella, lamiendo su jugosa vulva.

Se acarició la polla arriba y abajo, el glande se hinchó ante el contacto. Deslizó la piel desde el frenillo hacia la base a la vez que con el pulgar frotaba el capullo.

Saboreaba la vagina, sentía el sabor dulce y a la vez salado que emanaba de ella, le introdujo dos dedos, ella los aprisionó. Introdujo un tercero y bombeó, la escuchó gemir desesperada.

Le daría más, pensó a la vez que fuera del sueño se masturbaba más rápido, más fuerte, más apretado sobre su pene.

La imagen cambió. Ahora Luka estaba de rodillas sobre la mesa de cristal que pensaba poner pegada a los espejos, con el culo en pompa, tentándolo.

Le tembló la mano mientras se acariciaba la polla, los muslos se le habían puesto duros como rocas.

Imaginó sus grandes manos separando el trasero dispuesto de su chica mientras él se lo mordía ansioso; el pulgar trazando círculos sobre el ano, la vagina húmeda y anhelante…

Sus propias nalgas se apretaron en respuesta mientras los dedos con los que se masajeaba la polla subían y bajaban cada vez más rápido. Metió la mano que tenía libre por dentro de los pantalones hasta alcanzar los testículos; estaban tensos, alzados. Acarició delicadamente la bolsa que los contenía mientras sentía que los espasmos de placer le recorrían el cuerpo.

La cara extasiada de Luka se reflejaba en los espejos que los rodeaban, se mordía los labios para contener los jadeos mientras él introducía el pulgar en su ano. Las tetas se mecían, con los pezones gruesos y duros como perlas; cogió uno de ellos entre sus dedos y apretó.

Oprimió más su polla, con movimientos espasmódicos y desacompasados. Sus testículos ardieron ante el inminente orgasmo y el placer recorrió su cuerpo hasta escapar fulminante por la abertura de su verga formando un charco de semen sobre su abdomen.

Dejó caer manos y cabeza, todavía sentado en la silla de la habitación de su hotel. Joder. ¿Cuánto tiempo hacía que no se masturbaba? ¿Y que disfrutaba tanto haciéndolo? Ni se sabe.

Se duchó, más para calmarse que por estar limpio y cogió el teléfono.

—¿Dani? Soy Álex, hemos tenido suerte, mañana tengo reparto por Madrid y he conseguido meter dentro lo que nos hace falta. ¿Dónde lo llevo? ¿En el Ventorro del Cano? Vaya casualidad, ahí es donde he comprado la nave para mi empresa. Sí, ya he apuntado la dirección. Oye, te iba a preguntar una cosa que he visto por Internet: ¿es cierto que hay un cristal tan resistente que puede servir como suelo? Ajá. ¿Y vale también como mesa? Eh, pues lo quiero para ponerlo en el ático que he alquilado. De mesa. Sí, para comer sobre el cristal. ¡A ti qué coño te importa lo que voy a comer! Joder. No, no has acertado... ¡Que no! ¿Cómo que me lo vas a conseguir como regalo para Luka? ¡No tiene nada que ver con ella! No me la pienso comer sobre él. No estoy mintiendo. Vale, piensa lo que quieras. Mañana hablamos. Chao.

Joder con Dani, era un puto vidente.

Por último conectó el portátil y escribió un mensaje a Luka.

De: Drácula6969
Para: C3PO
Asunto: Te echo de menos.
Hola, preciosa:
Siento no haber podido escribir antes, pero hoy he tenido un día imposible con los asuntos del trabajo. Al final he conseguido ponerlo todo en marcha y espero que en un par de semanas la nave esté operativa.

Me hice los análisis, en un par de días sabré los resultados.

Por la tarde he estado por tu barrio mirando pisos para alquilar ¡y ya he alquilado uno! Como estaba por la zona te he llamado al telefonillo pero no estabas en casa. Supongo que seguirías en el curro y es una pena, porque me hace mucha ilusión enseñártelo. Si te soy sincero me ha fastidiado bastante no poder verte, te echo mucho de menos.

He soñado contigo y ni siquiera estaba dormido; te he visto frente a mí, cada uno de tus rasgos, cada una de tus sonrisas. Echo de menos tu voz y tus risas, tus caricias y tus silencios.

Te visitaré esta noche mientras duermas, me introduciré en tus sueños y te acariciaré con mis deseos.

Álex

Martes 11 de noviembre de 2008

Luka estaba sola en la oficina, sentada ante el monitor, aporreando el teclado con los diez dedos y murmurando para sí misma.

—¿Crisis? —siseaba—. ¿No dicen que hay crisis? ¿Y dónde está ahora la crisis? A ver, que alguien me lo cuente. Presupuestos, albaranes, facturas… todo por hacer y no deja de sonar el maldito teléfono. ¿No hay crisis? Joder, pues que se note, que son las doce y estoy sin desayunar. ¿Y eso a quién le importa, eh? A nadie. Cuando alguien se digne a entrar para sustituirme ya será tarde, habré muerto de inanición. Pero qué más da, así adelgazo y, mira tú por dónde, si adelgazo seguro que Gabriel se corre de gusto en los calzoncillos… y sería su primer orgasmo en años. Lo mismo así se dignaría a sustituirme para que pueda ir a desayunar, pero qué va; ese no tiene un orgasmo ni aunque la meta en el culo de un caballo.

—¡Ejem!

—Hola, Antonio —saludó Luka volviéndose.

—No deberías hablar así del jefazo, si te oye se va a enfadar.

—No digas tonterías, estar enfadado es su estado natural —contestó Luka al abuelo de todos sus empleados—. ¿Has venido a sustituirme?

—No. Dani me ha dicho que salgas.

—¿Para qué? ¿Va a sustituirme él? —siseó entre los gruñidos de su estómago.

—No creo, me parece que va a salir a tomar algo.

—Joder. Él ya ha salido a desayunar. No es justo, se va a enterar.

Se levantó hecha una furia y miró por la ventana de la oficina. Dani estaba en la puerta de la nave colocando unas cajas. ¿Cajas? Si ellos no recibían cajas; recibían vallares de cristal, pero no cajas. ¿Qué narices? Salió de la oficina y esquivó vallares, maquinaria y empleados con Antonio siguiéndola muy de cerca.

—Niña, vas muy deprisa. Te vas a chocar con algo —le advirtió el «abuelo».

Era el empleado más viejo de la empresa, llevaba su mono azul y su eterno palillo masticado entre los dientes.

—No te preocupes por mí, preocúpate por la «persona» contra la que voy a chocar —respondió mirando a Dani.

Cuando llegó hasta la entrada, la furia asesina que sentía se había multiplicado por dos, al igual que los rugidos de su estómago. Todos, absolutamente todos, habían desayunado menos ella.

—Dani, escucha.

—Mira quién ha venido —la interrumpió este sonriendo mientras sacaba cables de una caja, tan feliz como niño con zapatos nuevos.

—Hola, preciosa —la saludó Álex dirigiéndose hacia ella.

Luka se quedó clavada en el sitio, estupefacta. ¿Qué carajo hacía Álex allí? Y ¿por qué se dirigía hacia ella con esa sonrisa? ¿Es que no se daba cuenta de que estaba en su puesto de trabajo? Joder.

Cuando la tuvo a su alcance, Álex deslizó una mano por su cintura y Luka botó. Literalmente.

—¿Qué haces tú aquí? —inquirió ella, alejándose bruscamente de la mano indiscreta.

—He venido a traer las cosas —explicó él, sonriendo y acercándose de nuevo.

—¿Por qué aquí? —Luka dio un par de pasos atrás.

—Yo se lo dije —declaró Dani, viendo la cara de Luka. No estaba seguro de si esta no le daría un mordisco al vampirito.

—Tú… eh… —Luka señaló con un dedo a su amigo—. Dani, tenemos que hablar, acompáñame a mi oficina —le ordenó intentando mantener la compostura—. Esto… por favor.

—Pensábamos ir a tomar un café, te he llamado para que vinieras con nosotros —la intentó distraer su amigo.

—Ahora. A mi oficina. Por favor. —Luego se volvió hacia Álex—. Muchas gracias por traer las cosas. Luego te escribo. —Cogió a Dani del codo y lo llevó a rastras hacia la oficina.

—Ahora vuelvo… —gritó Dani sobre su hombro a un Álex demasiado atónito como para reaccionar.

El portazo al cerrar la puerta de la oficina reverberó en toda la nave. Álex y los empleados miraron hacia las ventanas del habitáculo. Tras ellas, Luka hacía aspavientos con los brazos mientras Dani se apoyaba en la mesa y miraba hacia las ventanas señalándolas con un gesto de cabeza. Luka se volvió de golpe y bajó las cortinillas. Los trabajadores se miraron unos a otros encogiéndose de hombros y volvieron a sus ocupaciones, todos menos uno.

El viejete con el mono azul y el palillo entre los dientes se quedó parado donde estaba, mirando detenidamente a Álex.

—Caray —dijo.

—Caray —corroboró Álex.

—Me temo que van a tardar un rato…

—Un rato largo… —asintió Álex extrañado ¿Qué demonios había pasado?

—¿Un cigarrillo? —ofreció el viejo sacando del bolsillo un paquete de tabaco tan arrugado como él mismo.

—Bueno.

—¿Cómo has podido? —preguntó Luka furiosa a la vez que bajaba las cortinillas.

—Cómo he podido ¿qué?

—¿Por qué le has dicho que dejara aquí las cosas? —exclamó señalando la nave.

—Porque era el mejor sitio.

—Podrías haberle mandado a Estampa directamente, eso hubiera sido lo más lógico. —Luka se apoyó en la pared y se cruzó de brazos.

—En Estampa no podemos entrar a montar hasta mañana. ¿Qué te hace pensar que le hubieran dejado descargar el material hoy?

—Pues podrías haberlo mandado a otro sitio. —Se separó de la pared y caminó los dos metros de oficina.

—¿Por qué?

—¿Por qué? Pues porque ahora sabe también dónde trabajo. —Se paró de golpe y alzó las manos enfadada.

—¿Y qué?

—Que mi trabajo es sagrado. —Se llevó las manos a la frente para frotársela con fuerza.

—No digas tonterías.

—No son tonterías. Este es mi… mi lugar, mi sitio. Nadie sabe dónde trabajo. O al menos nadie lo sabía. —Se abrazó a sí misma mientras le miraba.

—¡Por favor! Todos sabemos dónde trabajas. Joder, trabajas conmigo.

—No. Lo saben mis amigos y mi familia. Nadie más. Y ahora lo sabe él —dijo señalando afuera nerviosa—. Has dejado que traspase el límite de lo personal y lo has metido en lo profesional. Sabe dónde vivo y dónde trabajo. ¿Qué será lo próximo? ¿Darle mi teléfono, decirle dónde viven mis padres…?

—¿A qué coño viene todo esto, Luka? ¡Yo no le he dicho dónde vivías, tú solita lo has metido en tu casa! Y, además, es que no se qué tiene que ver… ¡Estás perdiendo el norte!

—No lo entiendes. —Luka dejó caer las manos y se desplomó sobre una silla.

—No. No lo entiendo.

—Déjalo. —Apoyó los codos en la mesa y hundió la cara entre las manos.

—No. Cuéntamelo.

—¿Qué pasará cuando todo se vaya a la mierda? —Lo miró por entre los dedos.

—¿Qué?

—Ya sé que yo lo metí en casa, pero aún tenía mi trabajo y quería mantenerlo aparte. —Ahora miraba a la mesa—. ¿Dónde iré si también conoce el lugar donde trabajo?

—Dónde te esconderás, querrás decir. Vamos, no seas tonta, no va a pasar nada.

—Tienes razón —contestó desalentada—. No va a pasar nada porque no va a haber nada que pueda pasar —inspiró hondo y sacudió los hombros—. Perdona por haberte gritado. Tengo hambre y ya sabes que eso me enfurece.

—Pues entonces vamos, ven a desayunar con nosotros.

—No puedo, tengo mucho que hacer —aseveró levantándose distante y dirigiéndose a la puerta.

—Ya lo harás luego. Venga, le diré al abuelo que coja el teléfono y tome las notas; luego las pasas al programa y listo.

—Déjalo, tengo mucho que hacer —abrió la puerta—. Tráeme un bocadillo cuando vengas.

—Luka, vamos, te estás pasando tres pueblos.

—No —rechazó rotunda, con la mano en el tirador de la puerta.

—No seas así, venga, que te está esperando para saludarte. —Sonrió enarcando varias veces las cejas—. No puedes dejar al pobre vampiro sin su dosis de sangre.

—Prefiero seguir aquí con mi trabajo. —Le sostuvo la mirada, seria.

—Vamos, ha hecho esto por ti, ha conseguido los materiales por ti y ha venido hasta aquí en persona, en vez de mandar a un transportista, por ti.

—Yo no quiero que haga nada por mí, no quiero que venga aquí por mí y sobre todo no quiero que se introduzca más en mi vida. No te das cuenta, Dani, pero yo sé de lo que hablo. Empiezan así, poco a poco. Hacen favores que luego no puedes devolver, entran en tu vida susurrando palabras de amor, aparecen de repente en el trabajo para ver cómo te encuentras y, cuando menos te lo esperas, zas —chasqueó los dedos—, te echan en cara los favores, te controlan en casa y te vienen a buscar a la oficina para que no puedas escapar. Y luego… —Negó con la cabeza—. Estoy en mi horario de trabajo, tengo que trabajar y no permitiré que nadie cambie eso.

—Luka, no es él quien te dice que salgas a desayunar; soy yo quien te lo ordena, tu jefe. Nadie te va a controlar ni te va a imponer nada. Solo es un desayuno, café, churros. Ya está, nada más.

—No. Le dije el domingo que no debería venir a mi empresa y, mira tú por dónde, se ha buscado la vida para saber dónde trabajo. —Luka tenía los dedos blancos de tanto apretar el tirador.

—No ha hecho nada de eso. Yo le dije que viniera aquí en cuanto mencionó que tenía las cosas.

—Me parece muy bien —dijo sarcástica—, y como ha sido tan sumamente amable creo que lo mínimo que puedes hacer es ir al bar e invitarle a un café.

—Sabes que no tienes razón, ¿te vas a poner cabezota?

—Sí.

—Vale, tú misma, tía, pero estás siendo más estúpida de lo normal —afirmó Dani enfadado saliendo por la puerta.

—Y que lo digas, he sido verdaderamente estúpida, pero esto se acaba, aquí y ahora —sentenció ella entre dientes cerrando la puerta.

No tenía razón y lo sabía, pero no podía evitarlo. Después de leer el correo de Álex le había estado dando vueltas al asunto toda la noche. Se estaba metiendo demasiado, le importaba demasiado. Y ahora esto. Había que cortarlo de alguna manera.

Álex estaba hablando con el abuelo, que por lo que parecía tenía que haber sido como poco miembro de la CIA. ¡La leche! El anciano sabía todo de todos. Era una enciclopedia parlante. Le contó sobre el «amable» Gabriel y su trato despótico hacia los empleados y hacia Luka, sobre la máquina de cortar cristal que había costado chorrocientos millones y se atascaba por culpa del montador, que era primo del jefe y había conseguido el trabajo por «dedo», y así iban las cosas. Cuando vio aparecer a Dani, suspiró aliviado.

—Nos vamos a tomar algo, abuelo. Vigila que todo marche bien. —Dani agarró a Álex del brazo mientras el veterano se quedaba sin su cháchara.

—Sí, sí. Claro. Le iba a contar a tu amigo cómo eran las cosas antes, cuando…

—Sí, abuelo, ningún tiempo pasado fue mejor —afirmó Dani dándole unas palmaditas en la espalda—. Vamos, Álex.

Álex se apresuró a seguir a Dani. Salieron en silencio de la nave y se dirigieron a la cafetería de la esquina.

—¿Y Luka? ¿No viene? —preguntó Álex cauteloso.

—Me ha dicho que está muy liada y no puede.

—¿Se ha enfadado?

—¿Te dijo expresamente que no vinieras a la nave? —Dani le miró con el ceño fruncido.

—Mmm, cuando le pregunté la dirección me dijo que te la preguntara a ti. Y no sé, quizá mencionara que este no era el mejor lugar para entregar el material. ¿Por qué?

—Está enfadada. No le gusta que se mezcle el trabajo con su vida personal.

—¿Su mejor amigo es su jefe y no quiere mezclar el curro con su vida privada? No me jodas.

—No te jodo. Solo te lo cuento.

Una vez en la cafetería pidieron un par de cafés y el bocadillo de Luka y comentaron sobre la mejor manera de montar la exposición. Álex se ofreció para ayudar y Dani se negó en rotundo.

—¿Por qué no? Entiendo de cables y tengo tiempo libre por las tardes —dijo extrañado ante la negativa.

—Porque esto es algo que tenemos que hacer nosotros, tú ya has hecho mucho consiguiéndonos los materiales. Pedirte más sería excesivo —esquivó Dani la verdadera razón.

—Y una mierda. Ofrezco mi ayuda, no me la pides. Así que, venga, suelta de una vez qué coño te pasa —exigió Álex intuyendo los motivos del rechazo.

—Mira, si quieres ayudar, a mí me parece perfecto, cuanta más gente mejor, pero no sé si a Luka le va a hacer gracia. Ella no quiere que te metas en su trabajo y, sinceramente, no sé cómo se lo tomaría si te mezclas más en este proyecto. Ella es… —Dani buscó las palabras adecuadas— muy celosa de su intimidad. Cuando hicimos la lista, no creo que se diera cuenta de todas las cosas que nos ibas a proporcionar; si lo hubiera hecho, no lo habría permitido. La verdad es que a mí también se me fue un poco la mano con el entusiasmo. Y bueno, los dos te estamos muy agradecidos pero a Luka no le hace gracia deber favores a nadie —finalizó con los hombros caídos.

—Nadie me debe nada —protestó Álex enfadado.

—Ya lo sé. —Dani se mesó el pelo nervioso—. Es algo largo de contar. De verdad, te agradezco muchísimo lo que estás haciendo; la exposición va a tener otro aspecto con todo este material —afirmó intentando llevar el tema hacia otros derroteros.

—Seguro que es un éxito. ¿Imagino que podré visitarla cuando esté abierta al público, no? —preguntó Álex a la defensiva, entre irónico y enfadado.

—Claro que sí. Seguro. —¿Seguro? Había oído las últimas palabras de Luka, y no auguraban nada bueno.

Álex leyó en el lenguaje corporal de su compañero que no estaba seguro de nada y decidió apostarlo todo a una carta.

—A ver si me aclaro, Dani, porque te juro que ahora mismo estoy perdido —expuso Álex masajeándose el puente de la nariz—. Luka y yo hemos pasado un fin de semana perfecto y yo, ingenuamente o, tal vez, precipitadamente, me he hecho ciertas expectativas. —Álex movía las manos dando énfasis a cada palabra—. Y hoy me ve y no solo no me habla, sino que tú te llevas una bronca.

—Eh, yo no me he llevado ninguna bronca.

—¿No? Pues no parecía estar dándote las gracias en la oficina.

—Solo hemos tenido un intercambio de opiniones.

—¿Con gritos incluidos? —Álex sonrió sarcástico—. ¿Sabes lo que pienso, Dani? Creo que ha pasado algo, pero no sé el qué. Creo que no os caigo mal, ni a ti ni a los demás, así que imagino que lo que sea que le pase por la cabeza a Luka no tiene nada que ver con la opinión que os hayáis formado de mí. —En ese momento tiró el anzuelo—. Pienso que a Luka le sucedió algo hace tiempo, algo que no tiene nada que ver conmigo pero que, no sé por qué, se está metiendo entre ella y yo.

—Eso son chorradas.

—Cuéntame qué pasa —le presionó Álex.

—No pasa nada. —Dani hizo ademán de pagar la cuenta.

—¿Es por el tal Vinagres? —intuyendo que se le escapaba el pez, Álex quemó sus naves.

—¿Tú qué coño sabes de eso? —le increpó Dani, asombrado.

—Nada —mintió Álex—. Luka mencionó su nombre un par de veces unido a la palabra controlar y yo solo estoy atando cabos.

—Joder. Eso no es asunto mío, ni tuyo ya puestos.

—Échame un cable, Dani.

—Mierda. —Dani lo miró fijamente intentando leer en su cara—. Mira —suspiró y tomó una decisión—. No le preguntes nunca qué va a hacer, dónde va a estar ni a qué hora va a llegar. De hecho, jamás le pidas explicaciones sobre nada. No le digas: ponte este pantalón o aquel vestido. No coloques los trapos de cocina, las toallas del baño ni nada según tamaños y colores. No hagas planes para nada, lo que surja que sea en el momento, jamás catalogues nada de lo que tiene y, sobre todo, no la llames por teléfono. Jamás.

—¿Por qué?

—Querías un cable; bien, te lo estoy echando, pero no me pidas explicaciones.

—Es que no lo entiendo —mintió Álex crispado; no lo comprendía todo, pero sí se hacía una pequeña idea—. A mí jamás me ha dado por preguntar, pedir explicaciones u ordenar lo que no es mío; es cuestión de sentido común y educación. Pero lo del teléfono es absurdo. Se lo pedí el otro día y no me lo quiso dar y ahora tú me adviertes que no la llame jamás.

—A Luka no le gusta el teléfono, nada más. Ten en cuenta que se pasa el día colgada al auricular en su trabajo, a lo mejor es por eso —se excusó Dani, mintiendo rotundamente, ya que casi todos los pedidos entraban por correo electrónico—. Si quieres comunicarte con ella hazlo por correo. Me caes bien, creo que eres un buen tipo, pero las cosas de Luka son suyas, de nadie más. —Dani pagó la cuenta, cogió el bocadillo de Luka y salió de la cafetería.

Regresaron en silencio a la nave. Álex fue casando los escasos datos obtenidos con lo que había visto en casa de Luka y leído en el diario. Recordó el *jacuzzi* enano con toallas de colores imposibles. Ninguna hacía juego con otra, con el suelo o con los azulejos. El dormitorio sin cabecero y con una mesa moderna para ordenador totalmente fuera de lugar, rodeada de cuadros a punto de cruz. Y todo eso sin contar la mezcla de muebles del comedor. La caja de madera que hacía de mesa de centro, la mesa de metal blanco que sostenía la tortuguera, el terrario construido a partir de un mueble rústico sobre el aparador clásico de cerezo, los sillones casi hundidos en el suelo y tapados con tela naranja, y el tablero de corcho enorme que ocupaba toda la pared, con fotografías de su gente pinchadas con chinchetas al tuntún. Lo había achacado a falta de fondos, a muebles reciclados de amigos y familiares, pero quizá no era solo eso. Lo cierto era que una distribución tan caótica y a la vez tan acogedora, tan llena de recuerdos de la gente querida, no era tan fácil de conseguir como en un principio parecía.

Cuando entraron a la nave Álex no se lo pensó dos veces, arrancó el bocata de Luka de las manos de Dani y se encaminó a la oficina. Entró dejando a propósito la puerta abierta, lo último que quería era que ella se enfadara por lo que pensarían los trabajadores que podían hacer tras una puerta cerrada.

Luka estaba concentrada, escribiendo algo que leía en el ordenador, encorvada sobre la mesa y con el pelo tapado con una gorra de baloncesto de la que sobresalían algunos mechones naranjas. Álex golpeó la puerta con los nudillos para indicar su presencia y ella se volvió de golpe con un bolígrafo medio comido en la boca…

—Hola, preciosa; te traigo el bocadillo. ¿Estás muy liada? —Se acercó a ella mientras hablaba, esperando que no lo echara con cajas destempladas de la oficina.

—Sí, tengo bastante jaleo. —Luka se tiró a por el bocadillo, lo abrió y le dio un buen mordisco—. Gracias, estoy hambrienta —comentó con la boca llena sentándose de nuevo.

—Ya lo veo. —Álex sonrió al verla comer con tantas ganas—. ¿Has oído alguna vez el dicho que dice que el mundo es un pañuelo? Pues es totalmente cierto, ¿a que no adivinas dónde está la nave que he comprado para mi empresa?

—Ni idea. —Luka le observó, alerta.

—Justo al final de la calle. Cuando Dani me dio la dirección, me quedé alucinado.

—¡Vaya coincidencia! —exclamó ella mirando el monitor, intentando darle a entender que estaba ocupada. Mierda, mierda, mierda, tenía la tentación al lado.

—Eso pensé yo. —Álex vio como daba un gran mordisco al bocadillo y, en vista de que tenía la boca llena y no le podía decir que se fuera, siguió hablando—. ¿Nos vemos esta tarde?

—No, voy a la pelu.

—Una gran idea —coincidió Álex, mordiéndose la lengua para no preguntar por el nuevo color de pelo que pensaba ponerse.

—Me he cansado del naranja radiactivo —afirmó ella desafiante, para ver si se atrevía a meterse de nuevo con su pelo.

—Ajá. —Álex esperó a ver si decía algo más, pero ella seguía concentrada en su bocadillo y el monitor, apuntando galimatías en un papel—. ¿Y mañana?

—¿Mañana? —Ni siquiera levantó la cabeza del papel en que escribía.

—¿Tienes algo planeado para mañana? —Álex miró por encima del hombro lo que ella escribía. Estaba dibujando rayas en el cuaderno.

—Sí. Voy a Estampa a empezar a montar la exposición. —Ahora estaba dibujando una cruz.

—Si quieres os echo una mano —probó suerte.

—No, gracias. Ya nos las apañamos. —Varios tachones y vuelta a empezar con las cruces.

—Vale. —Observó fijamente la nuca de Luka y atacó—. ¿Algún problema?

—No. ¿Por qué?

—Porque aún no me has mirado a la cara.

—Estoy haciendo cosas.

—Ya veo —aceptó él, ojeando de nuevo el cuadro abstracto que estaba creando.

—Mira —Luka dejó de un golpe el bolígrafo sobre el cuaderno y se levantó situándose frente a él—, estoy en mi puesto de trabajo y no me gusta que venga nadie aquí y los demás piensen que me estoy escaqueando o algo parecido. No lo tomes a mal, pero es así.

—Entiendo.

—Perfecto. Luego te escribo, ¿vale?

Álex echó una mirada a las ventanas, las cortinillas estaban subidas de nuevo y la gente los miraba de reojo. Consciente de la incomodidad de Luka, se dio media vuelta para marcharse pero acto seguido se lo pensó mejor y, antes de que tuviera posibilidad de reaccionar, se acercó a ella y le asestó un beso rápido y casto en la frente.

—Te escribo esta noche. Chao.

—Chao —contestó ella atónita.

Miércoles 12 de noviembre, 23.30 h

De: Drácula6969
Para: C3PO
Asunto: ¿Qué tal la expo?
Hola, preciosa, ¿qué tal va el montaje? ¿Algún problema?
Yo estoy instalándome en el nuevo piso, me han mandado desde Barcelona mis cosas y estoy empezando a colocarlo todo. También he encargado un par de muebles que estoy seguro que te van a sorprender

en cuanto los veas. En especial uno que mide dos metros por dos metros… ¿imaginas lo que es y lo que voy a hacerte en él? Lo dejo a tu imaginación.

Mañana empiezo a recibir material en la nave, por lo que estaré en el polígono todo el día. Pasaré a buscarte hacia las dos y comemos juntos, ¿te parece bien?

Un beso.

P. S.: Cuando esta noche sientas que alguien te observa en tus sueños, cuando caricias ocultas recorran tu cuerpo, no te asustes, seré yo, acariciándote con mis pensamientos.

De: C3PO
Para: Drácula6969
Asunto: La expo bien, gracias.

Ningún problema con el montaje. Me alegro de lo de tu piso nuevo y tus imponentes muebles… ¿Dos metros por dos metros? ¿Un acuario gigante para meter cocodrilos? Otra cosa no se me ocurre.

No te molestes en pasar por mi empresa; no puedo salir a comer, tengo trabajo y me llevo la comida al curro.

Te escribo mañana.

P. S.: Ni se te ocurra visitarme en mis sueños, necesito dormir… y ver aparecer a Drácula de repente colmaría mis pesadillas. Puf…

De: Drácula6969
Para: C3PO
Asunto: ¿Cocodrilos?

¿Para qué quieres un acuario con cocodrilos? Y lo que es más grave… ¿qué crees que te podría hacer en un acuario con esos bichos?

Lástima que no puedas salir a comer, estoy deseando ver tu pelo.

Te echaré de menos.

Besos húmedos y largos.

P. S.: Ya que no me dejas visitarte en sueños, tendré que convertirme en murciélago y observarte desde la ventana…

De: R2D2
Para: C3PO; Pasodestarwars
Asunto: ¿Cómo va la expo?

Hola, guapas, ¿cómo va el montaje? ¿Os apañáis u os hace falta un poco de saber decorativo…?

Luka, ¿qué tal vas con tu Drácula particular?
Besitos,
Pili.

De: Pasodestarwars
Para: C3PO; R2D2
Asunto: No preguntes.

Ay ay ay… ¡estos artistas están locos! Por poco monto un buen lío solo por ayudar. Por lo demás el montaje va genial. Ya están puestos varios puntos de luz.

Luka, ¿sigues tan seria o ya se te ha pasado la tontería? Aaaay, Pili, nuestra Luka está pensando cosas raras… Peligro, peligroso.
Un abrazo,
Ruth.

De: R2D2
Para: C3PO; Pasodestarwars
Asunto: ¿Qué has hecho, Ruth?

¿Qué te ha pasado en Estampa? ¿Alguna catástrofe?

¿Luka, qué ha sucedido? Contesta, mi niña, o te llamo por teléfono y te hago el quinto grado.
Besitos curiosos,
Pili.

De: C3PO
Para: R2D2; Pasodestarwars
Asunto: Ruth *Avestruz*, no seas tan alarmista.

Pues a Ruth le ha pasado que no entiende de arte. Estábamos en Estampa montando las luces, cuando ha visto en un rincón un lienzo con un chicle pegado y no se le ha ocurrido otra cosa que quitar el chicle. Pues resulta que el chicle era la obra de arte, y al artista que lo ha hecho por poco le da un yuyu y ha montado la marimorena. Al final, como no lo ha despegado del todo, lo hemos vuelto a pegar y solo ha quedado la cosa en un susto. Pero, Ruth, preciosa, para la próxima, no toques nada, guapa.

Y por otro lado a mí no me pasa nada…
1 besote,
Luka.

De: Pasodestarwars
Para: C3PO; R2D2
Asunto: ¿A quién se le ocurre pegar un chicle y decir que eso es arte?
No fastidies, tía; los artistas están como cabras. Voy a pegar chicles en
mis cuadros a ver si me los pagan tan caros como al esmirriado ese.
Luka, parecías un muerto viviente. No nos vengas con monsergas.
Cuéntanos qué pasa.
Saludos,
Ruth.
P. S.: Luka, como vuelvas a mencionar el fastidioso sobrenombre que me
puso Cara de Asco te corto la cabeza. Yo no tengo el cuello de avestruz.
Un abrazo enfurruñado,
Ruth.

De: C3PO
Para: R2D2; Pasodestarwars
Asunto: Lo siento.
Siento haber mencionado a Cara de Asco. No sé qué me ha pasado por
la cabeza.
1 besote arrepentido,
Luka.

De: R2D2
Para: C3PO; Pasodestarwars
Asunto: No te escaquees, Luka, que te veo venir.
Ruth, no hagas caso; se le ha ido la pinza. Seguro que no quería men-
cionar a ese indeseable…
A ver, Luka, cobardica, ¿qué ha pasado con Draculín?
Besitos cotillosos,
Pili.

Jueves 13 de noviembre de 2008, 23.30 h

De: C3PO
Para: Drácula6969
Asunto: Hola.
Siento no haber contestado ayer, pero no he visto el mensaje hasta
ahora mismo.
Me gustan los cocodrilos, son buenos chicos, y lo que podríamos hacer

con ellos… pues darles de comer, por supuesto. Tú les darías de comer, y yo vería cómo te devoran…

Mi pelo ahora es castaño claro, como siempre.

Chao. Luka.

De: R2D2
Para: C3PO; Pasodestarwars
Asunto: Luka, niña, estamos esperando…

Y conspirando… Que sepas que he hablado con Ruth y me ha contado sus intuiciones… Si no contestas iremos mañana a tu casa a ver qué pasa. Y ya sabes, el quinto grado irá incluido.

Besitos,

Pili.

De: C3PO
Para: R2D2; Pasodestarwars
Asunto: No vengáis a casa…

Hola, guapísimas, está a punto de venirme la tía de Rusia, me duelen las tetas y los ovarios y no estoy para bromas.

Y no pasa nada… solo que todo está escapando a mi control y no me gusta un pelo. A ver, ¿no se supone que un polvo esporádico es eso exactamente, esporádico? Lo he buscado en el diccionario de la RAE. Y pone esto: «Ocasional, sin ostensible enlace con antecedentes ni consiguientes». Bueno, pues Draculín no debe saber buscar en los diccionarios, porque lo está haciendo justamente al revés.

Me escribe todos los días, ha pasado el fin de semana conmigo, ha venido al curro… y, joder, eso no es lo que yo quiero, que luego se lían las cosas y se arma la de Dios es Cristo.

¿No se supone que todos los tíos van a lo que van, es decir a meterla un rato y pasarlo bien? ¿Pues entonces por qué este no hace eso y listo? Leches… de todas maneras… como os digo, me baja la regla este finde, así que, en cuanto vea «aquí hay tomate» y no «ñaca ñaca», imagino que se largará con las de Villadiego y me quedaré otra vez «soltera y sola en la vida»… ¡Hombres!

1 besote,

Luka.

De: Pasodestarwars
Para: C3PO; R2D2

Asunto: Mi niña, que no te aclaras.

Por un lado te quejas porque te hace demasiado caso, lo cual es un dato relevante sobre su carácter y su nivel de compromiso. Y, por otro, te enfadas al pensar que, como no va a poder tener relaciones sexuales contigo este fin de semana, no va a querer verte… Eres como el perro del hortelano, ni comes, ni comer dejas. Además, digo yo que mejor que vayas viendo lo que pasa en vez de preocuparte por lo que pueda pasar. Cada persona es distinta, ergo las situaciones también serán distintas. Además, y sin que sirva de precedente, debo poner en tu conocimiento que Álex me parece una buena persona aunque tenga despistes insalubres. Creo sinceramente que deberías abrirte un poco y ver qué pasa. No pierdes nada. Si va bien, genial. Si va mal, llamamos a Javi y que le parta en dos.

Anímate y tómate un ibuprofeno, lo mismo te quita un poco los dolores.

Un abrazo,

Ruth.

De: R2D2

Para: C3PO; Pasodestarwars

Asunto: AMÉN.

Luka, cielo, haz caso a Ruth que ya sabes que tiene la cabeza muy bien puesta. Además, suscribo todo lo dicho por ella.

Por cierto, deberías ir al ginecólogo, que tanto dolor no es normal…

Besitos,

Pili.

De: C3PO

Para: R2D2; Pasodestarwars

Asunto: Ya fui…

Hola, preciosas, ya veré lo que hago con Draculín. Ahora tengo las hormonas en pie de guerra y no estoy muy coherente que se diga. En fin…

Pili, recuerda que ya fui al ginecólogo (puaj) y me dijo que no me pasaba nada. Solo es un puñetero mioma…

Me voy a meter en la cama que estoy que me muero. Mañana os escribo.

1 besote,

Luka.

De: Drácula6969
Para: C3PO
Asunto: Comida para cocodrilos… ¿YO?
No creo que me guste mucho, la verdad.
Hoy he tenido un día bastante ajetreado, ya tengo la nave medio llena de cosas y se supone que mañana llegan más… Por otro lado, jamás pensé que fuera tan difícil rellenar los huecos vacíos de una casa, pero no hay modo. Por mucho que lo intento mi nuevo piso se ve desangelado, frío e impersonal… Estoy seguro de que a ti se te ocurrirán mil cosas para que parezca más una casa y menos un hotel…
¿Mañana te veo cuando vuelvas de casa de Pili?
Un beso largo, profundo y húmedo…
P. S.: Ayer te vi dormir desde la ventana, estabas preciosa acurrucada en tu cama, mis brazos me dolieron por no poder abrazarte…

De: C3PO
Para: Drácula6969
Asunto: Si te duelen los brazos date un masaje con Reflex.
¿Cómo sabes que voy los viernes a casa de Pili? Creo que no lo he mencionado nunca… ¿?
De todos modos, mañana no voy a casa de mi amiga. Me está bajando la regla y me duele todo el cuerpo, así que pretendo pasarme toda la tarde del viernes metida en la cama y, para tu información, el sábado y el domingo seguiré con la regla, así que estaré igual.
Ya nos escribimos para la semana que viene.

Ya está hecho, pensó Luka mientras apagaba el ordenador y se metía dolorida en la cama. Tal y como iban evolucionando los dolores, imaginaba que al día siguiente, viernes, le bajaría la regla con todas sus fuerzas. Menos mal que tenía un bote entero de ibuprofeno y otro de buscapina para ir tirando… Aunque tampoco es que le fuera a servir de mucho. De todas maneras qué más daba…

16

*P*or fin, tres minutos y fuera. No se lo podía creer, se le había hecho la mañana eterna. Los dolores, tal y como estaba previsto, fueron subiendo de intensidad durante la noche y a las siete de la madrugada, y totalmente desesperada, no le quedó otra que tomarse una buscapina. La pastilla había calmado, que no eliminado, parte del sufrimiento, permitiéndole personarse en el trabajo, pero, hacia las once, los dolores habían vuelto a tomar las riendas de su cuerpo y en vista de que aún le quedaban tres horitas para acabar su turno se había tomado un ibuprofeno. El efecto calmante le duró escasamente dos horas y, para colmo de males, ya no solo le dolían los ovarios y el pecho, sino que su estómago estaba bastante resentido.

Había pasado la última hora acurrucada en la silla con las manos rodeándose la tripa y rezando para que nadie se diera cuenta de que no estaba trabajando, ni poco ni mucho, sino nada. Dani, por supuesto, lo notó a primera hora y le ordenó que se fuera a casa pero, cómo no, justo después entraron Gabriel y su peluquín clamando al cielo.

—Me ha dicho Daniel que te vas. Sí, claro, ¿y qué más? ¡Mujeres! Un pequeño dolorcito y ya estáis por los suelos. Si lo sabré yo. Cuentos nada más. Que si me duele esto, que si me duele lo otro, que si ahora me viene la regla y falto al trabajo, que si luego me quedo embarazada y cuatro meses de maternidad, que si estoy con depresiones y tengo baja médica. ¡Así va el país! Si os quedarais en casita cuidando de la familia en vez de andar ocupando puestos de trabajo habría muchísimo menos paro. Pero no. Queréis trabajar, pues entonces demostrad que valéis para el trabajo —la arengó inconmovible—. Tenlo muy clarito, bonita: si te largas, te descuento el día entero del sueldo. No está el horno para andar pagando a quien no trabaja.

—Tranquilo, Gabriel, que ya le he dicho a Dani que no me pasa nada; solo me duele un poco la tripa, pero, vamos, en media hora se me pasa. —Bastante mal iba ese mes como para que encima le quitaran dinero por faltar tres puñeteras horas del trabajo, porque los viernes se cerraba a las dos y no era justo, ¡nada justo!, que le quitara el día entero. Maldito Gabriel.

—Eso espero, pero que no te vea remolonear, que aquí se viene a currar, no a pasar el rato. ¡Como si no os conociera! Todas iguales, todas cortadas por el mismo patrón.

Gabriel salió de la oficina gruñendo, Dani se acercó a él enfadado y Luka vio desde las ventanas que empezaban a discutir, como siempre. Por ella. Mierda. Cuando Dani volvió a entrar en la oficina, Luka compuso su mejor cara y su sonrisa más radiante y le aseguró que no pasaba absolutamente nada. Bastante tenía Daniel con soportar a su hermano a diario como para encima tener que discutir por ella. Así que lo convenció de su buena salud y aguantó como una jabata toda la mañana.

Ahora no solo le dolían los ovarios sino también la mandíbula de tanto apretar los dientes. Sentía débil todo el cuerpo y únicamente pensaba en llegar a su casa, tomarse otra pastillita con un yogur o algo para aliviar el dolor de estómago posterior y meterse en la cama.

Dos minutos. Apagó el ordenador, cogió su bolso, se refrescó la cara con una toallita húmeda, cuadró los hombros, esbozó una sonrisa y salió de la oficina.

Un minuto. Atravesó la nave despidiéndose de todo el mundo, esquivó la cara enfadada de Gabriel cuando este miró el reloj y vio que aún faltaban algunos segundos para las dos, rechazó el ofrecimiento de Dani de llevarla a casa y abrió la puerta a la libertad.

Las dos en punto. ¡A la mierda! Salió de la nave, hundió los hombros, dejó caer la cabeza hacia delante y se abrazó el estómago. ¡Joder! Solo tenía que llegar al coche, ponerlo en marcha y en media horita estaría en casa. ¡Aleluya, hermanos!

Y

Álex llevaba más de media hora apoyado en su Carnival, a la entrada del trabajo de Luka, con un cabreo monumental. El último mensaje de «su» chica no dejaba lugar a dudas, le estaba dando largas y encima con la excusa más tonta y manida posible. ¿Pensaba que era tan idiota de tragársela? Llevaba toda la semana respondiendo a sus correos con una de cal y otra de arena, jugando y mostrándose cortante dentro del mismo mensaje, bromeando para a la frase siguiente darle un corte de mangas. Pero con el último correo definitivamente había colmado su paciencia. ¿No quería verle? Pues bien, que cerrara los ojos porque le iba a escuchar quisiera o no.

Entendía más o menos lo que pasaba por la mente de la joven, pero eso era una cosa y otra muy distinta era que él tuviera que comerse la mierda de su anterior relación. Para una vez que sabía lo que quería, no estaba dispuesto a quedarse de brazos cruzados esperando que ella se decidiera. Ni tampoco a seguir mandando mensajes cursis para nada. Quería hablar cara a cara y lo haría.

Esos eran los pensamientos que cruzaban de un lado a otro y a la velocidad del rayo por la cabeza de Álex cuando la puerta de la nave se abrió y apareció Luka, erguida y con la sonrisa más forzada que había visto en su vida, para al segundo siguiente desmadejarse y esbozar una mueca de dolor a la vez que ponía las manos sobre su estómago. No había mentido. Se la veía pálida y con ojeras, con el pelo lacio y sin vida cayendo a ambos lados de su macilenta cara, haciendo que pareciera una zombi.

Justo detrás de ella salió Dani, preocupado. Ambos hombres se miraron mientras Luka rebuscaba algo en el bolso, totalmente distraída.

—¿La llevas tú a su casa? —le preguntó Dani.

Luka alzó la vista, sorprendida; no se había dado cuenta de que la había seguido.

—Sí —contestó Álex viendo la cara de su amigo. Que ese tarambana estuviera preocupado no auguraba nada bueno.

¡Mierda! Luka giró sobre sí misma, y allí estaba el que no sabía interpretar diccionarios. En vez de desaparecer tras el revelador correo del día anterior, se había presentado en su trabajo.

—No hace falta que nadie me lleve a casa. ¿Pero de qué vais?

¿De super*macho-men*? —preguntó irritada, le dolía todo el cuerpo y no tenía ganas de tonterías.

—Vamos, bonita, ¿cuántas pastillitas de las tuyas llevas? —la interrogó Dani pasándole un brazo por la espalda y cogiéndole el bolso.

—Y a ti qué narices te importa. Y dame el bolso. Ya —le ordenó ella, pero sin hacer mucha intención de recuperarlo.

—Que nos conocemos, niña. Veamos… ¿dos? ¿Tres? Y además no has comido nada en toda la mañana. No, hija; no. Tú te vas a casa de copiloto —ordenó Dani posando una mano en la espalda de Luka y guiándola hacia un perplejo Álex.

—Pero bueno, ¡tú eres gilipollas o solo lo aparentas! —replicó Luka, revolviéndose—. No me toques, y devuélveme el bolso de una puta vez.

—¡Por favor! ¿Qué vocabulario es ese? Vamos, anda, y no te quejes; más quisiera yo que me llevaran en ese súpercochazo. —Dani la agarró del codo y la llevó hasta la puerta del coche.

—¿Pero tú eres idiota o sordo? Léeme los labios: déjame en paz.

—A ver, preciosa, ¿te has mirado al espejo esta mañana? Estás que das pena, pálida y con las manos temblorosas. Te has tomado como mínimo un par de pastillas y sabes que a tu estómago le sientan fatal. ¿Para qué vas a conducir en ese estado si te podemos llevar a casa? —Se inclinó para susurrarle al oído—. Si no quieres que te lleve él, te llevo yo. Pero sola no te vas que la última vez ibas haciendo eses con el coche por mitad de la carretera; ¿recuerdas, verdad? Pues yo iba justo detrás y te juro que lo tengo grabado en la cabeza. Así que vamos, no lo pongas más difícil, ¿vale?

—Joder. —Luka miró a ambos hombres. Álex parecía perplejo y Dani, categórico. Lo cierto era que se encontraba fatal. Llevaba dos pastillas en siete horas, tres si contaba la primera que se había tomado a las dos de la madrugada, y su estómago estaba de todo menos tranquilo. Y mejor no hablar del cuerpo serrano que tenía en esos momentos, así que se tragó su arrebato furioso—. Vale. Llévame a casa —le pidió a Dani—, pero ¿cómo hago para recuperar mi coche y venir el lunes a trabajar?

—El lunes te traigo yo. Trabajo doscientos metros más abajo, así que no hay problema —declaró Álex acercándose a ella y tomando el mando. La abrazó por la cintura, abrió la puerta del copiloto y dejó que se metiera ella sola resistiendo las ganas de ayudarla.

—Come algo y a la camita —le aconsejó Dani cerrando la puerta y, luego, girándose hacia Álex, bajó la voz y dijo—: Mira a ver cuántas pastillas se ha tomado, le destrozan el estómago. Que se coma un par de yogures y se tome el omeprazol o acabará vomitando por la noche. —Dudó un momento—. Dile que esta tarde la llamo y que me pasaré por su casa a ver qué tal va. Soy su enfermera particular.

—Se lo comentaré, pero sabes que me voy a quedar con ella todo el fin de semana. —No era una pregunta, era una promesa.

—Sabes que me pasaré a ver cómo está —retó Dani. Álex marcaba su territorio, perfecto. Pero él era amigo de Luka antes que nada.

—Pondré unas Grimbergen a enfriar para ti.

—Estupendo —contestó Dani sonriendo. Álex se había fijado que era la marca que estuvo bebiendo en Donde Ayer. Atento el vampirito. Sí, señor. Una buena pieza para la niña si esta abría los ojos de una vez.

Álex se metió en el coche y arrancó. Luka tenía la cabeza apoyada en el reposacabezas y los ojos cerrados. Las manos volvían a reposar sobre su estómago.

—¿A qué ha venido esa escenita? —preguntó ella con la boca seca y la voz apagada.

—¿Qué escena?

—Esa en la que parecíais dos perros peleando por ser los primeros en mear en las esquinas y marcar su territorio.

—Esa… pues no ha venido a nada. Solo sentábamos las bases de nuestra amistad.

—Chorradas, los hombres solo hacéis chorradas.

El resto del viaje transcurrió en silencio, con Luka acurrucada sobre el asiento, las piernas pegadas al pecho y las manos abrazadas a las rodillas. Álex no podía evitar mirarla una y otra vez, preocupado; no recordaba que su madre y su hermana lo hubieran pasado jamás tan mal con la regla. Pero bueno, no todas las mujeres eran iguales, ¿no?

Al llegar a casa, lo primero que hizo Luka según entró por la puerta fue ir corriendo al baño y vomitar sonoramente. Álex intentó acompañarla, pero ella le cerró la puerta en las narices con un tremendo portazo.

Cuando salió lo encontró apoyado en el pasillo mirándola fijamente. Luka suspiró, se había lavado la cara y los dientes y, aunque se encontraba fatal, compuso su mejor sonrisa (o eso pensaba) y se dispuso a despedirse del vampirín. Lo último que le apetecía era tener un miembro del sexo opuesto rondando por su casa feliz y dicharachero mientras ella se moría poco a poco.

—Bueno, ya estoy mejor; eran las pastillas, que no me sientan bien al estómago. Voy a comer algo y me meto en la cama. Gracias por haberme traído hasta aquí. Uf, a veces soy un incordio.

—Tú nunca serás un incordio, Luka —contestó Álex acercándose a ella y pasando un brazo por su espalda a la vez que la besaba en la frente—. Vamos a ver qué tienes en la nevera.

—Poca cosa, ya sabes, algún gusano que otro —bromeó ella.

—Siempre se pueden freír y comer con palillos como si fueran tallarines —respondió él.

Luka lo miró estupefacta. ¿De dónde había sacado esa idea? ¡Qué asco!

En la nevera solo había un par de yogures, algo de fiambre y gusanos. Luka miró a Álex compungida.

—No es mucho, pero la verdad es que no tengo nada de hambre. Me como los yogures, doy de comer a mis niñas y me meto en la cama. Gracias de nuevo por haberme traído —le despidió.

—No te molestes en echarme, no me voy a ir.

—No te estoy echando, es solo que me parece estúpido que te quedes aquí para ver cómo duermo. Por si no lo has notado, estoy de un humor de perros y no es que tenga muchas ganas de hacer nada, la verdad. —A ver si cogía la indirecta.

—Pues mira tú qué bien, porque, por si no lo has notado, no tengo ningún interés por acostarme contigo en estos momentos. Estas hecha una piltrafa. No es por nada —replicó él, enfadado y sin pensar.

—¿Por qué no te vas un ratito a la mierda? No soy ninguna piltrafa. Nunca lo he sido y nunca lo seré. —Ni él ni nadie la iba a insultar en su cara ni en su casa, creía que había dejado eso claro la última vez.

—No lo interpretes mal. No te digo que seas una piltrafa. Te

digo que estás hecha polvo. Mira, Luka, estoy aquí y me preocupo por ti, ¿vale?

—Vale. Me parece maravilloso que te preocupes por mí, pero
es que no me pasa nada distinto a lo que les pasa a millones de
mujeres una vez al mes. ¿Qué os pasa a los hombres con la regla?
Es mencionarla y os volvéis cromañones —refunfuñó; luego le
miró y levantó la mano, despidiéndole—. Así que aire.

—¿Sabes lo que te digo? Me importa un bledo si quieres o no
que me quede, porque me voy a quedar, tú te vas a meter en la
cama y, cuando te levantes, vamos a hablar como personas civili-
zadas. Ahora come mientras yo alimento a tus bichos.

—No son bichos.

—Vale.

Álex cogió el pienso de las tortugas y la verdura de la iguana
y se largó al comedor. Estaba bastante enfadado pero iba a hablar
con ella costara lo que costara. Punto.

Luka consiguió comerse un yogur y luego buscó una buscapina y se la tragó junto al protector de estómago. Al instante siguiente se fue al dormitorio, ignorando totalmente a su huésped
no deseado, se quitó la ropa, se puso su camiseta de la regla, una
de colores vivos que se suponía tenía que animarla, y se metió en
la cama. En cuanto le hizo efecto la pastilla, se quedó dormida.

—Pues sí que está atacada vuestra dueña —dijo Álex a los bichos.

La iguana le sacó la lengua.

—No es nada racional. En vez de tanta pastilla, debería tomarse un Valium.

Laura le soltó un latigazo con la cola.

—¡Ay! Pues qué bien. Hala, ahí os quedáis solitas.

Jodida iguana, hembra tenía que ser, pensó Álex yendo hacia
la cocina. La nevera seguía igual de vacía que hacía media hora y
él tenía hambre. Buscó en la encimera las llaves. No estaban.
Abrió el bolso de Luka y lo único que vio fueron unas llaves normales y corrientes, no las de vivos colores que había usado los
días anteriores. Frunció el ceño y las probó en la cerradura, que
por cierto era nueva. ¡Joder! La muy tarada había cambiado la cerradura; estaba ligeramente neurótica. Se metió las llaves en el

bolsillo, bajó a la calle y se compró un bocadillo en el bar de la esquina. Cuando regresó comprobó que siguiera dormida, colocó las llaves en el bolso otra vez —si se enteraba de que se las había cogido de nuevo, lo mismo volvía a cambiar la cerradura—, se acomodó en el salón y se dispuso a comer. Enseguida comenzó a aburrirse. Mucho. La tele era un devenir continuo de famosetes insoportables que contaban su vida mientras que a él, le gustase a Luka o no, quien le preocupaba era su chica y no el famoso de turno.

Al terminar de comer decidió ponerse cómodo y tumbarse un rato. Fuera zapatos, calcetines y camisa. Se quedó con la camiseta y los vaqueros, no fuera a acusarle la señora de querer contactos ilícitos.

Estaba adoptando la quinta posición incómoda en el sillón cuando la oyó gemir. Se levantó de inmediato y se acercó al dormitorio.

Luka estaba acurrucada en la cama, abrazándose el estómago y doblada sobre sí misma en posición fetal. Apretaba los labios con fuerza y bajo los párpados cerrados sus ojos se movían erráticos. De repente se sacudió, encogiéndose más sobre sí misma a la vez que dejaba escapar un sollozo.

Álex olvidó su enfado, el mal genio y las palabras que nunca debieron decirse y se tumbó a su lado. Pegó el pecho contra la espalda femenina y la acarició desde el hombro, bajando por el brazo, hasta la mano con la que se apretaba el estómago. Buscó el final de la camiseta e introdujo los dedos bajo esta, la subió hasta el abdomen y apoyando la palma debajo del ombligo comenzó a trazar círculos lentos y suaves.

Luka relajó un poco el cuerpo y permitió el ligero masaje suspirando aliviada.

Álex no pudo evitar besarle la nuca para a continuación pasarle el brazo por debajo y acomodarle la cabeza sobre su hombro a la vez que continuaba acariciando suavemente donde pensaba que estaban colocados —más o menos— los ovarios. Sintió cómo ella se relajaba completamente y extendía las piernas hasta juntarlas a las de él.

Era la primera vez en su vida que estaba así con una mujer. Como amigo en vez de como amante. Inmerso en un cerco de ternura, amistad y devoción por alguien a quien conocía hacía apenas dos semanas, un cerco del que ni quería ni le era posible salir. Sentía la conexión entre ellos pulsando al ritmo del latido acompasado de sus corazones, hermanados en ese preciso momento, los cuerpos de ambos tocándose en armonía, acoplados perfectamente uno en el otro, y supo que si la dejaba escapar se arrepentiría para siempre, por el resto de sus días, y ese era un periodo muy largo de tiempo.

No sabía cuántas horas habían pasado cuando la sintió moverse contra él. Imaginó que al final se había quedado dormido. Seguía abrazándola cariñosamente y no pensaba separarse, dijera ella lo que dijera, así que abrió la boca para preguntar cómo se encontraba cuando la escuchó susurrar y su corazón dio un bote en el pecho.

—Me lo estás estropeando, ¿sabes? —musitó Luka con voz ronca y casi inaudible.

—¿El qué? —preguntó Álex apretándola más contra él, cerrando los ojos, rogando haber entendido bien, deseando que fuera el diálogo que él pensaba que era.[1]

—El estar sola.

Luka se giró entre sus brazos hasta quedar frente a él, la expresión de su rostro decía claramente que se acababa de dar cuenta de la inconsciencia que había soltado. Álex sonrió. La había pillado in fraganti y no iba a permitir que lo olvidara. La abrazó de nuevo y sin apartar la mirada de sus ojos la besó.

¡Ay Dios! ¿Qué había hecho? ¿A santo de qué había dicho esas palabras? En menudo berenjenal se acababa de meter. Despertarse rodeada por el calor de Álex le había hecho olvidar todas sus reservas, al menos durante unos segundos, segundos que su estúpido cerebro había utilizado para jugársela bien. Observó la cara de Álex, ¡socorro! Estaba claro que un friki del cine como él

---

1. Este diálogo pertenece a la película *Memorias de África*, interpretada por Robert Redford, un hombre esquivo, que cree firmemente en la soledad, y que al final acaba enamorándose de Meryl Streep, una mujer fuerte que le corresponde. Y la manera que tiene de decirle que la quiere es este diálogo.

—como ella— no había pasado por alto ni el diálogo ni el significado del mismo. ¡Demonios! ¿Y ahora qué?

En ese momento, Álex lo supo. Ella no lo habría dicho de haber estado totalmente consciente. Pero a él le daba lo mismo. Lo había dicho y se iba a valer de esa información para su propio provecho, para el de ambos. La vio morderse el labio y supo exactamente qué estaba pensando. Estaba ideando la manera de dar marcha atrás y convencerle de que no había dicho nada. Pero, ¡ah!, lo había dicho.

La abrazó más estrechamente. Tumbados en la cama frente a frente, con las piernas entrelazadas y las manos largas y finas de Luka sobre su pecho cubierto por la camiseta, se sentía en el paraíso.

—¿Te encuentras mejor? —le preguntó recorriéndole la cara con los dedos para acabar enredándolos en su pelo ¡castaño por fin!

—¿Te refieres a si ya he dejado de ser la Bruja mala del Este?[2]

—Mmm… a eso también —sonrió él.

—Estoy bien. Ya no me duele nada y no tengo ganas de matar a *Totó*.[3] Así que ¡tranquilo!

—Me alegro, ya me veía buscando el camino de baldosas amarillas para encontrar al mago de Oz y que te devolviera a tu estado normal.

Luka soltó una carcajada, para luego estirarse como una gata y alejarse de su abrazo.

Álex gruñó y la devolvió a su posición anterior. Entre sus brazos.

—¿Ya no te duele nada?

—No. Estoy algo molesta, pero nada del otro mundo. —Él la miró interrogante y ella supuso que requería más explicaciones—. Me he comportado como una verdadera bruja, ¿verdad?

—Sí.

—Bueno, los peores días son el anterior al que me venga la regla y el día de su llegada. Es cuando más me duele y no me suelo mostrar muy racional. Pero en cuanto me empieza a bajar

---

2. Personaje malvado de la película *El mago de Oz*.
3. Perrito de Dorothy en *El mago de Oz*.

en serio los dolores comienzan a remitir. Ahora estoy algo dolorida, pero no es nada comparado con esta mañana y seguro que el sábado ya estaré estupenda, desangrándome, pero de maravilla.

—Me alegro, he estado a punto de matarte un par de veces. Ahora me quedo más tranquilo, lo cierto es que no me apetecía nada ir a la cárcel.

—¡Idiota! —Le golpeó en las costillas riendo, para luego ponerse seria—. Nadie te pidió que vinieras.

—¿Vas a empezar de nuevo? —Álex enarcó una ceja.

—Es solo que me das miedo. —«Allá vamos», pensó ella.

—¿Yo? ¿Por qué? —preguntó perplejo.

—Porque no actúas como se supone que tienes que actuar.

—Me he perdido. —«Completamente.»

—A ver. —Luka se deshizo de sus brazos y se sentó en la cama con las rodillas encogidas y pegadas al pecho—. Se supone que echamos un polvo esporádico, uno de esos de «hola y adiós», y en vez de «adiós» tenemos un «hasta mañana». En lugar de desaparecer y si te he visto no me acuerdo, nos hemos seguido viendo con más o menos regularidad, escribiéndonos mensajes. ¡Dios! Si incluso trabajas a mi lado y según me has contado has alquilado un piso en mi misma calle. Y… eso no es lo que yo había pensado.

—¿Habías pensado conocerme y tener una aventura? —dijo él irritado. Joder, lo estaba arreglando la señora.

—¡No! No había pensado conocer a nadie. Ni tener una aventura con nadie. Mira, mi vida es como es. Mía. Y de repente ya no estoy sola, estás tú, y, para ser sincera, no tengo ni la más remota idea de lo que quiero —explicó recordando las palabras de Ruth.

—Ah, entiendo. Bueno, no. No entiendo absolutamente nada. Tu vida sigue siendo tuya, yo no voy a hacer nada para cambiarla. Nada en absoluto —reafirmó él—. Pero eso no significa que puedas jugar conmigo, que pasemos juntos el fin de semana y luego me ignores y me des cortes de manga toda la semana.

—¡Yo no he hecho eso!

—¿Ah, no? ¿Y cómo llamarías tú a lo que ha pasado esta semana?

—Tenía trabajo que hacer. —Luka desvió la mirada.

—¿No tenías siquiera un minuto para decirme una sola palabra agradable? —Álex se sentó en la cama y apoyó la espalda en la pared—. No sé qué te ha pasado ni lo que piensas, pero a mí me gusta lo que tenemos cuando no te da por ser la reina de hielo. No entiendo qué hay de malo en vernos a menudo, la verdad.

—¿A menudo? —Luka cambió su posición acurrucada, ahora estaba de rodillas en la cama con las manos en forma de garra alzadas a la altura de su pecho—. Ha sido acoso y derribo. Has escrito a diario, me viniste a ver el martes, querías quedar el miércoles y el jueves, y hoy me has venido a buscar al trabajo. Eso no es a menudo. Eso es ¡todos los días!

—¿Y qué! —Álex se había levantado de la cama y estaba recorriendo los dos metros escasos de habitación como un león enjaulado—. ¿Qué hay de malo? Explícamelo. ¿Te has sentido acosada realmente? Mírame a los ojos y dime que no te ha agradado mi atención, que no has esperado mis mensajes, que te han defraudado mis visitas.

—Joder. —El muy cabronazo tenía razón. Luka se volvió a sentar abrazándose las rodillas—. ¡Estás desbaratando mi mundo! No puedo vivir pendiente de que me escribas o no, de que vengas o no. No puedo esperar verte siempre, ni dormir contigo todas las noches.

—Es que no vas a necesitar estar pendiente ni esperando porque yo no lo voy a permitir. Antes de que te dé tiempo a echarme de menos, estaré ahí. A tu lado. —«Y en cuanto te despistes estarás viviendo conmigo. A diario.» Aunque, claro está, esto no pensaba decirlo en este preciso momento.

—¡Ja! ¿Y luego qué? ¿Te implantarás en mi vida? ¿Tomarás mis decisiones? ¿Vivirás mi vida? —Luka ya no hablaba, gritaba, de pie sobre el colchón—. Y cuando no sea como tú quieres que sea, entonces será culpa mía y yo tendré que volver a rehacer mi vida. Para eso mejor sigo como estoy. O mejor dicho, como estaba antes de que aparecieras.

—¡No! ¿Por qué iba a hacerlo? —¿Era eso lo que pasaba? Lo había imaginado, pero no quería dar crédito. Mierda. Mataría a ese puto tipejo—. Te quiero como eres, sin cambiar ni un ápice. Y no tengo ninguna intención de implantarme en tu vida. Tengo la mía propia por si no te has dado cuenta.

Luka no respondió, algo de toda esa parrafada le había llamado la atención. ¿Me quiere? ¿Como soy? ¿Sin cambiar ni un ápice? Bajó de la cama y se acercó a él, tanto que casi se tocaban.

—¿En serio? —atinó por fin a decir, con la cabeza ladeada y los ojos entrecerrados, como queriendo ver a través de él.

—Sí. Estamos bien juntos, nos divertimos y nos compenetramos. Ambos somos adultos y, mal que bien, sabemos lo que queremos y lo que ofrecemos. Yo no te voy a pedir nada y estoy seguro de que tú tampoco vas a hacerlo. No digo que nos casemos y tengamos hijos, al menos por el momento —aclaró él al ver su mirada; nunca se sabía por dónde podía saltar Luka, mejor tener todas las salidas cubiertas—, pero sí te digo que demos tiempo al tiempo, que vayamos viendo cómo nos va, cómo nos sentimos juntos. —Pensó un momento antes de continuar, quizá si le diera una salida viable—. Además, piénsalo, los dos tenemos nuestros trabajos, nuestros pisos, somos económicamente independientes. Si la cosa no fuera bien, no habría problemas en que tú retomaras tu vida. —La suya quedaría irremediablemente destrozada, pero eso no iba a decírselo, al menos por ahora—. Me conoces, sabes que no soy una persona posesiva —no mucho— ni dominante. Si te hartas, me mandas a la mierda y ya está.

—¿Seguro? ¿Adiós y ya está, sin llamadas para pedir explicaciones ni nada por el estilo? —Luka no se fiaba ni un pelo.

—Adiós y ya está. Tienes mi palabra —prometió él muy a su pesar; no pensaba perseguirla en caso de que le mandara a freír espárragos, al menos no enseguida, pero, con ese trato, conseguir una segunda oportunidad en caso de problemas iba a ser complicado.

—Vale. —Luka alzó la mano esperando que él la estrechara.

—Trato hecho —selló Álex la promesa, y esperaba no arrepentirse.

17

Viernes 21 de noviembre de 2008

*L*uka aparcó el coche y salió corriendo hacia el portal de su casa. Se le había echado la hora encima. Había pasado toda la tarde en casa de Pili, probándose los zapatos de su amiga —era lo único en lo que coincidían sus tallas—, experimentando con miles de maquillajes distintos y ensayando diversos tipos de peinados. Y por fin, lo tenía todo decidido.

En la mochila llevaba los zapatos negros de charol y las sandalias de vestir blancas, el maquillaje de tonos terrosos y el de tonos rosados y el collar de cristales Swarovski. Ahora solo quedaba decidirse por un vestido y listo. Al día siguiente sería la inauguración de la exposición y quería estar lo más guapa posible.

Miró el reloj que guardaba en el bolsillo —algún día recordaría ponerle una correa— ¡Ay, señor! Las nueve y media pasadas y había quedado con Álex a las nueve. No quería ni pensar en la bronca que se iba a llevar. Apresuró el paso hacia el portal, metió la llave en la cerradura y en ese momento la llamaron. Giró sobre sí misma y allí estaba él, en la puerta del bar de la esquina, con sus vaqueros desgastados y las sempiternas deportivas blancas, la chaqueta de cuero abierta y un jersey de cuello vuelto gris. Guapísimo, como siempre.

—Hola, preciosa —Álex recorrió los pocos metros que les separaban—, estaba tomando algo mientras te esperaba —comentó antes de saludarla en condiciones, con un beso largo, apasionado y húmedo. ¡Faltaría más!

—Hola, Álex, siento haber llegado tarde, pero se me echó el tiempo encima sin querer y para colmo de males he pillado caravana en la glorieta de arriba —comenzó Luka la excusa, tan rápido que apenas si respiraba—. Intenté irme por la de abajo pero...

—Chist —la silenció con otro beso antes de que se asfixiara—, ya imaginaba que llegarías tarde; de hecho, incluso llegas pronto para mis expectativas.

—¿Sí? —respondió patidifusa... ¿Llegaba pronto? ¿Desde cuándo?

—Claro. —Álex la miró y se echó a reír—. Luka, cielo, despierta. No soy idiota, cuando alguien queda con otro alguien el tiempo tiende a pasar muy rápido. A mí me pasa, a ti te pasa y a todo el mundo le pasa. No hay problema.

—¿No? «Increíble.»

—Claro que no —apoyó la mano en su espalda y la guio de nuevo hacia el portal—, deja la mochila en casa y luego vamos a la mía. Estoy deseando que la veas. Te va a encantar, ya verás... He pensado que...

—Espera. —Ella se paró en la puerta—. ¿Quieres que vayamos a tu casa esta noche?

—Lo estoy deseando. Está algo desangelada, pero he pensado que podría poner algunas fotos en las paredes, como en la tuya, y no sé. A ver qué se nos ocurre, porque lo cierto es que da un poco de grima verla tan vacía. —Estaba entusiasmado, no podía evitarlo. Tenía casa nueva desde hacía quince días y ella aún no la había visto. Deseaba que le gustara, que se sintiera cómoda, que pusiera su granito de arena y la convirtiera en la casa de ambos.

—Pero eso no puede ser —repuso Luka entrando en el ascensor.

—¿Por qué? —El brillo de los ojos masculinos se apagó y la desilusión hizo presa en sus rasgos.

—Porque no puedo dejar a mis niñas solas. Además, tengo que prepararme para la exposición de mañana; eso lleva tiempo y muchas pruebas.

—¿Por qué no puedes dejar solos a los bich... animales?

—Porque tengo que darles de comer. —Abrió la puerta del ascensor.

—Bueno, eso no es problema. Les pones ahora de comer,

nos vamos a mi casa, la ves y luego volvemos a la tuya y ya
está. Mañana por la mañana ya me harás el pase con los modelos para la expo…

—Mmm. —Luka se lo pensó una milésima de segundo, tenía
muchas ganas de ver el sitio—. Vale, si es así no hay problema.

—Te va a encantar. Ya verás.

Luka entró en su piso, vació la mochila y se dispuso a alimentar a sus niñas.

Álex se apoyó en la encimera de la cocina y esperó. Esa noche
la pasarían íntegra en su ático. Le había dicho que volverían…
pero no cuándo. Sonrió feliz, esa noche se cobraría todas las erec-
ciones matutinas insatisfechas que había sufrido durante los últimos siete días.

Había sido una buena semana.

El sábado habían recibido la visita de los amigos de Luka.
Cada uno había llevado algo: Pili, un par de tortillas; Javi, una caja
de cerveza; Ruth, canapés calientes; y Dani, bueno, Dani se llevó
a sí mismo, que ya era más que suficiente. Luka estaba casi recu-
perada aunque, según sus propias palabras, parecía un grifo y estaba harta de llevar «pañales». Por lo demás, la tarde discurrió
entre risas y algún que otro intento de seducir a Dani por parte
de Álex. No muchos, una mano en el muslo en un momento determinado, un brazo sobre los hombros en otro, alguna que otra
confidencia al oído.

Lo tenían todo orquestado; cuando Luka se tocaba los labios
significaba que se iba a dar la vuelta con cualquier excusa y entonces Álex sacaba la artillería pesada. Al principio Dani no le
había dado importancia, cosa que a Luka le sentó fatal, así que
llevó a Álex a la cocina y le ordenó que hiciera… Álex se quedó
de piedra y se negó. Entonces, Luka le recordó el tatuaje que
Dani supuestamente había visto, y el fingido intento de seduc-
ción para hacer un *ménage à trois* y Álex salió decidido de la
cocina —al estilo del toro cuando ve un trapo rojo—, se sentó
en el sillón al lado de Dani y esperó. Cuando Luka volvió a to-
carse los labios, Álex atacó. Se acercó hasta que su muslo se
apretó contra el de Dani y luego, inclinándose muy ligeramente sobre su oído, susurró:

—¿Te gustaría ver la nueva cama de mi dormitorio en el
ático? —Casi escupió las palabras, pero lo había logrado. Más aún

porque Dani sabía lo de su cama de dos metros por dos metros en la habitación de los espejos.

En ese momento Luka se volvió y Álex aprovechó para separarse a una distancia prudencial y guiñarle un ojo. Dani no solo estaba perplejo, sino colorado como un tomate, algo que Álex jamás habría imaginado ver.

La noche transcurrió sin más incidentes, siempre y cuando no contasen como tales la fobia de Dani a sentarse cerca de Álex y su repentina mudez. Mudez que dejó a todos atónitos. Ruth incluso le puso una mano en la frente, preocupada por si estaba enfermo, pero no, no tenía fiebre. Cuando los amigos se fueron, las carcajadas de los dos intrigantes se escucharon en todo el bloque y, cómo no, la Marquesa se enfadó y se lo hizo saber a través de «radio ventana».

Durante el resto de la semana, Álex puso en marcha un plan bastante ambicioso y que esperaba diese sus frutos.

Se había propuesto introducirse paulatinamente en la rutina de Luka o al menos todo lo lentamente que su escasa paciencia le permitía. Decidió mandar un correo cada noche y el martes, en su mensaje diario, la invitó a comer en la cafetería del polígono —un sitio neutral, nada romántico y lleno de obreros—. Para su sorpresa, Luka aceptó. La comida fue perfecta, amena y divertida y se despidieron con un beso que le valió a Álex una noche de sueños eróticos y una dolorosa erección. La próxima semana volvería a intentar comer con ella y, si volvía a aceptar, en un par de semanas subiría a dos días. A ver si había suerte.

Las tardes, sin embargo, resultaron sumamente frustrantes, ya que Luka salía pitando del trabajo a la galería Estampa para montar la exposición.

Álex se planteó ofrecer de nuevo su ayuda, pero al final decidió que eso podría considerarse acoso y aceptó, como buenamente pudo, la ausencia de su chica.

Y en ese mismo instante, iba a obtener su compensación. Ella dormiría con él, en su casa. O mejor dicho, pasaría la noche en su casa, porque dormir, lo que se dice dormir, no creía que fueran a dormir mucho.

Luka terminó sus tareas y se fueron al ático dando un paseo. Al fin y al cabo estaba a escasos quince minutos de distancia y, por qué no decirlo, Álex estaba deseando pasear con ella, agarrado de su mano. Era una idiotez y una cursilería, pero le hacía ilusión. ¿Qué pasa? ¿No puede tener un hombre una pizca de romanticismo?

Luka al principio se sintió asombrada cuando él tomó su mano. Eso era cosa de adolescentes no de adultos pero, qué demonios, se sentía en la gloria, así que la mano se quedó donde estaba.

Durante el camino charlaron sobre la exposición, habían trabajado muchísimo en ella. Ruth había gestionado cada problema, Dani había iluminado cada cuadro y ella misma había montado cada marco, y el resultado era inigualable. Al día siguiente, a las seis de la tarde, se abriría al público. Todos estaban muy nerviosos, Ruth seguía en Estampa, pero Dani y Luka habían preferido escaparse ese día para intentar calmar los nervios.

Respiró hondo, nunca había invitado a nadie a ninguna de las exposiciones que montaba. A nadie, excepto a sus amigos y su familia, pero claro, estos no contaban. Sus padres seguían en la playa —la suerte del jubilado— y su hermano estaba en Bilbao con su mujer, así que imposible que viniera. Miró a Álex y se preguntó si su Drácula particular estaría igual de interesado que el «aliño de ensaladas» en sus exposiciones, o sea, nada. En fin, como siempre decía, el «no» ya lo tenía.

—¿Vas a venir mañana a la inauguración? —preguntó interesada.

—Por supuesto, ¿a qué hora tenemos que salir de aquí? —contestó él dándolo por sentado.

—Eh…—«¡Genial!»—. Se abre al público a las seis de la tarde, pero nosotros deberíamos estar sobre las cinco como muy tarde, así que tenemos que salir de casa a las tres y media.

—¿Una hora y media para llegar a Gregorio Marañón? —Álex parpadeó atónito, ese trayecto se hacía como mucho en media hora—. ¿No crees que es un poco exagerado salir tan pronto?

—Bueno, es que… —¡Qué narices! Era su vida y la dirigía como quería; si a él no le gustaba, que no fuese. Inspiró, exhaló y se lanzó—. Mar y su abuela van a venir conmigo en el coche. —Lo miró fijamente.

—¡Estupendo! Así las conozco —respondió Álex sonriendo. Otro punto a su favor: si conocía a su ahijada y la ganaba para su causa, tendría el camino mucho más fácil.

—¿Sí? —Luka se quedó parada en el sitio. ¿No le importaba?

Es más, ¿le parecía bien? Increíble, quería ir a la galería de arte y además le parecía bien que fueran con más gente. Impresionante.

—Por supuesto. Es alguien importante para ti, tú eres importante para mí, ergo Mar también es importante para mí. Es lógico que quiera conocerla. ¿No crees? —Y no solo conocerla, era indispensable caerle bien a la cría. No creía que tuviera muchos problemas, solía llevarse bien con los niños.

—Pues, visto así, es lógico. —Pasmada, la acababa de dejar pasmada. ¿Ella era importante para él? Lo miró con los ojos entrecerrados. ¡Ni de coña! Estaba claro que el pobre llevaba tanto tiempo sin follar, doce días para ser exactos, los mismos que ella, que haría lo que fuera por tener sexo esa noche. ¡Y ella también, qué carajo! Así que dio por zanjado el tema. Mañana ya se vería.

—Ya hemos llegado —comentó Álex parando frente a un portal.

Luka parpadeó asombrada, estaban frente a uno de los edificios más imponentes de la calle Retamas. ¡Tenía que estar montado en el euro para alquilar un ático ahí!

—¿Vives aquí?

—Por ahora. Lo he alquilado por seis meses prorrogables con opción a compra. La verdad es que está tirado de precio. Con esto de la crisis inmobiliaria los alquileres han bajado mucho y dentro de seis meses, si lo quiero comprar, seguro que se habrá devaluado; es una buena inversión.

—Pero tiene que salirte por un ojo de la cara.

—No te creas. Novecientos al mes más comunidad y gastos de luz, agua y demás. No es tanto.

—Uf, yo pago trescientos noventa por mi piso y me cuesta Dios y ayuda acabar el mes.

—¡Vaya! No te he visto gastar apenas, por lo que me inclino a pensar que te pagan una mierda. Quizá deberías plantearte pedir un aumento de sueldo a tu jefe.

—¿¡A Gabriel!? Le daría un ataque al corazón y en cuanto se recuperase me despediría. Quita, quita.

—Tú misma. Pero deberías imponerte un poco más, es solo un gallito.

—Un frustrado.

—Un estirado.

—Tiene el palo de una escoba metido por el culo.

—Y el pene tan diminuto que nadie se acuesta con él.

—Ni pagando.

Se miraron y se echaron a reír. Era maravilloso meterse con su jefe en compañía de Álex.

Entraron a la finca, el portal tenía las paredes y el suelo revestidos de mármol —o algo que se le parecía muchísimo— y el ascensor era más grande que la cocina de Luka. Álex pulsó el botón del último piso y aprovechó los escasos segundos del viaje para darle un beso abrasador, uno de esos besos que empiezan con un contacto brusco de los labios y acaban en una lucha de lenguas. Uno de esos besos en los que las manos vuelan por el cuerpo del contrario buscando botones, cremalleras y piel. En definitiva, uno de esos besos que dejan insatisfechas a ambas partes cuando por, avatares de la vida —o cuestiones de tiempo—, las puertas del ascensor se abren.

Salieron dando tumbos, con la respiración agitada y chocándose contra las paredes sin dejar de besarse una y otra vez hasta llegar a la puerta del ático. Allí se demoraron unos segundos mientras Álex deseaba fervientemente convertirse en pulpo para contar con seis brazos más, cinco para abrazar y acariciar a Luka y uno para buscar las puñeteras llaves. Pero la naturaleza es severa e hizo al hombre con solo dos, por lo que no le quedó más remedio que separarse como buenamente pudo de su chica y buscar en el bolsillo —disminuido por la intromisión de su erección— las malditas llaves. No obstante, la naturaleza, además de severa, también es sabia y sensata, y al crear de esta manera al hombre obligó al semental a parar, lo que dio el necesario respiro al cerebro para reevaluar la situación.

Álex inspiró hondo. Se había propuesto no tumbar a Luka en el suelo y hacerle el amor a la desesperada. Quería seducirla lentamente y, sobre todo, anhelaba compartir su casa con ella, crear un hogar junto a ella y, para eso, era necesario enseñarle la casa y hacerle ver lo desangelada que estaba sin su presencia. Por tanto, se tranquilizó, recolocó su erección en los pantalones —¡le apretaban considerablemente!—, abrió la puerta, la miró e improvisó.

Luka estaba acalorada, húmeda y totalmente dispuesta. Por eso cuando Álex se separó y comenzó a rebuscar en sus bolsillos para a continuación abrir la puerta y mirarla sin mover un músculo se sintió un poco intimidada. ¿Por qué no la hacía entrar, la tumbaba en el suelo y la follaba salvajemente?

Entonces él hizo lo único que ella jamás habría imaginado. Se agachó ante ella, pasó una mano por detrás de sus rodillas y la otra por su espalda, la elevó a pulso y cruzó el umbral con ella acurrucada entre sus brazos. Delicadamente. Dulcemente. Como si fuera una novia la primera vez que penetra en su nueva morada.

—Este es mi humilde hogar —comentó Álex en el vestíbulo mientras la dejaba en el suelo—. Acompáñame.

Y Luka lo acompañó.

Era increíble. Del vestíbulo salían dos puertas; una daba a un *office* tan grande como el dormitorio de Luka, que a su vez daba a una cocina no muy grande, pero perfectamente equipada. El *office* lo dominaban una rinconera y una enorme mesa de roble y, en la pared libre, un armario de unos dos metros hacía de despensa. Salieron de nuevo al vestíbulo y atravesaron la otra puerta; daba a un salón impresionante, con un mueble de obra de pared a pared, que contenía una televisión LCD de ni se sabe cuántas pulgadas. Álex aclaró orgulloso que había comprado dicho aparato tras recorrer varias tiendas buscando el más grande y con mejor definición. ¡Hombres! A ella lo que le impresionaba era el tremendo espacio que había a su alrededor, las paredes vacías y sin vida, el sillón impoluto, sin marcas de uso, el mueble solitario y desocupado. Adornos estériles e impasibles se perdían en su inmensidad, un par de figuritas de porcelana, algún libro elegante sin ninguna historia dentro que contar. ¡Qué frialdad! Las paredes tan blancas, tan sosas. ¡Tan aburridas!

El viaje continuó a través de un pasillo kilométrico de paredes igual de anodinas que el salón, con cuatro puertas que rompían la rutina. Tres de ellas daban cada una a una habitación que era igual a la anterior, con una cama, una mesilla y un armario empotrado. Y en la que supuestamente sería la habitación de matrimonio, una puerta daba a un aseo del que lo mejor que podía decirse era que parecía esterilizado. ¡Qué insipidez! La última de las puertas daba a un cuarto de baño titánico, pero que, en lugar de impresionar, daba la sensación de entrar en un hospital. Todo blanco. Cortinas blancas, paredes blancas, suelo gris. Un espejo, un armario, una estantería, una ducha

NOELIA AMARILLO

con hidromasaje, un bidé y un retrete. Ninguna colonia ni peine ni nada. Solo un dispensador de jabón y un juego de toallas ¡blancas! Era monocromático. Luka miró a Álex entristecida. ¿Cómo podía vivir aquí?

—Bueno… está muy limpio y ordenado. —No se le ocurría qué decir.

—Es muy frío, ¿verdad?

—Un poco.

—El ático está mejor, lo he amueblado a mi gusto.

—Genial.

La guio de vuelta al salón, llegaron hasta la escalera de caracol que había ubicada en una esquina y subieron. Luka no pudo evitar una exclamación cuando vio el ático, era… ¡descomunal!

—¡A que es increíble! —exclamó Álex con una sonrisa de oreja a oreja.

Luka asintió con la cabeza, no le salían las palabras, «increíble» se quedaba corto. El ático era un espacio totalmente diáfano de unos cuarenta metros cuadrados, con todas las paredes cubiertas de espejos y el suelo de parqué. Se accedía a él por la escalera de caracol que quedaba justo en la esquina norte. En la pared oeste, unas puertas cristaleras, inmensas, daban a una terraza esquinada y enorme, aunque completamente vacía. La pared sur de la estancia estaba ocupada por una mesa de pie de mármol y superficie de cristal de al menos dos metros por metro y medio, pegada a los espejos. La cama estaba ubicada en la pared que quedaba libre, si es que a esa monstruosidad se la podía llamar cama. Colocada sobre una tarima de estilo japonés, apenas levantaba veinte centímetros del suelo; eso sí, medía por lo menos dos metros por dos metros. Y, por último, que no menos impactante, un sillón diván en piel blanca sin respaldo y con grandes apoyabrazos.

Luka giró sobre sí misma incrédula, intentando abarcar todo en su cabeza.

—¡Vaya!

—¿Qué te parece? —Álex la miró impaciente, con la alegría en la cara y una tremenda erección en los pantalones… ¡La de cosas que iban a hacer allí!

—Bueno… esto… —¿En qué estaba pensando Álex para amueblar así una habitación?—. ¿Duermes aquí?

—¿En esta cama enorme y supercómoda? —preguntó él a su

250

vez sin responder—. Ven, pruébala. —La tomó de la mano, exultante.

—No… si grande sí que es. Pero…

—¿Pero? —Álex paró en seco y su pene perdió algo de tersura. No le había gustado nada el tono de voz de su chica.

—¿Es fácil encontrar sábanas para este tipo de cama?

—Pues no lo sé, las compré directamente en Internet. —¿Y a quién coño le importaban unas sábanas de nada, teniendo una cama de cuatro metros cuadrados?

—Lo que me imaginaba. Y ¿por qué es tan baja? ¿No sería mejor haberla colocado sobre un canapé abatible? Lo digo porque así, además de un espacio extra para meter cosas, también estaría un poco más alta, no sé… Tiene que ser complicado levantarse de un sitio tan bajo… Está casi a ras del suelo.

—Eh… no había caído en eso —dijo él extrañado. ¿Qué más daba la altura? Lo importante era todo el espacio que tenían para retozar.

—De todas maneras, también es que yo lo veo desde la perspectiva de mi casa, que es tan pequeña que tengo que buscar soluciones para la falta de espacio. Pero a ti aquí no te hace falta —continuó ella viendo la cara de desilusión que ponía él.

—Efectivamente.

—Y la mesa… mmm… ¿Este cristal es realmente una baldosa grabada de diecinueve mm?

—Sí. ¿Qué te parece? ¿A que es impresionante?

—Sí. Pero… a ver… es que la baldosa grabada es un cristal para suelo, de los que se ponen para pisar sobre ellos.

—Ya lo sé. Me he informado —contestó él algo quisquilloso.

—Ajá. Entonces, ¿para qué has puesto un cristal de suelo en una mesa? ¿Vas a andar sobre ella? Y, además, ¿por qué no hay sillas? Me refiero a que si hay una mesa en una habitación debería haber sillas para sentarse, ¿no? Y ¿por qué está pegada a la pared? Eliminas el espacio de por lo menos cuatro comensales. Resulta muy extraño.

—Ah, pues… —¡Vaya! No estaba saliendo exactamente como él pensaba; vamos, ni remotamente parecido a lo que esperaba—. Esto… ¿Alguna pregunta más y así las respondo todas juntas?

—Ey, si te sienta mal me callo.

—No, no me sienta mal. Es solo que no esperaba esta reacción.

—Bueno. Pues nada. Mira, es un sitio precioso, divino de la muerte; me encanta, de verdad. Pero es que no le veo ninguna utilidad.

—¿No le ves ninguna utilidad?

—No, en las paredes de espejos no puedes colgar cuadros porque no puedes taladrar. Por otro lado la cama y la mesa son divinas, pero la cama se me antoja muy grande y muy baja. Y la mesa, obviando que tiene un cristal para pisar, resulta que no tiene sillas para poder sentarse. Luego está eso... —y señaló hacia la esquina— el sillón diván...

—¿Qué le pasa al sillón diván?

—Que no tiene respaldo.

—Lógico, es un sillón diván; no tiene que tenerlo.

—Ya, pero, cuando te sientes en él, te darás con la espalda en la pared o, si no, tendrás que sentarte muy tieso. No lo veo cómodo y ocupa muchísimo espacio, por lo menos mide dos metros de largo. Además, es demasiado claro. Se va a ensuciar enseguida... y cuesta un huevo limpiar la piel. ¿De verdad duermes aquí?

—Eso espero —contestó él enfurruñado. No es que fuera a dormir, pero se había hecho ciertas ilusiones. Ilusiones que ella estaba tirando por la borda a pasos acelerados.

—¿Y dónde guardas la ropa?

—¿Qué ropa?

—La que te quitas para dormir. ¿Dónde la dejas? No hay ningún armario, ¿qué haces? ¿Te desvistes en los dormitorios de abajo y luego subes a dormir aquí? Y si tienes sed o ganas de ir al baño, ¿tienes que bajar a media noche las escaleras para ir a la planta de abajo? No sé, no parece un espacio cómodo para usar como dormitorio. No te enfades. Ya te digo que es precioso, pero... no lo veo nada útil —finalizó mordiéndose los labios; no quería quitarle la ilusión, pero tampoco iba a decirle que lo veía lo mejor del mundo.

—Bueno —Álex no había contado con la vena práctica de Luka—, la verdad es que dormir, lo que se dice dormir, no pienso hacerlo aquí.

—Uf... menos mal. Empezaba a pensar que eras un sibarita

que prefiere el esplendor a la comodidad. Pero… si no duermes aquí, ¿para qué has montado esta habitación? —Los muebles le tenían que haber costado una pasta gansa, pensó Luka. ¡¡Qué tontería comprarlos para no usarlos!!

—Mmm… a ver… el armario y las sillas que no están, lo cierto es que no había caído en ello hasta que me lo has mostrado tú —se acercó a ella—. En cuanto al sillón sin respaldo… —la agarró por la cintura—, no pretendo sentarme en él —deslizó las manos por su trasero—. Mi intención es tumbarte a ti sobre él, desnuda, con tu cabeza apoyada en un reposabrazos y la mía entre tus piernas, así que cuanto más largo mejor. —Presionó las nalgas de la joven hasta que ella quedó tan apretada contra él que sintió su erección pulsar contra el abdomen.

—Vaya… —Así que el diván era para eso… pues entonces sí que tenía una gran utilidad.

—Con respecto a la cama —le mordisqueó la oreja—, te imagino corriendo por el ático mientras yo te persigo… —se frotó contra ella a la vez que recorría sus costillas con las yemas de los dedos—. Estás riéndote a carcajadas porque no te atrapo y de un solo paso te subes sobre la cama. —Las caricias alcanzaron los pechos, rodeándolos por debajo—. Saltas sobre ella burlándote de mí, tus tetas suben y bajan con cada salto, los pezones duros y sonrosados. —Acogió cada seno en la palma de una mano y acarició los pezones con el pulgar, lentamente, hasta que estuvieron tal cual los describía—. Y en ese momento me abalanzo sobre ti, te atrapo con mi cuerpo tumbándote sobre el colchón, y tú te resistes entre risas, ciñendo con tus piernas mis caderas.

Deslizó las manos por los costados, acoplando una en las nalgas mientras la otra recorría la grieta entre estas para acabar hundiéndose entre las piernas con la palma descansando en el trasero y los dedos acariciando la vagina por encima de la ropa, presionando la cara interna del muslo y alzándolo hasta que quedó rodeando la cadera masculina, juntando así los genitales de ambos

—¿Te lo imaginas?

—Sí —respondió Luka entre jadeos. Recorrió sus fuertes brazos, le acarició la clavícula y acabó abrazándose a su cuello y lamiéndole los labios mientras se pegaba más a él, moviéndose contra su pene endurecido.

—¿Quieres saber qué más he imaginado? —consiguió decir Álex antes de que ella le mordisqueara el labio inferior.

—Sí. —Luka respiró contra su boca, introduciéndole la lengua y saboreando su paladar.

Álex la acarició mientras la guiaba a través de la habitación hasta la mesa. Paraban a cada segundo para saborearse y acariciarse mutuamente. Si alguien los hubiera visto desde fuera, pensaría que estaban bailando, con las piernas enredándose y los brazos trabándose el uno en el otro.

Luka chocó contra la mesa y aprovechó la ocasión para sentarse sobre ella, abriendo las piernas e instando a Álex para que se acoplara entre ellas. Pero él negó con la cabeza y se alejó observándola, deleitándose con la visión de sus labios hinchados y sus pezones visibles a través de la blusa que llevaba puesta.

—No es así como te he imaginado —dijo agarrándola de la cintura para bajarla.

Cuando Luka posó de nuevo los pies en el suelo se vio girada de repente hasta quedar colocada frente a la mesa. Sus ojos se abrieron de par en par. Se veía reflejada en los espejos que cubrían las paredes.

—Mírate. Eres preciosa.

Tenía el pelo revuelto, los ojos brillantes. La blusa azul celeste que llevaba dejaba bien claro que estaba muy excitada. La parte inferior de su cuerpo era perfectamente visible gracias a que la mesa era de cristal; los pantalones vaqueros, los zapatos bajos… se veía todo y a la vez no se veía nada, porque estaba demasiado cubierta por la ropa.

Vio, y a la vez sintió, las manos de Álex recorriendo la cinturilla de sus pantalones, desabrochando el botón e introduciendo la mano. Distinguió el tanga asomando por encima de la muñeca de su amante mientras este recorría el pubis hacia la vulva. Observó cómo se hundía la mano masculina bajo sus pantalones y sintió los dedos rozándole el clítoris, dejando un rastro de fuego líquido en su cuerpo. Se vio a sí misma abrir las piernas pidiendo más, facilitando la entrada. Escuchó sus propios jadeos cuando la petición le fue concedida. Observó a Álex apoyar los labios en su cuello y lamerlo suavemente, le vio cerrar los ojos mientras se pegaba más a ella y friccionaba la polla contra su trasero.

Álex sacó la mano del interior de los pantalones y la fue subiendo lentamente por el abdomen, trazando un húmedo camino a su paso. Desabrochó uno a uno los botones de la blusa y se la quitó muy despacio, dejando aparecer poco a poco la clavícula, el pecho, los brazos. Recorrió la espalda hasta desabrochar el sujetador y luego lo enganchó entre sus dedos, deslizándolo por los brazos hasta que cayó al suelo.

Luka se miró al espejo de nuevo. Vestida solo con los vaqueros percibía con claridad cada uno de sus michelines, cada una de las pequeñas estrías de su tripita, cada uno de los defectos de su figura. Se echó hacia atrás, sobresaltada, pegándose contra el pecho de Álex. ¡Señor, qué espectáculo estaba dando!

Álex la miraba a través del espejo sin perderse un detalle, bebiendo de cada gemido y suspirando por cada trozo de piel que afloraba, buscando la pasión en los rasgos de ella, no el susto ni el arrepentimiento.

—Mírate bien. No te estás viendo como yo te veo —le susurró al oído—. Eres muy bella, la mujer más hermosa que he visto jamás. Observa tus brazos, largos y bien formados, perfectos para abarcarme entre ellos. —Deslizó las manos por ellos obligándola suavemente a alzarlos hacia atrás, haciendo que le rodearan la nuca, impulsando los pechos hacia fuera al arquear la columna—. Contempla tus pechos, perfectos para mis manos. —Se lo demostró acogiendo uno en cada mano, con las palmas abiertas y los pezones surgiendo entre los dedos índice y corazón. Juntó los dedos y pellizcó los pezones, originando que estos se irguieran a la vez que rayos de deseo recorrían el cuerpo femenino hasta la ingle, traspasándole el corazón—. Admira tu abdomen, tu tripita dulce y cómoda; no sabes cuánto deseo reposar mi cabeza sobre ella y mirarte desde esa posición como hice la primera vez en el hotel. He soñado con ello desde entonces; me he tumbado boca arriba en la cama, imaginando que la almohada bajo mi cabeza era en realidad tu barriguita. Cerraba los ojos y recordaba tus pechos mientras descansaba sobre ti, saboreaba en sueños el aroma dulce de tu cuerpo… Me he masturbado una y otra vez imaginándolo.

Le recorrió el abdomen, dibujando círculos en el ombligo, acariciando cada estría. Descendió hasta el pubis, se entretuvo jugando con los rizos de su sexo y luego subió y le presionó con los dedos la suave piel del estómago a la vez que apretaba su pene endurecido contra ella.

—No se te ocurra decir que no eres perfecta. No se te ocurra siquiera pensarlo, porque te estarías mintiendo a ti misma. Mírame. —Ella obedeció y encontró la verdad en sus ojos—. ¿Crees que te estoy mintiendo? —Álex esperó su respuesta con una mirada franca y serena colmada de convicción.

—No.

—¿Cómo eres?

—Preciosa.

—No lo olvides —ordenó, retirándole el pelo de la nuca para poder besarla allí.

Se arrodilló ante ella totalmente vestido, le quitó los zapatos, subió por los tobillos hasta llegar al final de las medias y volvió a bajar mientras las iba enrollando hasta deshacerse de ellas. Recorrió con caricias las pantorrillas, la cara interior de las rodillas y los muslos. Llegó a la cinturilla de los vaqueros y esas manos suaves y pacientes se introdujeron por debajo de los pantalones y del tanga, y bajaron ambas prendas poco a poco. Lamió cada rincón de piel que iba apareciendo, saboreó cada recodo, sintiendo en su pene escalofríos de placer con cada beso que depositaba. Cuando la tuvo totalmente desnuda se incorporó hasta quedar de pie tras ella.

Luka intentó girarse, pero unas fuertes manos se anclaron en su cintura impidiéndoselo.

Se quedó quieta, expectante.

—Es mi fantasía, déjame hacer a mí —suplicó Álex acariciándole con su aliento la nuca.

Apoyó una mano en la espalda femenina y la instó a que se inclinara sobre la mesa hasta tocar con los pezones ardientes el frío cristal. El placer fue instantáneo, un jadeo surgió de los labios de Luka, todo su cuerpo se estremeció. Se miró en el espejo. Tenía los brazos extendidos sobre la mesa, estaba pegada a ella desde la cintura hasta la yema de los dedos. El trasero al aire, en pompa. Las piernas abiertas. Y Álex tras ella, observando detenidamente todo su cuerpo. Vio cómo se quitaba el jersey y dejaba su fabuloso torso desnudo, pero no hizo intención de deshacerse de más ropa.

Ella gruñó, Álex sonrió.

—Ten paciencia —susurró mientras se inclinaba sobre ella.

Apuntaló las manos en la mesa a ambos lados de sus femeninas caderas, presionando la erección enfundada en vaqueros contra su vagina impaciente. Con los ojos cerrados y la cabeza caída, Álex gimió deleitándose con la sensual fricción. Pasados unos segundos comenzó a lamer y mordisquear la columna vertebral mientras sus manos se deslizaban hasta las nalgas masajeándolas, apretando los dos cachetes entre sí para a continuación recorrer la unión entre estos hasta encontrar el perineo y frotarlo con los dedos. Siguió recorriendo con labios y dientes toda la longitud de la espalda mientras los dedos se introducían en la vagina, humedeciéndose para, a continuación, encontrar el clítoris y acariciarlo.

Eran tantas las sensaciones que recorrían el cuerpo de Luka que apenas si podía respirar entre jadeos, pero Álex era implacable. Cuando sus labios llegaron a las nalgas, se entretuvo jugando con ellas, mordiéndolas con ímpetu para luego lamerlas y calmarlas, recorriéndolas con besos ligeros mientras se arrodillaba tras ella con sus ojos a la altura de la vulva.

Transitó con la lengua el perineo hasta llegar a la hendidura de la vagina y una vez allí introducirla en ella, lamiendo su jugo, bebiendo con fruición mientras sus dedos hacían milagros con el clítoris, apretándolo y pellizcándolo. Recorrió el sexo femenino, mordisqueó la zona interior de los muslos, acercándose al clítoris para alejarse sin llegar a tocarlo, introduciendo una y otra vez los dedos en el agujero ardiente.

Luka no podía controlar las sacudidas de placer que recorrían su cuerpo, la espalda se arqueaba, los labios se abrían buscando aire entre jadeos, los pezones se frotaban contra el frío cristal. Estaba a punto.

Álex sintió las primeras contracciones de la vagina en sus dedos y, en vez de continuar con el juego, los sacó totalmente mojados y emprendió el camino de retorno al perineo y más allá, hasta encontrar el principio de las nalgas. Las sujetó con las palmas y hundió los dedos entre ellas, separando ambos cachetes, mientras la lengua ascendía por el perineo para comenzar a recorrer lentamente el canal entre ellas.

Luka se tensó bajo la caricia prohibida.

—Tranquila, si quieres lo dejo —aseguró él respirando agitadamente.

—No… —Luka sintió su aliento sobre el ano y un estremecimiento hizo mella en ella—, continua pero…

—Cuando digas basta, paro. Tranquila, no voy a hacer nada, ni siquiera me acercaré, solo quiero jugar un poco.

—Adelante —aceptó dudando ante el placer proscrito.

Álex deslizó la lengua por la grieta entre las nalgas, evitando certeramente el rosado orificio prohibido mientras sus dedos volvían a masajear el clítoris.

Luka sentía la suave y húmeda caricia transitando desde la vulva hasta el coxis una y otra vez, rodeando el anillo de músculos del ano sin llegar jamás a tocarlo. Todas las terminaciones nerviosas de su cuerpo mandaban señales ígneas a su cerebro haciendo temblar cada centímetro de su piel.

—Súbete a la mesa —le oyó decir entre el estruendo de sus jadeos.

Álex pasó una mano por su cintura y tiró hasta incorporarla. Luka se dejó hacer, desmadejada, con sus dedos escurriéndose a lo largo del cristal hasta quedar posados en el borde.

—Échate hacia atrás y apoya tu espalda en mi pecho —ordenó él.

Luka obedeció y Álex la agarró por la cintura levantándola a pulso como si no pesara nada, a la vez que la hacía ascender, deslizándola por su pecho, con las piernas de ella colocadas a ambos lados de los muslos masculinos. Cuando Luka sintió que se le acababa el apoyo, aferró las muñecas de Álex y mantuvo el equilibrio con los brazos tensos hasta notar el cristal bajo las plantas de sus pies. Estaba de pie sobre el cristal pisable de la mesa.

—Ponte a gatas.

Luka posó las rodillas y las manos en el vidrio y levantó la mirada al percibir un movimiento frente a ella. Era su reflejo en el espejo. Se veía totalmente salvaje en esa postura. El cabello cayendo sobre sus hombros, los pezones erectos sobresaliendo entre los largos mechones y Álex tras ella, contemplándola como si fuese lo más preciado del mundo.

Lo vio pisarse las deportivas hasta quitárselas, observó los movimientos rápidos y nerviosos que hacían sus manos mientras se desabrochaba y quitaba los pantalones sin dejar de mirarla ni un momento. Vio aparecer su pene erecto, terso e inhiesto, el glande hinchado y encarnado llorando lágrimas de semen. Lo vio acariciarse con la palma toda su longitud a la vez que presionaba sobre su espalda con la mano libre, instándola a que la arqueara y elevara las nalgas, para luego abandonar el masaje de su polla ansiosa y colocar ambas manos en el interior de los muslos femeninos. Trazó un sendero desde la vulva, pasó los pulgares por el canal entre las nalgas y las separó mientras el resto de los dedos abrían la vagina.

—Se te ve exquisita desde aquí. Ojalá pudieras verte como yo lo hago.

Una de las manos abandonó su puesto para dirigir el impaciente pene a la entrada de la vagina. Una vez ubicado, empujó poderosamente, hundiéndose por completo en ella. Un gemido asomó a los labios de ambos. Álex se retiró lentamente hasta dejar el glande apoyado en la entrada y embistió de nuevo, para a continuación quedarse muy quieto dentro de ella. La asió por las caderas obligándola a balancearse sobre él, adelante y atrás, una y otra vez, haciendo que su polla entrara y saliera a un ritmo lento al principio, que luego fue incrementando la velocidad.

Álex acompañó los movimientos presionando contra ella cuando chocaban los genitales e intentando seguirla cuando se separaban. Movió una mano hacia las nalgas y recorrió con el pulgar el ano, tocando el centro del orificio con la punta del dedo, presionando rítmicamente pero sin introducirlo mientras su otra mano bajaba por el pubis hasta el clítoris, pellizcándolo y frotándolo sin piedad. La respiración de ambos se aceleró, los jadeos apenas les permitían respirar, la sangre latía con fuerza por sus venas, el calor recorría su cuerpo.

Álex sintió la vagina comprimiéndole el pene en espasmos arrítmicos y bombeó con más potencia, casi al límite de la razón. Se corrió con fuerza mientras Luka, emitiendo un jadeo que se convirtió en grito, le extrajo hasta la última gota de semen con las contracciones de su orgasmo.

Luka acabó desmadejada sobre el cristal, Álex se dejó caer hasta quedar sentado en el suelo.

Pasado un momento, Luka recuperó las fuerzas suficientes para sentarse sobre la mesa y observó a su alrededor.

—Mmm… Creo que le acabo de encontrar la utilidad a esta mesa —comentó como quien no quiere la cosa.

—Ya te lo dije —respondió Álex desde el suelo.

—Pero sigo pensando que, tal y como lo has montado, es poco práctico. —Luka bajó de un salto de la mesa.

—¿Qué? —Álex levantó la cabeza, intrigado. ¿Poco práctico? Después de lo que habían experimentado le parecía ¡poco práctico!

—Y seguimos teniendo demasiados despistes —continuó ella sin hacerle caso, de pie frente a él, mirándole con los ojos entornados, pensativa.

—¿Despistes? —¿De qué narices estaba hablando?

—A ver, primer despiste, no te has puesto condón —alzó un dedo—. Segundo despiste, no te has corrido fuera —levantó otro dedo—. Tercer despiste, se me han olvidado el primer y el segundo despiste y, al sentarme, se me ha salido todo el semen y he puesto perdido el cristal de la mesa. —Elevó el tercer dedo mientras fruncía los labios.

—Vaya.

—Exacto. Si hubiera un aseo aquí, podría lavarme en un momento, pero, como no lo hay, tengo que bajar por las escaleras desnuda y goteando entre los muslos. Por si fuera poco, tú —dijo señalando hacía el trasero desnudo de Álex—, estás sentado sobre el parqué, desnudo y sudoroso, ergo lo estás manchando sin remedio, claro que como no hay sillas no tienes la opción de sentarte en una —le sonrió con picardía—. Así que míranos —se puso en cuclillas para quedar a la altura de Álex—: aquí estamos, sucios y pringosos, sin un mal trapo con el que limpiarnos porque a ti y a tu desocupado cerebro masculino no se os ha ocurrido montar todo este tinglado abajo, cerca de un baño —dijo dándole golpecitos con el puño en la cabeza, comprobando si estaba hueca—. ¿Y ahora qué hacemos?

—Yo y mi desocupado cerebro no tenemos ni la más remota idea, por lo que esperamos que tú y tu cerebro repleto de ideas nos deis una solución —afirmó él, aún sentado en el suelo.

—Pues bien, solo se me ocurre una idea —respondió poniéndose en pie a la vez que sonreía y alzaba varias veces las cejas.

—¿Cuál?

—¡Tonto el último!

Y salió corriendo como alma que lleva el diablo en dirección a las escaleras. Álex apenas tardó un segundo en correr tras ella. Las carcajadas de los dos retumbaban en el piso vacío mientras Luka entraba a la carrera en la imponente ducha de hidromasaje con Álex pisándole los talones.

—Ah, lo siento. He llegado primero —dijo cerrándole la mampara en las narices.

—Y un cuerno.

Álex abrió la mampara, se introdujo en la ducha y aprovechó los chorros del agua en su beneficio. Iba a ser una noche muy larga y divertida.

18

Laura estaba en la cama, lamiéndole la nuca. «¡Mierda!» Se había olvidado, otra vez, de encerrar a la iguana en su terrario. Luka se movió un poco para apartarse del reptil y volvió a quedarse dormida.

«¡Leches!» Ahora era *Clara* la que subía por su muslo haciéndole cosquillas. Pateó hasta que la tortuga se alejó de su pierna y volvió a intentar dormirse.

«¡Joder!» Mira que estaban pesaditas hoy sus niñas, ahora estaban empujándole el trasero con… ¿con un pene erecto? ¡Sus tortugas no tenían de eso!

Abrió los ojos recordando de golpe dónde estaba, en la enorme y no tan inútil como pensaba cama de Álex, en el ático.

—Buenos días, princesa —susurró él en su oído.

—Mmm, buenos días —respondió Luka adormilada a la vez que se estiraba.

—Chist, no te muevas. —Álex la sujetó por la cintura, volviendo a apretar su erección de nuevo contra el trasero femenino.

—Pensaba que eran mis niñas intentando despertarme —comentó bostezando.

Estaba tumbada de lado sobre la comodísima y utilísima cama de cuatro metros cuadrados, el pecho de Álex pegado a su espalda, su cabeza sobre uno de los antebrazos masculinos y la tremenda erección alojada entre sus nalgas. Además estaban gloriosa y oportunamente desnudos.

—¿Pensabas que era uno de tus animales? —Álex sonrió a la vez que pulsaba contra ella con su pene.

—Sí. —Luka arqueó la espalda.

—Bueno, algo de animal sí tengo… —La mano que la sujetaba subió hasta los pechos y comenzó a acariciarlos perezosamente.

—Ya. Claro. ¡De semental! —Luka se rio abiertamente. Que ella recordara, era la primera vez en su vida que se reía con alguien en la cama después de pasar una noche de sexo estupendo, delirante y divertido. Mmm… También era la primera vez de esto último.

—Más bien de perrito faldero —contestó Álex riendo a la vez que jugueteaba con los pezones endurecidos de ella.

—¿De perrito faldero?

—Sí. ¿No lo notas? —dijo moviendo su polla arriba y abajo por el trasero femenino—. Te acercas y se levanta. —Se apretó más contra ella—. Le haces unas cuantas caricias y babea. —Luka notó el glande húmedo entre sus nalgas—. Y si juegas con ella —Álex apartó la mano de los pechos de la joven y la bajó para agarrarse la polla—, se mete donde sea para conseguir que seas feliz —guio el pene hasta la entrada de la vagina y la penetró—. Ves, siempre dispuesta a seguirte a cualquier lugar. En definitiva, un perrito faldero.

—Mmm… totalmente de acuerdo —gimió Luka. ¡Guau! Vaya manera de despertarse.

—¿Sabes qué? —Álex encajó el muslo entre los de Luka, abriéndolos para penetrarla más profundamente.

—¿Qué? —Ella elevó un poco la pierna y apoyó el pie en la de Álex, quedando totalmente abierta para él.

—Es la primera vez que nos despertamos juntos. —Recorrió el interior del muslo hasta posar la palma de la mano sobre los labios vaginales.

—Cierto, y es bastante… entretenido. —Luka se acarició los pezones con sus propias manos.

—Mmm… —Él le mordisqueó el cuello atento al juego de ella con sus pezones.

Álex empujaba rítmicamente contra Luka a la vez que le acariciaba el clítoris en círculos lentos y perezosos. La conversación quedó rápidamente olvidada entre jadeos y gemidos, entre manos que rozaban y caderas que empujaban indolentes. Los cuerpos de ambos se calentaron, sus nalgas y muslos se endurecieron, los temblores les recorrieron el abdomen, y los pezones se sonrojaron y endurecieron. Luka puso su mano sobre la de Álex y apretó con fuerza, instándolo a que le friccionara con más ímpetu el clítoris a la vez que la polla endurecida engrosaba su tamaño hasta llenarla completamente.

Luka sintió un orgasmo imparable estallar en su vientre, que hizo que su vagina palpitara y se estremeciera comprimiendo el pene que latía dentro. Álex no pudo soportarlo más y salió rugiendo de ella para acabar derramándose sobre las sábanas suaves y acogedoras que solo se podían comprar fácilmente por Internet.

—En fin —dijo Luka al cabo de un segundo—, me parece que nos toca bajar por enésima vez las dichosas escaleras para asearnos…

—Lo he captado —replicó él volviendo a enterrarse en ella—. Levantaré un tabique en la terraza y construiré un aseo.

—¡Qué! ¡Estás loco! —exclamó ella girándose bruscamente para arrodillarse sobre la cama y arrebatarle la almohada de debajo de la cabeza—. ¿Prefieres hacer una obra en la casa antes que bajar la cama a cualquiera de los tres dormitorios de abajo? ¡Ya te vale! —Rio golpeándole con la almohada.

—¡Ay! La cama la puedo bajar, pero nos faltarían los espejos, la mesa y el diván —explicó abrazándola.

—¡Hombres! ¡Sois la bomba! —repuso ella rodeándole el cuello con los brazos y enredándole los dedos en el cabello.

—Reconócelo, te encanta cómo he amueblado el ático. —La giró hasta dejarla tendida en la cama y le sujetó las muñecas por encima de la cabeza.

—Sí, me encanta. Pero es poco práctico —aseveró Luka.

—Pues por eso voy a construir el baño, para que sea más práctico —contestó haciéndole cosquillas.

—Eh… ¡Para! —Luka intentó escapar.

—¿Te rindes?

—¡Jamás! —Se retorció buscando liberarse pero las manos de él llegaban hasta las costillas, la planta de los pies, las axilas. Por dios, ¿cuántas manos tenía este hombre?

—Ríndete.

—Vaaaaaaleeeeeeeee —cedió entre carcajadas—. Construye tu baño… y rápido.

—A sus órdenes, mi capitán.

Álex la soltó y se escurrió por la cama hasta quedar tumbado a lo ancho de la misma, con la cabeza acomodada en la tripa de Luka.

—¿Te he dicho alguna vez que adoro estar así?

—Creo que lo comentaste ayer —respondió acariciándole el torso.

—Se me ha vuelto a olvidar… —comentó.

—Sí —asintió ella sabiendo perfectamente a qué se refería—, parece que estamos predestinados a olvidarnos una y otra vez de los preservativos.

—Lo siento.

—Mentiroso. —Le apretó los pezones. Aún le asombraba ver cómo se endurecían entre sus dedos—. No lo sientes y yo tampoco. Los dos somos responsables y a los dos se nos va la pinza cuando estamos metidos en el ajo. —Arqueó un par de veces las cejas; a buen entendedor…—. De todas maneras, tampoco pasa nada. Según los análisis estamos totalmente sanos. Así que el riesgo más peligroso queda descartado. No obstante, he pedido cita con el ginecólogo el lunes para que me recete la píldora, así no habrá más descuidos —finalizó encogiéndose de hombros.

—Ajá. ¿Y si te has quedado embarazada? —No buscaba un bebé, pero tampoco le disgustaría si venía alguno en camino, pensó Álex al sopesar la posibilidad.

—Bueno, si llega ese momento ya pensaré qué hago. —¿Un bebé? ¿Ahora? ¡Ni loca! No era el momento más oportuno, pero por otro lado… Un mocoso cariñoso y divertido con los ojos verdes de Álex…

—Ya lo pensaremos, querrás decir —advirtió él girando la cabeza y mirándola a los ojos.

—¿Te apuntas a la responsabilidad? —exclamó sorprendida.

—Por supuesto —asintió muy serio.

—¡Vaya! —Qué… inesperado. Estaba claro que Álex no se parecía en nada a cierto personaje de su pasado que siempre le hacía asumir sola las culpas y los problemas, aunque no fueran causados por ella—. De todas maneras no pienso preocuparme por ahora. Como dice el viejo proverbio chino, si tiene solución para qué te preocupas, y si no la tiene para qué preocuparse.

—Yo creía que era árabe…

—Bueno, qué más da de dónde fuera. Anda, vamos, dormilón, que tenemos que salir pitando.

—¿Qué prisa tienes?

—Son las once de la mañana, mis niñas llevan solas toda la noche, me echarán de menos.

—¿No será al contrario? —propuso Álex, remiso a separarse de la blanda tripita en que reposaba.

—Vamos, perezoso. ¿Qué más da quién eche de menos a quién? La cuestión es que tenemos que ducharnos e irnos a mi…

—¿Tenemos? ¿Irnos? ¡¿Qué demonios estaba diciendo!? Él no tenía por qué acompañarla a su casa ni nada por el estilo. No eran pareja… solo estaban dando tiempo al tiempo, nada más—. Pues eso, que me tengo que duchar e irme a casa a probarme ropa —rectificó quitándoselo de encima y saliendo de la cama para dirigirse a la escalera.

—Espera. —Álex saltó de la cama como alma que lleva el diablo y la agarró por la muñeca—. ¿Qué ha pasado con el «nosotros»? —preguntó abrazándola por la espalda, intuyendo un distanciamiento que no le hacía ninguna gracia—. ¿No te apetece más una ducha en común, un buen desayuno de… lo que quiera que haya en la nevera y luego un paseo hasta tu casa?

—Suena bien —contestó ella con una luminosa sonrisa en la cara.

—Pues pongámonos en marcha.

Se ducharon (además de otras cosas), desayunaron en el Lancelot (la nevera estaba vacía) y regresaron a casa de Luka. Mientras esta se probaba mil y un vestidos, Álex jugaba con las tortugas y la iguana, a la vez que cantaba alabanzas al pase de modelos del que era valeroso espectador. Luka acabó decidiéndose por un ajustadísimo y cortísimo vestido negro con un escote de vértigo, adornado por el precioso collar de cristales de Swarovski. Los zapatos de charol de tacón kilométrico y el pelo suelto y liso completaban su belleza.

Comieron en el turco, Álex era incapaz de comer en un chino sin recordar a las tortugas comiendo los puñeteros gusanos con los palillos. Después pasaron por sus casas a vestirse y recogieron a Mar y a su abuela.

Álex se sorprendió ante la mirada cauta y sabia que le dedicó la niña. La saludó con un «Hola, colega» y ella le contestó con un muy correcto «Buenas tardes». Ganársela para su causa iba a ser más complicado de lo que había pensado. Una vez montados en el coche, el Carnival de Álex, ya que en el Clio de Luka no hubieran cabido —Álex y sus piernas lo veían muy complicado—, iniciaron el viaje hacia la exposición.

Álex bromeó con las mujeres mientras conducía y Luka, gracias a Dios, inventó varias de esas bromas retorcidas, tan típicas de ella, para fastidiar a Dani, fomentando el buen humor y las risas de Mar. Irene sonreía complacida mientras veía a su nieta inventar travesuras a diestro y siniestro junto a la pareja.

El trayecto transcurrió en un suspiro y cuando se quisieron dar cuenta estaban aparcando cerca de la galería que exponía los cuadros de los «niños» de Ruth.

Allí estaban todos, Pili y Javi agarrados de la mano charlando con Ruth; Dani mostrando el montaje a Luis; los dueños de la galería alabando el buen hacer de los que habían montado el tinglado… Todo iba como la seda, aunque curiosamente Dani parecía evitar en todo lo posible estar cerca de Álex, y mucho menos permanecer a solas con él. A todos extrañó su conducta, menos a Luka y a Mar, que lo observaban ladinas y reían burlonas cada vez que lo miraban a la cara… Y eso fue lo que puso sobre la pista a Dani de la travesura que se estaba gestando a sus espaldas.

Luka y Álex se iban a enterar y, si no, tiempo al tiempo.

Cuando se abrieron las puertas a las seis de la tarde el ambiente era distendido y todo el mundo tenía una única cosa en la cabeza: vender todos los cuadros posibles y obtener el mayor beneficio para los ancianos con las ventas.

El público comenzó a fluir por la sala, deteniéndose aquí y allá para preguntar el precio de un lienzo o comentar el delicado trabajo hecho por los inexpertos pintores. Poco a poco se fueron colocando en los cuadros las etiquetas de «vendido». Los amigos caminaban por la estancia charlando con los posibles clientes y convenciendo a aquellos que estuvieran dudosos.

Eran cerca de las ocho de la tarde cuando un frenético y excitado Dani se dirigió hacia el grupo de amigos.

—Ruth, no te lo vas a creer. Alguien está interesado en comprar tres cuadros. Tienes que venir y ayudarme a convencerlo. Me ha preguntado por el cerebro de todo esto, ¡y esa eres tú!, y me está preguntando por la labor social del centro, y yo no sé explicarle cómo va la cosa, ni lo que hacéis ni cómo vais a montar el viaje. Ya sabes que cuando se trata de hablar en serio no se me da nada bien. Vamos, no vaya a ser que se vaya, date prisa, ven, a qué esperas… ¡Tres de golpe! ¡Dios! Va a ser todo un éxito. Vamos, no te retrases.

—Voy, voy.

Ruth acompañó risueña al nervioso Dani, seguida muy de cerca por los demás. A todos les comía la curiosidad por ver quién iba a comprar tantos cuadros de una sola tacada. Se detuvieron ante una espalda impecablemente cubierta con un traje a medida, en el que resaltaba una coleta de pelo rubio y liso larga hasta la cintura. Dani se acercó a esa espalda tirando de la muñeca de Ruth.

—Ruth, quiero presentarte al señor Sierra.

La espalda se giró al oír su nombre; pertenecía a un tipo altísimo, un hombre joven de alrededor de treinta años con una cara que los mismísimos ángeles habrían envidiado, unos ojos azules que parecían penetrar en los pensamientos de los demás y un cuerpo que superaba con creces en belleza al *David* de Miguel Ángel. Miró a Ruth de arriba abajo y sonrió.

—Ruth *Avestruz*. Encantado de verte de nuevo —saludó él alzando una ceja, burlándose de ella.

—Marcos *Cara de Asco*… Qué placer más repugnante —respondió Ruth sin pensárselo dos veces.

—Tú eres… ¡¿Marcos?! —intervino Luka alucinando.

—Sí y tú eres… —Él entornó los ojos, recordando—. Luka *la Loca*, ¿verdad?

—Mira qué gracioso. Si su asquerosidad me disculpa, me temo que el aire se ha tornado irrespirable, así que con gran placer me retiro de su presencia. Vámonos, Ruth, que aquí apesta —dijo Luka empujando sin querer a un Álex flipado que no atinaba a decir palabra y chocando contra Pili, que estaba justo detrás, distraída como de costumbre.

—Ey, cuidado, Luka. —En ese momento cayó en la cuenta de que había alguien nuevo con ellos—. Hola, soy Pili.

—¿Pili *la Repipi*? Increíble, veo que seguís siendo las tres mosconas inseparables —comentó Marcos irónico—. Solo falta Javi *el Dandi*.

—¿Algún problema? —preguntó Javi en ese tono de voz, bajo y amenazador que usaba cuando estaba algo más que ligeramente irritado. Hacía años que los dos examigos no se veían y Javi había cambiado muchísimo desde la EGB. Ahora medía casi dos metros de altura y metro y medio de espaldas y, sobre todo, tenía una memoria prodigiosa.

—Me lo tendría que haber imaginado… está el grupito al completo —respondió Marcos sin amilanarse ante Javi. Él también había cambiado, también era grande, y también tenía buena memoria, aunque en esos momentos toda su animadversión se centraba en Ruth. No entendía el porqué de la mirada amenazante de Javi, al fin y al cabo llevaban sin verse muchos años.

—El aire es cada vez más irrespirable, me largo —declaró Luka llevándose a Ruth con ella.

Se dio la vuelta y se fue dando grandes zancadas hacia la otra punta de la exposición a la vez que abrazaba a Ruth por los hombros. Pili no se lo pensó dos veces y con una mueca de asco se giró y salió tras ellas, poniéndose al lado de Ruth, quedando esta en medio de sus dos mejores amigas. Álex y Dani se miraron y luego dirigieron la mirada a Javi, que seguía observando fijamente al tipo nuevo, con un gesto que no dejaba nada a la imaginación. Quería golpearle, machacarle las costillas y escupirle en la cara.

Javi podía olvidar muchas cosas, pero ver a Ruth llorando en una cama del hospital era una de esas imágenes que jamás podría borrar de su cerebro.

—Vamos, Javi, que se nos escapan las chicas —le dijo Dani haciendo señas hacia las amigas, que en esos momentos estaban en el otro extremo de la galería.

Javi no dijo ni pío, se giró y se marchó. Dani y Álex se miraron encogiéndose de hombros. ¿Qué coño había pasado?

La exposición terminó poco tiempo después. El público despejó lentamente la sala hasta que solo se quedaron allí el grupo de amigos y los dueños. Había sido un éxito. Si seguían a ese ritmo, el domingo se venderían los cuadros que aún quedaban. Ruth y Dani prometieron regresar al día siguiente para reordenarlo todo.

Y

Cuando por fin dejaron a Irene y Mar en su casa era casi la una de la madrugada y la niña bostezaba sonoramente mientras entraba en el portal. Luka sonrió satisfecha, el día siguiente era el cuarto domingo del mes y vería a su ahijada a solas. Estaba deseando hablar con ella, de la expo, de Álex, de todo en general.

—Bueno, pues ya está. Estarás contenta, se han cumplido con creces las expectativas —comentó Álex conduciendo el coche.

—¡Ha sido magnífico! ¿Te lo puedes creer? —gritó ella entusiasmada, dando palmas.

—Sí que lo ha sido. Y… ¿qué mosca os ha picado con ese tal Marcos?

—¿Marcos *Cara de Asco*? Bah, es un gilipollas que conocimos en el colegio —le restó importancia Luka.

—¿Y desde entonces os profesáis tal odio? Porque, caray, pensé que Javi iba a liarse a puñetazos con él.

—Lástima que no lo hiciese.

—¡Luka! No conocía esta faceta tuya tan… agresiva.

—Son historias pasadas —contestó para luego zafarse con otro tema—. ¿Vamos a mi casa?

—¿No prefieres pasar la noche en mi megacama?

—Mmm… Tengo que alimentar a mis niñas y mañana salgo temprano para desayunar con Mar.

—Cierto, es cuarto domingo de mes… Entonces no se hable más, a tu casa directos, aprovecharemos hasta el último segundo.

Domingo 23 de noviembre de 2008

*E*ra pasado el mediodía cuando Luka apareció en casa de Irene. Se le habían pegado las sábanas pero, como comprobó al ver a Mar en pijama, no había sido la única en quedarse dormida. Irene le ofreció un café y ambas mujeres se sentaron alrededor de la mesa de la cocina para saborear sus respectivas tazas y, sobre todo, para comentar el día anterior.

Irene estaba encantada con la velada; se había sentido muy a gusto con los amigos de Luka, especialmente con Álex. «Parece un muchacho muy agradable y atento», comentó como quien no quiere la cosa. «Tiene pinta de persona honrada y trabajadora», apuntó; no fuera a ser que Luka no lo hubiera notado. «Ha estado muy pendiente de ti toda la noche, sin separarse de tu lado y atendiendo todas tus necesidades», aseveró apretando con una mano el brazo de Luka, como indicando que no fuera tonta. Luka se mordió el labio, pensativa; ¿qué necesidades?

A veces Irene le recordaba a su abuela, midiendo a las personas por un rasero práctico e intuitivo que, por desgracia, hoy en día estaba pasado de moda. A la anciana le daba igual que Álex fuera guapo o feo, que estuviera forrado o fuera más pobre que las ratas; lo que le importaba eran todas esas cualidades que no se veían a simple vista y que con tanto disimulo había descrito.

Para cuando Mar entró en la cocina, Luka estaba casi a punto de creerse una princesa de cuento de hadas pretendida por el maravilloso príncipe azul… ¡Por favor! Dando gracias al cielo por la interrupción de la campaña «Tomen a Álex por marido» emprendida por Irene, cogió su bolso, besó a la abuela en las mejillas y, tomando de la mano a Mar, salió de la cocina.

Una vez abajo se montaron en el coche en dirección al centro comercial Tres Aguas. Durante el trayecto comentaron las clases de Mar y sus exámenes, intentando en interés de la seguridad vial no tocar temas complicados hasta aparcar en el *parking*.

—A la abuela le ha caído muy bien Álex —comentó Mar al bajar del coche.

—Y a ti… ¿te cae bien?

—Mal no me cae —musitó estirándose el jersey.

—Vaya. Ni sí ni no, ni blanco ni negro. —Luka miró a su ahijada dándole a entender que tendría que concretar más esa respuesta.

—¿Vas a ir a vivir con él? —Se zafó la niña.

—Qué va, ni siquiera me lo he planteado.

—¿Y si te fueras a vivir con él… seguiríamos viéndonos nuestros dos domingos?

—Si me fuera a vivir con él, que no es el caso, sí, seguiríamos pasando los domingos juntas. Eso, querida, a no ser que te fugaras a la luna, nadie podrá evitarlo —aseveró Luka rotunda.

—¿Segura? —Mar jamás pedía promesas, sabía de sobra que eran fáciles de hacer y fáciles de romper.

—Segurísima. De hecho, si te escaparas a la luna, robaría un cohete espacial e iría a buscarte —sentenció Luka frotando su nariz contra la de Mar en un beso de gnomos.

—¿Hasta el infinito y más allá? —Sonrió Mar confiando plenamente en las palabras de Luka.

—Torciendo en la segunda estrella a la derecha y luego todo recto hasta el amanecer.

—¡Hasta llegar al país de Nunca Jamás! —acabó Mar, que estaba convirtiéndose en una friki del cine igual que su tía Luka.

Pasearon durante toda la mañana, comieron en un italiano y devoraron un paquete enorme de palomitas en el cine. Al salir volvieron a recorrer el centro comercial. Miraron escaparates y comentaron la ropa que se comprarían cuando les tocara la lotería, porque una cosa era segura, les iba a tocar… aunque no jugaran nunca.

A veces Mar enmudecía delante de algún escaparate y miraba fijamente el reflejo de Luka en el cristal, como si quisiera aprenderse sus rasgos de memoria. En otras aprovechaba la interacción del público para abordar preguntas que no se atrevía a formular directamente…

—Mira esa pareja, parecen enfadados —comentó la niña señalando a dos personas que discutían a gritos frente a una tienda.

—Están dando el espectáculo, tú no les hagas ni caso.

—¿Álex te ha levantado la voz alguna vez? —preguntó mirándola atentamente.

—No, cariño. Jamás.

—Ajá —aceptó Mar poco convencida. Su experiencia le decía que todo era de color rosa hasta que se volvía marrón mierda.

—Prueben este sillón de masaje anatómico, jamás se sentirán más cómodas y relajadas. Ahora está de oferta por el módico precio de…

Dejaron atrás al hombre que vendía su mercancía a la puerta de una tienda.

—¡Vaya! —exclamó Luka—, sí que tiene que estar mal la cosa si los vendedores llaman a los clientes desde la puerta.

—Al fin y al cabo es su trabajo —contestó Mar encogiéndose de hombros—. ¿Álex trabaja?

—Sí, en una empresa familiar de venta de componentes eléctricos.

—¿Es el dueño de su empresa? —indagó Mar recelosa.

—No, creo que pertenece a sus padres.

—O sea, que es el hijo del jefe —afirmó expresando sin palabras su convicción de que eso ni era trabajar ni era nada.

—Sí, pero ahora que está en Madrid va a dirigir la empresa él solito y tendrá que hacerlo bien. Si no, todo se irá al garete —advirtió Luka.

—Ya veremos… —dudó Mar sin dar su brazo a torcer.

Continuaron caminando en silencio, hasta que la sed les hizo detenerse frente a una cafetería para tomar unos refrescos.

—Espera a que nos limpien la mesa antes de sentarnos a tomar algo —indicó Luka al comprobar que la única mesa libre estaba llena de botellas y vasos.

—¿Álex bebe? —aprovechó para preguntar Mar.

—Alguna cerveza que otra, igual que yo.

—¿Alguna muy a menudo o alguna poco a menudo?

—Más bien poco, solo le he visto tomar una o dos cervezas desde que le conozco.

—Le conoces desde hace poco tiempo. —No era una pregunta.

—Relativamente poco, sí, pero… seamos francas, Mar, ¿cuánto tiempo necesitaste para saber cómo era el Huesos realmente? —atacó Luka acariciándole la espalda, confortándola. Entendía los miedos de la niña, pero no iba a permitir que los extrapolara a Álex.

—En apenas media hora supe que era el mayor cabrón del mundo —bufó la pequeña. Odiaba al Huesos con toda su alma.

—¿Y crees que Álex podría llegar algún día a ser como él?

—En principio no, pero la vida da muchas vueltas.

—Sí, mi cielo. Pero por mucho que cambie todo, Álex no será una mala persona. Lo sabes, ¿verdad?

—Eso espero.

Eran cerca de las ocho de la noche cuando Luka indicó que era hora de ir a por la *pizza* ritual y acabar la tarde en casa. Estaban a veintidós de noviembre y para Luka eso significaba apriétate el cinturón que ya estás a fin de mes. Imposible hacer nada más sin pedir un préstamo al banco. Eso sí, con una pistola y una máscara, que los bancos no eran tontos y no daban un duro a los pobres.

Comieron la *pizza* en casa de Irene, le contaron cómo había ido el día y, hacia las diez de la noche, Luka se despidió de sus amigas con varios besos y muchos abrazos. Estaba abriendo la puerta del ascensor cuando sintió a Mar a su espalda. Se giró para preguntarle qué pasaba, pero no le dio tiempo a decir nada.

—Luka, sobre la pregunta que me hiciste…

—¿Qué pregunta, mi niña? —Habían hablado tanto que no sabía a qué se refería exactamente.

—Si me caía bien Álex.

—Ah, ya recuerdo. Bueno, mal no te cae, ¿no? —recordó sonriendo.

—En realidad me cayó muy bien… Me pareció simpático y sincero, pero… ten cuidado, no te fíes. —Y diciendo esto regresó a su casa corriendo sin dar tiempo a Luka a contestar.

20

Lunes 24 de noviembre de 2008

De: R2D2
Para: C3PO; Pasodestarwars
Asunto: El mundo es un pañuelo y está lleno de mocos.
Hay que fastidiarse, no podía estar en otro sitio ese malnacido que en nuestra exposición. ¡Manda huevos!
¿Te ha contado Dani que al final se vendieron el resto de los cuadros el domingo?
«El que da asco» compró los tres que dijo, parece que tiene un poco de «palabra». ¡Ja! ¡Voy yo y me lo creo!
¿Qué tal con Mar el domingo?
¿Y con Álex? Parecía muy cariñoso en la expo... Cuenta, cuenta.
Besitos intrigados,
Pili.

De: C3PO
Para: R2D2; Pasodestarwars
Asunto: Veni, vidi, vinci.
Dani me lo ha contado esta mañana en el curro. ¡Todos, tía; todos! No me lo puedo creer. ¡Somos la bomba!
Por cierto, también me ha comentado que los cuadros que compró «el asqueroso» tenían algo en común: salía Ruth en ellos. ¿Para qué los querrá?
Con Mar genial, me ha dicho que Álex no le cae mal...
Y con Álex... bien. Pasamos la noche en mi casa, parece que se va llevando mejor con mis niñas...

1 besote feliz,
Luka.

De: R2D2
Para: C3PO; Pasodestarwars
Asunto: Pasamos la noche en casa…?????

A ver, reina mora… a mí qué más me da cómo se lleve con tus niñas, lo que me importa es qué hicisteis en tu casa. Por la noche. Álex y tú. Solitos.

Con respecto a los cuadros, fijo que «el asqueroso» los quiere para jugar a los dardos con ellos… grrrrr.

Besitos suspicaces,
Pili.

Miércoles 3 de diciembre de 2008

De: R2D2
Para: C3PO; Pasodestarwars
Asunto: Necesito respuestas.

¿Qué tal el fin de semana con Álex? ¿Al final acabasteis en su casa o en la tuya…?

¿Te ha vuelto a convencer para comer el miércoles? ¿O al final no te has dejado?

Besitos curiosos,
Pili.

De: C3PO
Para: R2D2; Pasodestarwars
Asunto: ¿Necesitas respuestas? Que alguien me lo explique…

El fin de semana bien. Acabamos durmiendo y desayunando en su casa y comiendo en la mía.

Y tía… lo mío no tiene excusa, no solo he ido a comer hoy con él, sino que mañana también hemos quedado en la cafetería.

Gabriel está que rabia porque no estoy a mediodía en la oficina. Y asegura que de tanto comer en la cafetería me voy a poner como una vaca. Pero lo que le fastidia es que me tomo mis dos horas en vez de estar currando gratis. ¡Que se joda!

1 besote,
Luka.

De: Pasodestarwars
Para: R2D2; C3PO
Asunto: Que alguien me lo explique: han hecho una apuesta.

Pili quiere saberlo porque apostó con Javi que si tú te quedabas en casa de Álex ella fregaba los platos.

Un abrazo,

Ruth.

De: R2D2
Para: C3PO; Pasodestarwars
Asunto: ¡Ya te vale, chivata!

Joer, Luka, ya te vale, me va a tocar fregar toda la santa semana... ¡No decías que de dormir en casa de Álex nada de nada! Me has fallado vilmente, esta me las pagas. ¡Este viernes vas a fregar tú!

Mira que eres débil... Se te planta un tío por delante y zas... a hacer perder apuestas a tu mejor amiga. A todo esto... dormir y desayunar en casa de Álex, comer en la tuya... ¿y las cenas? ¿Qué pasa con las cenas? ¿Cenáis en casa u os cenáis a vosotros mismos? Cuenta, cuenta. Ruth, ¡eres una bocazas!

No hay besitos.

Pili.

De: Pasodestarwars
Para: R2D2; C3PO
Asunto: Me debes una cena...

Pili, querida, no te enfades conmigo. Ya te avisé cuando hiciste la apuesta con Javi que llevabas las de perder, pero, como siempre, no me hiciste caso. Ahora no vengas llorando.

Si hubieras tenido un mínimo de sentido común habrías notado que Álex es un hombre con muchos y variados recursos, recursos que, todo sea dicho, hacen tilín a nuestra querida amiga Luka...

El sábado por la noche me acercaré a tu casa a degustar la cena especial que me debes... y no digas que no te lo advertí.

Luka, para tu información, Pili apostó conmigo a que tampoco comerías con Álex entre semana... La capacidad de observación de nuestra amiga está llegando a sus límites más bajos. (Si es que alguna vez tuvo de eso, capacidad de observación, me refiero.)

Un abrazo,

Ruth.

De: C3PO
Para: R2D2; Pasodestarwars
Asunto: Os voy a matar.
Lentamente, con alevosía y a conciencia…
¿Cómo se os ocurre apostar a mis expensas?
Pili, el viernes quiero una comida especial igual que la cena de Ruth del sábado. Y… No voy a fregar los platos.
He dicho.
Luka.

Miércoles 10 de diciembre de 2008

De: R2D2
Para: C3PO; Pasodestarwars
Asunto: Dime que sí has pasado el puente en casa de Álex.
¿Qué tal el puente? ¿Lo has pasado con Álex?
¿Sigues quedando para comer con él?
Besitos,
Pili.

De: C3PO
Para: R2D2; Pasodestarwars
Asunto: ¿Qué has apostado ahora?
Sí. He pasado el puente entero con Álex… De hecho (y aún no me lo puedo creer), estuvimos en su casa desde el viernes por la noche hasta el martes por la mañana. Luego nos fuimos a currar… y hemos comido juntos, ayer y hoy. De verdad, no sé qué mosca me ha picado… Con lo a gusto que estoy solita en mi casa, no sé por qué narices tengo que estar siempre en la suya… ay, señor.
1 besote desquiciado,
Luka.

De: R2D2
Para: C3PO; Pasodestarwars
Asunto: All You Need Is Love.
Luka, preciosa, no te preguntes qué te pasa… solo siéntelo.
Besitos enamorados,
Pili.

De: Pasodestarwars
Para: R2D2; C3PO
Asunto: ¿Y a Pili qué le pasa?

¿Le ha dado una vena romántica? A ver... ¿cuántas novelas has leído esta semana, Pili? Porque el mensaje anterior no es normal. Por favor, dentro de poco hablarás de príncipes azules y castillos encantados...

Luka, Pili apostó contra sí misma a que pasabas el puente con Álex... y apostó contra sí misma, porque ni Javi ni Dani ni yo estábamos dispuestos a apostar a que no lo ibas a hacer... Por tanto, la única persona sin sentido común que encontró para hacer dicha apuesta fue... Sí... ¡Ella misma!

Me tienes que dar la razón, Pili ha perdido un tornillo (o varios).

Un abrazo sereno,

Ruth.

Lunes 15 de diciembre de 2008

Álex oyó el despertador, se dio la vuelta y se cubrió los oídos con la almohada. El puñetero trasto cada día sonaba antes. Sintió moverse la cama y contó para sí: uno, dos, tres... Alguien le quitó la almohada con la que se cubría la cabeza y le susurró al oído.

—Vamos, dormilón, que ya es la hora.

Se giró y miró a su despertador particular. Ahí estaba ella, radiante e infatigable. Se maravilló nuevamente de encontrarla a su lado. Hacía poco más de quince días que había sucedido el milagro: Luka pasaba todos los fines de semana en su casa, desde el viernes hasta el lunes por la mañana, o más bien debería apuntar que pasaba las noches en su casa, ya que durante el día acudía, ambos acudían, a cuidar de los bichos. El fin de semana no le importaba en absoluto, pero el lunes le hacía polvo, ya que Luka no se quedaba tranquila yendo a trabajar sin haber pasado antes a alimentar y jugar con sus niñas, lo que se traducía en que debían despertarse una hora antes de lo necesario.

Se estiró perezoso mientras la veía vestirse a toda prisa y bajar la escalera hacia el baño. Suspiró, se imponía hacer algo con eso. Urgentemente.

Cuando por fin llegaron al trabajo, eran exactamente las nueve y Dani estaba en la verja de entrada. Luka sonrió y dio instrucciones a Álex, aún no habían llevado la venganza a término... Álex intentó hacerle entender que, desde la exposición, Dani no solo no se azoraba antes sus envites sino que se los devolvía con creces. Pero ella, como siempre, no le hizo ni caso; se lo estaba pasando demasiado bien con el juego. De hecho, esa misma mañana había dejado en el maletero del coche la escopeta con el corcho que compró en el chino... Aún no le había explicado qué pensaba hacer con ella y, todo sea dicho, a él casi le daba miedo preguntar para qué la iba a utilizar.

—Justo a tiempo —suspiró Dani según bajaron del coche—. Me he dejado las llaves en casa.

—¿Y cuándo no? —indicó Luka, dejando claro que su amigo las olvidaba día sí día también.

Abrió la puerta y entró en la nave, dejando solos a los dos hombres para que hablaran de sus cosas.

—En fin —resopló Álex cuando Luka desapareció en la nave—. ¿Qué te parece si nos dejamos de chorradas?

—¿A qué te refieres? —inquirió Dani indiferente.

—A que tú lo sabes, yo lo sé y, aunque Luka se empeñe en seguir el juego, yo ya estoy un poco harto.

—Lástima, me estaba divirtiendo mucho, cielo —contestó Dani pasándole un brazo sobre el hombro a Álex para luego besarle la mejilla con una sonrisa divertida.

—Me lo imagino, querido, pero, después de un mes de susurrarte «cariñín» al oído, se me está volviendo la lengua estropajo —replicó Álex agarrando a Dani por la cintura.

—Ay, no me lo puedo creer; no lo sentías de verdad cuando me lo decías. Y yo haciéndome ilusiones. ¡Que decepción! —repuso Dani de forma amanerada y caricaturesca.

—«Siempre nos quedará París» —terminó Álex poniendo morritos.

—Pudiera decirse —comentó Dani palmeándole la espalda— «que este es el comienzo de una gran amistad».

—¿Cómo te enteraste de nuestra jugada? —le interrogó Álex entre risas.

—Me lo empecé a imaginar al ver que Mar, durante la exposición, se reía de mí cada vez que me miraba.

—¡Lo sabía! Nunca debimos contárselo. —Álex chasqueó la lengua. Si no llega a ser por eso, fijo que te hubiéramos tomado el pelo durante algunos meses más…

—¡Ni lo sueñes! Con la cara que ponías cada vez que nos quedábamos a solas y me susurrabas cosas al oído, no hubiera durado el juego ni dos días más.

—¿Qué cara ponía? —Que él supiera, había desempeñado muy bien su papel.

—La cara de alguien obligado a comerse un pomelo sin añadir una gota de azúcar.

—¡¿En serio?! —exclamó Álex torciendo la boca, frunciendo el ceño y achinando los ojos en una expresión muy parecida a la que ponía al insinuarse a Dani.

Mientras los dos amigos, antes supuestos enamorados, se carcajeaban hasta llorar, Luka atendía el teléfono. Como siempre a primera hora, todo el mundo llamaba justo cuando ella tenía a medio encender el ordenador y sin colocar los papeles de la mesa. Atendió un par de presupuestos y respondió algunos correos de clientes. Poco después el teléfono sonó de nuevo, vio en el marcador de llamadas que era un número conocido, el de Irene, y contestó intrigada, ya que esta jamás la llamaba al trabajo.

—Dime, Irene. ¿Ha pasado algo? ¡Mierda! Será hija de puta. ¡Joder! No, no llames a nadie todavía. Déjame ir a verla y hablar con ella. Sí. Tendré cuidado. No te preocupes, verás como al final se lo replantea. La haré cambiar de idea, te lo juro. No te preocupes, voy para allá.

Álex y Dani seguían haciendo el tonto en la verja cuando vieron llegar a Gabriel con su peluquín mal colocado y su barriga bamboleante. Pusieron cara seria y se despidieron antes de que el jefazo montara el pollo por ver a Dani fuera de su puesto de trabajo. En ese momento apareció Luka por la puerta, sin chaqueta, con las manos que agarraban el asa del bolso tan apretadas que tenía los nudillos blancos, la cara pálida, y la mirada perdida y enfadada a la vez.

—Me largo —gritó al pasar ante ellos.

—¿Adónde crees que vas, Luka? No son ni las nueve y cuarto, no puedes irte —la amonestó Gabriel señalándola con un dedo y agitando la cabeza con el peluquín al viento.

—¿Apuestas algo? —repuso ella buscando su Clio que por supuesto no estaba, pues había venido en el Carnival de su chico—. ¡Mierda! Álex, déjame las llaves del coche.

—Mejor te llevo yo —repuso él, receloso ante los ademanes bruscos de Luka.

—¡A mí no me hables así! —vociferó Gabriel exasperado—. ¡Si se te ocurre marcharte, date por despedida! Hasta ahí podíamos llegar.

—Gabriel, me voy —replicó ella lanzándole una mirada que lo dejó clavado en el sitio—. Vámonos, Álex.

—¿Adónde vamos? —preguntó este subiéndose en el coche y arrancándolo.

—Cerca de la calle Huertas, yo te guío.

—¿Qué ha pasado?

—Nada. Tú solo llévame, no me preguntes, por favor.

Álex guardó silencio consciente de que Luka necesitaba unos momentos para serenarse.

Ella le fue indicando la dirección con palabras que medio escupía. Sus manos tamborileaban sobre el bolso que tenía en las rodillas y tenía la mirada fija al frente, viendo sin ver. De vez en cuando dejaba escapar algún exabrupto y cerraba los puños, para luego volver a abrirlos y seguir golpeando el bolso.

Al llegar frente a un portal, Luka le indicó que se detuviera.

—Es aquí. Para un momento en doble fila que me bajo.

—Espera un segundo.

—Luego hablamos, «vale» —le despidió agarrando la manija de la puerta.

—No. Hablamos ahora —la contradijo él sin parar ni reducir la velocidad del coche—. ¿Qué ha pasado?

—Para aquí.

—¿Qué ha pasado? —Álex continuó conduciendo, ignorando su orden.

—Nada que te incumba. Para de una vez, tengo prisa.

—Cuéntame qué ha pasado o te juro por lo más sagrado que no paro.

—Me tiro en marcha —amenazó ella.

—Ni lo pienses. —Álex pulsó el botón de cierre automático de las puertas, impidiéndole abrirlas desde dentro—. ¿Qué ha pasado?

—Me ha llamado Irene. No pasa nada, solo que Enar ha ido a ver a Mar.

—Y una mierda. —Álex encontró un sitio libre y aparcó, pero no pulsó el botón que permitía abrir las puertas—. ¿Qué ha pasado realmente?

—Ya te lo he dicho.

—Hay algo más. —No era una pregunta. Sujetó las manos de Luka entre las suyas, dándole apoyo y a la vez presionándola—. Dímelo, puedes contar conmigo. Lo sabes.

—Mierda. —Luka volvió la cara hacia la ventanilla, intentando calmarse y evitando su mirada—. Enar ha ido a ver a Mar a la entrada del colegio, ha cogido a la niña y se la ha llevado.

—¿Para qué? Creía que a su madre le traía sin cuidado la suerte de Mar.

—Le ha pedido a Irene dinero a cambio de Mar.

—¡Dios! —La miró suspicaz y asustado a la vez—. ¿Qué pretendes hacer?

—Ir a ver a Enar y hacerla entrar en razón —contestó ella tranquilamente.

—¿Y crees que te va a hacer caso? —Entre lo poco que había leído sobre Enar en el diario y lo mucho que intuía al haber tratado a Mar, Álex no se fiaba de esa mujer ni un pelo—. ¡No me jodas!

—Voy a intentarlo y, si no lo consigo, llamaré a la policía y que esta se ocupe. Irene tiene la custodia legal y Enar no puede hacer nada contra eso, pero antes de llegar hasta ese extremo voy a intentar hablar con ella. —Se mordió nerviosa los labios—. Quiero evitar a Mar el trago de que tenga que ir la policía a sacarla de casa de su madre.

—Está bien. Vamos.

—No. Voy yo sola, tú vete a hacer lo que tengas que hacer. Esto es cosa mía.

—Te acompaño —aseveró Álex por toda respuesta.

Luka lo miró un segundo antes de asentir. Tenía prisa, no quería discutir y sobre todo confiaba en él. La tranquilizaba sentir su presencia en ese trance, por no hablar de tener las espaldas cubiertas cuando entrara en casa de Enar.

No sabía lo que se iba a encontrar y rezaba ardientemente por que no estuviera el Huesos.

—Vale, pero no digas ni hagas nada. Conozco a mi amiga y sé más o menos llevarla.

—Perfecto. Seré una tumba. —No pensaba hablar, pero que Enar tuviera mucho cuidado con meterse con sus chicas, porque entonces actuaría… ¡Y de qué manera!

Álex echó un vistazo al barrio en que se encontraban, estaba en la zona centro de Alcorcón y era como cualquier barrio antiguo de cualquier ciudad, con casas bajas, calles estrechas y aceras diminutas. Luka le guio a través de un par de callejuelas hasta un portal de aspecto viejo. La cerradura de la puerta estaba rota y entraron sin problemas. Era un edificio antiguo, sin ascensor. El interior, oscuro, con suelos de terrazo y dos puertas enfrentadas en cada vestíbulo, se parecía a la cueva del lobo de los cuentos infantiles. En cada planta, dos pequeñas ventanas situadas en el remanso de las escaleras aportaban algo de luz. Subieron hasta llegar al tercer piso y, cuando Luka pulsó el timbre, un guirigay de ladridos histéricos les dio la bienvenida.

—Espero que me oiga con tanto escándalo —comentó enfadada un segundo antes de que la puerta se abriera.

—¿Quién coño está dando por culo? —gritó Enar dando traspiés entre los perros que la rodeaban.

La mujer que abrió la puerta debía rondar los treinta años, pero aparentaba veinte más. El pelo teñido de color rubio pollo con unos cinco o seis centímetros de raíz oscura le llegaba por debajo de los hombros. Los ojos, que en algún momento fueron enormes y seductores, aparecían ahora llenos de arrugas, y enormes bolsas oscuras colgaban bajo ellos. La cara estaba hinchada hasta parecer casi grotesca. Los labios, antaño con forma de piñón, se veían encogidos en una mueca eterna. Medía más o menos metro sesenta, pero los hombros caídos la hacían parecer mucho más baja. Vestía una camiseta sin mangas, manchada y arrugada, que le caía por el frente hasta casi enseñar los pezones y unos *leggings* desgastados y rotos por las rodillas. Brazos y piernas se veían escuálidos, casi raquíticos, mientras que la barriga asomaba inmensa e hinchada por debajo de la ropa.

Sus ojos envejecidos intentaron enfocar durante algunos segundos el rostro de Luka hasta que su cerebro se dio por aludido y recordó.

—Hostia, Luka. Pasa, tía —dijo abriendo la puerta de par en par.

—Hola, Enar.

—¿Vienes a por Mar? —le preguntó con voz gangosa y suspicaz—. ¿Te ha dado pasta la vieja? Porque, si no, te tomas unas birritas y luego puerta, que tengo mucho que hacer. *Cago´entó*, puto chucho de mierda, quita de en medio —apartó de una patada a uno de los muchos perros que ladraban escandalosos—. Puñeteros bichos, el Huesos se empeña en tenerlos en casa, menuda mierda.

—¿Dónde está Mar? —investigó Luka ignorando la charla insustancial de su antigua amiga.

—Por ahí. —Enar señaló un pasillo mientras se metía en la cochambrosa cocina y abría una nevera que, a juzgar por el olor, no había sido limpiada en años.

Luka caminó impávida hasta el umbral de una puerta que ya no estaba. Álex siguió sus pasos a poca distancia, sin poder evitar la mueca de asco que asomaba a su cara. La casa estaba tan sucia, que, en comparación, el palo de un gallinero parecería limpio. Las ventanas apenas si dejaban pasar la luz del sol con tanta mugre como tenían y de las esquinas de las paredes colgaban telarañas polvorientas… Ni la mansión de un fantasma tenía tanto polvo junto. Al atravesar el umbral desangelado fue a parar a un salón, si es que se le podía llamar así, con un par de sillones destartalados por los que asomaban los muelles; una mesa de madera, vieja y arañada, con restos de polvo blanco sobre ella; un mueble que había visto tiempos mucho mejores, y, en el suelo, varios excrementos de perro.

Mar estaba acurrucada en una esquina del sillón mirando o más bien imaginando la calle a través de los cristales de la ventana. Cuando oyó aparecer a Luka se giró y se quedó mirándola fijamente, sin saber muy bien qué hacer para no incurrir en la ira de su madre.

—Putos perros de mierda, dejan sus cagadas por todas partes. —Enar entró en el salón dando patadas a las boñigas duras como piedras que colonizaban el suelo—. Si llego a saber que ibas a venir hubiera limpiado un poco esto. Tomad. —Les pasó una lata de cerveza a cada uno. Ambos declinaron la invitación con un gesto—. Pues vale, ya me la tomo yo.

—¿Estás bien, Mar? —preguntó Luka a la niña.

Álex apretó los puños dentro de los bolsillos de su chaqueta. Estaba furioso, muy furioso.

—Joder, claro que está bien. ¿No tienes ojos en la cara? Algo gorda, como siempre. No deberías comer tanto. —La voluble atención de Enar se centró en la niña—. Te vas a poner fofa y nadie te va a echar el ojo, joder. Mira que te lo he dicho mil veces. ¡Fofa!

—Enar, te estás pasando —la reprendió Luka con mucha tranquilidad, mirando a su amiga con una cara que no invitaba a respuesta.

—Vale, tía, no te chines que yo lo digo por ella. ¿Traes guita?

—No.

—Joder. Pues sí que *la's liao* porque me hace falta pasta pero ya.

—Si te hace falta dinero no sé por qué has traído aquí a Mar, te vas a gastar lo poco que tienes en mantenerla.

—¿Qué dices? Ni harta de grifa, tía. *D'aquí a na'* viene la vieja y me proporciona sustento, además la Mar no se va a quedar *pa'siempre*. No jodas. Bastante tengo con los putos perros de mierda como *pa'* cuidar a una cría fofa. —Pulsó un botón del mando del televisor—. Mierda de tele, no rula.

—Enar —la llamó Luka con voz serena—. Irene no tiene dinero para darte, lo sabes.

—Por Mar fijo que afloja, la tengo *calá*. Puñetera tele de mierda. —Tiró el mando sobre la mesa haciendo saltar el polvo blanco.

Álex gruñó al ver el polvo de coca flotando en el comedor, Luka le tranquilizó tomándole de la mano.

—Enar. —Luka usaba el nombre de su amiga a menudo, intentando que le prestara atención antes de que su volátil mente se desviara a otro tema—. Irene va a llamar a la policía si Mar no vuelve conmigo.

—Y una mierda. Es mi hija. Verdad que sí, cariñito… Mira qué cara pone la asquerosa, joder… —Puso un pulgar mugriento en las comisuras de los labios de la niña y tiró hacia arriba, consiguiendo una sonrisa grotesca—. ¡Que sonrías, coño! Vaya cría más sosa y, además, gorda.

Álex hizo intención de levantarse para enfrentarse con la desquiciada madre, pero Luka le frenó, poniéndole una de sus manos en el muslo, instándole a calmarse. La violencia solo engendraba violencia.

—Enar. Irene tiene la custodia, se la dio el juez. Si llama a la policía se llevarán a Mar y el Huesos y tú tendréis que darles explicaciones.

—Una mierda. Al Huesos no hay cojones a preguntarle *na´*.

Álex sonrió peligroso a Enar e hizo crujir sus nudillos… Luka le apretó el muslo, pidiéndole paciencia.

—¿Imaginas lo que pasará si el Huesos ve que entra la poli en su casa? —preguntó a su amiga.

—Aquí no entra ni Dios. —Enar volvió a coger el mando de la tele y pulsó los botones, nerviosa. Los perros ladraban a su alrededor cada vez más alto, en consonancia con los gritos de su dueña—. Su puta madre, que no rula, coño, mierda de tele.

—Enar, la poli entra donde quiere.

—La vieja no tiene huevos a llamarla.

—Pero yo sí —afirmó en ese momento Álex.

—¡Tú! ¿Y quién coño eres tú? Luka, tú eres mi colega, tía… —Enar miró a la pareja, calculadora—. Pasadme algo de guita y os doy a la cría.

—Nos vamos, Enar. Si cuando salgamos por la puerta Mar no viene con nosotros, llamaremos a la policía y cuando regrese el Huesos… Será a ti a quien eche la culpa —advirtió Luka levantándose, Álex la imitó. Iban a jugar todas sus cartas, aunque eso significara intimidar a la mujer que les observaba aterrorizada.

Luka hizo un gesto con la mano a Mar indicándole que no se preocupara.

—Joder. Luka, si no tengo guita me va a correr a hostias.

—Si la policía viene a por Mar y ven lo que tenéis montado aquí, le va a sentar peor. Sabes que no le gusta que se metan en sus asuntos y si ve por aquí a la pasma imaginará que ha sido cosa tuya.

—Joder. Mierda.

Enar se levantó inquieta del sillón y comenzó a recorrer en círculos el espacio que había libre, pateando los excrementos y golpeando los muebles cuando todas las deposiciones quedaron ocultas bajo la mesa.

—Era un plan cojonudo. ¿Por qué mierda has tenido que cargártelo, hostia? —exclamó mirando a su antigua amiga—. ¿¡Y ahora qué hago yo!? Me la metí toda y como el Huesos se entere me va a moler a golpes. Dame un poco de pasta, tía. Compro la mierda otra vez y todos tan contentos.

—¿Sabe el Huesos que está aquí Mar? —Luka conocía bien al novio de Enar. Tenía un poco más de cerebro que su amiga, más que nada porque no llevaba tanta droga encima como ella y aún conseguía pensar de vez en cuando. Sabía de sobra que él jamás haría nada que pudiera poner a la policía sobre la pista de los trapicheos que hacían en su casa.

—No, joder. ¿Crees que soy idiota? Si se entera me mata. Dame algo, tía, lo que sea. Vamos, por los viejos tiempos.

—No —rechazó Álex rotundo, temiendo que Luka pudiera ablandarse. Pero Luka negó con la cabeza. Jamás le daría nada a Enar.

A Luka nunca le habían parecido tan rancios los viejos tiempos.

Por una parte, deseaba darle a su antigua amiga todo lo que llevaba encima pero sabía a ciencia cierta que, si lo hacía, no pasaría ni una semana antes de que Enar volviera a llevarse a Mar para obtener de nuevo dinero fácil.

—Nos vamos, y Mar se viene con nosotros.

—¡No!

—Pues entonces llamaré a la policía. —Luka sacó el móvil del bolso con manos temblorosas y comenzó a marcar.

—Me va a matar, tía. Dame algo, lo que sea.

—El teléfono está sonando, Enar —se giró hacia Mar—. Ven conmigo, cielo.

—Joder, que te he dicho que no —exclamó Enar acercando sus manos en forma de garras a la cara de Luka. En ese momento Álex se plantó frente a ella y la sujetó por las muñecas. Su expresión era de tal furia que daba miedo al miedo.

—Mar, cielo, ven. —Luka volvió a llamar a la niña mientras Álex miraba amenazador a Enar.

La niña se levantó y corrió hasta hundirse en los brazos de su madrina, que nunca había sido tan hada como en ese instante.

—Enar, busca ayuda. Aléjate del Huesos y de toda esta mierda. Ve a ver a tu asistenta social y sal de aquí, te estás destrozando —le ordenó Luka con lágrimas en los ojos.

—Vete a la mierda. Tú qué coño sabrás. No tienes ni puta idea, doña perfecta, doña yo trabajo y vivo mi vida. Doña mierda, eso es lo que eres, con tus aires de niña rica y tus amigas que te ayudan mientras a mi me dan la espalda.

Enar siguió gritando mientras Luka abandonaba con premura la casa, abrazada a Mar. Álex las seguía sin decir palabra. Bajaron las escaleras a toda prisa y recorrieron las calles en silencio. Al llegar al coche Mar y Luka ocuparon los asientos traseros mientras Álex lo ponía en marcha rápidamente; estaba deseando alejarse de allí.

—Ya está, Mar. Ya ha pasado, ya está, mi cielo, tranquila. Sabes que no le va a pasar nada a Enar.

—El Huesos le pegará.

—Se defenderá o saldrá corriendo… Lo más seguro es que no esté en casa cuando él vuelva. Tu madre tiene muchos conocidos con los que puede pasar un par de noches hasta que él se calme, ya sabes que enseguida se le olvidan las cosas. —Lo que tardara en conseguir más mierda y metérsela, y luego volvería a ser tan normal como antes, pensó Luka medio histérica, pero aparentando calma.

—Sí —sollozó Mar contra su pecho.

—Cariño, lo siento tanto, mi cielo; sácalo todo afuera. —Luka continuó llorando sin poder evitarlo, con la conciencia cargada de resentimiento por no haber hecho lo que Enar le pedía—. Mi niña, sabes que no podía darle dinero, ¿lo sabes, verdad? —Necesitaba que Mar supiera por qué no lo había hecho.

—Si le hubieras pagado, estaría siempre secuestrándome. Lo sé. No podías hacerlo.

—Así es, mi vida; así es.

—La odio, la odio tanto. ¿Por qué tuvo que hacerlo?, ¿por qué tuvo que destrozarnos la vida? Los odio a los dos, a Rodi y a Enar. —Mar jamás llamaba a sus padres por sus apelativos—. Ojalá estuvieran muertos.

Álex las oía llorar y hablar entre sollozos y sentía que también moría un poco con ellas. Condujo deprisa hasta la casa de Irene y aparcó el coche en el primer sitio que encontró. Sacó un pañuelo de la guantera y se lo pasó a Luka. Esta se lo agradeció y a continuación salió del coche con Mar entre los brazos. La niña todavía sollozaba cuando llegaron a la casa de su abuela. Las tres se abrazaron llorando mientras Álex esperaba de pie sin saber qué hacer. Irene se acercó a él sin dejar de abrazar a Mar, y se lo agradeció sin hablar, con un solo beso, que decía más que mil palabras juntas.

Cuando montaron de nuevo en el coche para regresar a casa era casi medianoche. Habían conseguido tranquilizarlas y serenarse ellos mismos un poco, aunque dudaban de que Mar fuera a ir al colegio, por lo menos hasta después de Navidades, cuando se hubiera pasado el recuerdo del susto.

Fueron directamente a casa de Luka; Álex no tuvo necesidad de preguntar para saber que ella deseaba estar en su propio refugio, rodeada de sus animales y recuerdos.

Al llegar, Luka se desplomó en el sillón con las piernas encogidas contra el pecho, las manos rodeando las rodillas y la cabeza hundida.

Álex se sentó junto a ella, pasó un brazo alrededor de sus hombros y esperó en silencio hasta que Luka empezó a hablar.

—Hace algún tiempo, Enar y Rodi empezaron a tener algún que otro problema en su matrimonio y, no sé cómo, la bebida se convirtió en algo así como un coleguita más con el que ahogar las penas. Poco después Rodi conoció a gente poco recomendable y, por azares del destino o de la idiotez, a Enar le cayeron en gracia. Por aquel entonces yo estaba inmersa en una relación con un tipo bastante especial y no veía más allá de mis propios… problemas. —Luka frunció el ceño y bufó.

»Enar y su marido empezaron a alternar demasiado a menudo con esa gentuza y la cosa acabó torciéndose. Este proceso duró más o menos un año, el mismo tiempo que tardé yo en abrir los ojos y salir de mi relación. Cuando por fin pude recomponer mi vida —Luka se crispó y escupió con rabia las palabras—, intenté ayudarlos, pero todo se había salido de madre. Rodi había desaparecido… y nadie lo ha vuelto a ver. Espero que esté muerto. Enar por su parte estaba liada con el Huesos, y Mar, con sus siete añitos, sabía más de drogas que yo. Los asistentes sociales la habían sacado del hogar familiar, que ni era hogar ni era familiar, y fue a vivir con su abuela.

»Desde entonces Irene tiene la custodia de Mar… y, a veces, Enar aparece por la casa y roba lo poco que Irene tiene allí. Deberíamos denunciarla, hacer algo para intentar que las deje en paz, pero por otro lado… ¿Qué tipo de denuncia pondríamos? ¿Una petición de alejamiento? ¿Cómo puede una madre denunciar a su hija para que no se acerque a su nieta? Es un tema muy complicado, vamos paliando las dificultades según nos van viniendo. Pero estoy tan harta, de verdad, tan hastiada de toda esta historia.

—Normal —susurró Álex acercándola a su pecho, sintiendo cómo se relajaba contra él.

—¿Sabes qué? —musitó ella escondiendo la cara en el torso masculino—. Hay un pequeño edificio a las afueras del polígono, es como una casa de una sola planta, hecho de ladrillos y sin ninguna decoración. Está situado al lado de un hermoso parque, de suelo inundado de césped y árboles colmados de hojas que dan sombra en verano y protección en invierno, en el que los enamorados se tumban mientras hablan o se besan. Las ventanas de ese pequeño edificio están orientadas a ese lugar de ensueño, como tentando e insistiendo a la gente que está dentro a que mire a través de ellas y vea lo bella y sencilla que puede ser la vida.

»Ese edificio es un centro de rehabilitación para alcohólicos. Logré convencer a mi amiga para que lo visitara e intentara darse una oportunidad. Durante algo más de un mes fuimos dos veces a la semana. Caminábamos por la calle, charlando de cosas insignificantes, recordando y riendo con los viejos tiempos hasta llegar allí. Ella entraba mientras yo la esperaba sentada en los escalones de la puerta. A veces veía a los niños jugar en el parque, balanceándose en los columpios, y pensaba en Mar, en casa con Irene, esperando que volviera su madre y temiéndolo a la vez, como una quimera imposible que cuanto más la anhelas, más lejos e improbable la crees.

»Enar salía una hora después, echando pestes, asegurándome que era una chorrada que la obligara a ir allí, como si yo pudiera obligarla a hacer algo que no quisiera… Durante un mes me permití fantasear con que todo volvería a su cauce, pero Enar no pudo vencer lo que la estaba carcomiendo. Y ya ves, así estamos ahora. Qué mierda, ¿no?

—Sí. Una verdadera mierda. —Todas las piezas del diario que no debería haber leído encajaron por fin en la cabeza de Álex. Maldiciendo en su interior, abrazó más a una Luka que sollozaba abiertamente sobre su pecho—. Tú no tienes la culpa de nada.

—Si hubiera estado allí en vez de estar haciendo el idiota con el Vinagres quizá nada de esto hubiera pasado.

—Si ellos hubieran sido buenos padres, conscientes y consecuentes, nada de esto hubiera pasado —la corrigió con firmeza—. No eres responsable de la vida de nadie y creer lo contrario es una tontería.

—Si hubiera estado cerca de Enar, no se habría dejado llevar así por Rodi.

—Pero no tenías por qué estar cerca de ella. Tu amiga debía poder vivir su vida sin tener una niñera que la cuidase.

—Aun así, era mi amiga.

—Y no puede pedir más de lo que hiciste por ella. De lo que todavía estás haciendo, siendo la mejor amiga de su hija.

—Pero si hubiera estado junto a ella antes, quizás lo hubiera evitado.

—¿De verdad crees eso?

—No. La verdad es que ella siempre coqueteó con lo que no debía. De hecho fue un milagro que Mar llegara a ver la luz... Enar se pilló una borrachera tremenda cuando estaba de siete meses y acabo cayéndose de la mesa sobre la que bailaba... —Suspiró mirándolo con ojos llorosos—. Gracias por estar aquí.

—No desearía estar en ningún otro sitio.

21

*L*uka despertó con un tremendo dolor de cabeza, tanto llanto no era bueno.

Sonrió levemente al sentir a Álex a su lado, abrazándola.

Estaban en su pisito microscópico, dormitando en su diminuta cama y, contra todo pronóstico, se sentía por primera vez en mucho tiempo en paz consigo misma. La rabia y los remordimientos habían fluido con las lágrimas y una nueva esperanza aparecía en el horizonte. Aceptaba por fin que iba a ser muy complicado que Enar volviera a ser la de antaño y, aunque seguía doliéndole, ya no lo hacía como antes. No era responsable de los actos de su antigua amiga, decidió, ni tampoco de lo que esta hiciera en su futuro, si es que alguna vez llegaba a tener un futuro.

Enar había traspasado el límite y eso había permitido a Luka abrir los ojos.

El despertador sonó avisando que comenzaba un nuevo día. Luka se estiró contra el pecho de su ¿chico? ¿Amante? ¿Pareja? No tenía ni idea de qué lugar ocupaba Álex en su vida, pero una cosa tenía clara, el lugar que ocupaba en su interior estaba situado en el mismísimo centro de su corazón.

Sintió que él se pegaba más a ella, apretaba las manos contra su tripita y besaba tiernamente su nuca.

—Hoy eres tú la dormilona —susurró en su oído mientras lo lamía.

—Lo cierto es que no tengo ninguna prisa. Estoy despedida,

¿recuerdas? —comentó con los pensamientos puestos en las últimas palabras de Gabriel.

—¿Eh? —Álex se separó de ella, totalmente despierto—. No puede despedirte.

—Sí puede. De hecho, ayer lo hizo.

—No, no puede. ¿Cuántos días sin justificar has faltado desde que trabajas con él?

—¿Bromeas? Jamás he faltado al curro. No se me ocurriría ni en mi peor pesadilla faltar al trabajo con el energúmeno que tengo, perdón, tenía por jefe.

—Pues ahí lo tienes. No te puede despedir. Son necesarias tres faltas injustificadas para un despido procedente.

—¿En serio? —Luka le miró asombrada.

—Créeme, sé de lo que hablo —afirmó él relajándose de nuevo y apretando su erección contra ese trasero tan tentador y acogedor que tenía su chica.

—¡Mierda! —Luka saltó de la cama como si tuviera un resorte en el culo—. ¡No hay tiempo para eso! ¡Vamos! No quiero llegar tarde al trabajo.

—¿Qué? ¿Así es como agradeces mi información? —repuso él riendo. Ya le extrañaba tanta parsimonia tratándose de Luka, jamás se quedaba en la cama un segundo más de lo necesario… A no ser que él la convenciera, claro.

—¡Vamos, perezoso!

—Dame un beso o no me muevo. —Ni un niño pequeño lo hubiera dicho con un tono más travieso.

—¡Está bien! —Luka le dio un beso que le supo a nada y menos y salió corriendo hacia el baño—. Tenemos menos de quince minutos para irnos. Por favor, cariño, da de comer a mis niñas…

—¡Estupendo! ¡Genial! —rezongó levantándose de la cama y dirigiéndose a la cocina—. Ahora me toca hacer de camarero para las niñas. —Cogió el pienso de las tortugas y la verdura de la iguana y se encaminó al salón—. Pues que sepas que me niego a darles gusanos; de hecho, estoy pensando que lo mejor para *Lara* y *Clara* sería una dieta vegetariana. Como tú misma has dicho, están un poco gorditas.

Y

Cuando Luka salió del baño se encontró con la imagen más inesperada y enternecedora que había esperado ver jamás. Álex, vestido solo con los bóxer que usaba para dormir, estaba sentado en el suelo al estilo indio. *Laura* comía de su mano subida sobre su muslo con la cola enroscada y relajada a lo largo de su pantorrilla mientras *Clara* y *Lara* se arrastraban tranquilas en el hueco entre sus piernas, mordisqueando refunfuñonas una rodaja de zanahoria. Y lo más increíble de todo, Álex acariciaba a sus niñas con la mano libre mientras les susurraba con esa voz ronca y melodiosa que la derretía.

—Mamá se va a quedar asombrada cuando os vea comer la zanahoria… Estaréis conmigo en que no hace falta comer gusanos para estar sanas, ¿verdad que sí, *Laura*? —comentó acariciando el lomo de la iguana—. Fijaos en *Laura*, lo hermosas y lustrosas que tiene sus escamas, y no le hacen falta los gusanos para nada. —La iguana atrapó el trozo de remolacha que Álex tenía entre los dedos—. Claro que sí, preciosa; eres toda una beldad y cuanta más remolacha más guapa. Sí, tú también eres una belleza, envidiosota —dijo cogiendo a una de las tortugas, que en ese momento le clavaba las uñas en el muslo para trepar a su regazo—. Vamos a tener que llevarte al podólogo, guapetona; tienes zarpas en vez de uñas. Eh, no, no. Quieta, piraña, que es para las dos —le dijo a la otra tortuga, que se había desplazado por entre sus piernas hasta meter la cabeza en el plato que contenía la comida—; no seas ansiosa.

—¡Vaya! —exclamó Luka sorprendida—, no me esperaba asistir a esta escena ni en mis mejores sueños.

—Pues ya ves, tus niñas y yo nos estamos haciendo grandes amigos. —Álex se levantó y dejó a cada animal en su lugar correspondiente—. Será mejor que me vaya a duchar o no llegaremos ni a la hora de la comida —dijo mirándola atentamente. Luka parecía haber salido del llanto al que había sucumbido durante toda la noche—. ¿Qué tal estás?

—Bien.

—Me alegro.

La besó apasionadamente apresando su labio inferior entre los dientes hasta que este se abrió para permitirle la entrada. Lamió el interior de su boca y le recorrió el cielo del paladar a la vez que aspiraba sus gemidos. La apretó contra él en un abrazo cariñoso y posesivo que la hizo derretirse. Ninguno de los dos fue consciente de los minutos que pasaron. Solo cuando Álex sintió que si no paraba la tumbaría sobre el suelo y le haría el amor hasta caer agotado, fue capaz de separarse de ella.

—Será mejor que me dé una ducha bien fría.

—Entenderás que no te acompañe —jadeó Luka guiñándole un ojo.

—Te prometo que esta tarde continuaremos.

—Contaré impaciente el paso de las horas.

Cuando por fin llegaron a la nave eran las nueve y cinco, la verja estaba abierta y Dani esperaba de pie ante la entrada. Les había llamado el día anterior, extrañado por la repentina huida de Luka del trabajo, y, cuando esta le contó lo que había pasado, se asustó e insistió en ir a verlos. Luka le pidió que no lo hiciera y le pasó con Álex, que le aseguró que todo estaba bajo control. Fue entonces cuando decidió respetar el deseo de su amiga, sabía que estaba en buenas manos. En el momento que colgó el teléfono, llamó a Irene y habló con ella y con Mar y más o menos se había quedado tranquilo, pero, aun así, ansiaba ver a Luka con sus propios ojos y comprobar que estaba bien.

—¿Qué tal estás, cariño? —preguntó en el momento en que la puerta del copiloto se abría—. ¿Cómo has pasado la noche? ¿Cómo convenciste a Enar? ¿Cómo estás?

Luka sonrió al oír las preguntas de Dani. Como siempre que estaba preocupado, se aturullaba y preguntaba lo mismo una y otra vez. Era adorable. Contestó cada pregunta un par de veces antes de que él quedara conforme y, cuando por fin lo vio relajarse, entró serena en la nave. Aún era temprano y no había demasiados trabajadores, pero la suerte no la acompañaba. Gabriel, por primera vez en su vida, había llegado a su hora. Antes que ella. Y la miraba furioso.

Dani le pasó un brazo por los hombros mientras le susurraba que no hiciera caso al jefazo, que se le pasaría el cabreo en un par de días.

—Hombre, la dama misteriosa se ha dignado a venir a trabajar con el resto de los mortales.

—Hola, Gabriel. Siento lo de ayer, pero tuve que irme; pasó algo que requería mi total atención —comenzó Luka a disculparse.

—Me importan una mierda las excusas que te inventes. Te avisé de que si te ibas no volvieras. Así que coge tus cosas y largo de aquí —escupió mientras movía la cabeza con tal ímpetu que parecía que el peluquín iba a salir volando.

—Gabriel, siento muchísimo haberme ido de esa manera, sin dar ninguna explicación. Sé que lo hice rematadamente mal pero es que me sobrepasó y perdí un poco la cabeza… —le explicó Luka, aparentando una tranquilidad que no sentía. De hecho notaba una especie de fuego líquido corriendo por sus venas… ¿Pasión? No, rabia.

—A ver si es que no me explico bien o es que eres tonta y no me entiendes. ¡Puerta!

—Gabriel, te estás pasando —le amonestó Dani, pero Luka lo cortó.

—No te metas, Dani. Gabriel, no he faltado jamás en todos los años que llevo aquí, y creo que, porque una vez lo haga, no tienes motivos ni para despedirme ni para ponerte como te estás poniendo.

—¿Pero tú quién te has creído que eres? Se veía venir, ¿te crees que no me doy cuenta de lo que pretendes? Te vas porque te da la gana, sin dar explicaciones, y ahora quieres que nos quitemos el sombrero ante tu presencia. Pues va a ser que no, a mí no me la pegas. Primero dejas de trabajar durante la comida y luego te vas con tu novio todo el día en vez de estar trabajando como dios manda. —Miró con cara de asco a Álex, que estaba al pie de la verja, haciendo verdaderos esfuerzos por no meterse enmedio y hundirle un puño en la panza—. ¿Y lo siguiente qué será? ¿Quedarte preñada y empezar a faltar a diestro y siniestro porque sí? Pues mira, no trago. Tú solita te lo has buscado. ¡Largo!

—Pues sabes lo que te digo… —Ya está, se acabó, que lo aguante su padre—. No me puedes despedir así como así. Si lo haces es un despido improcedente y ya puedes ir preparando el talonario, porque te voy a meter una denuncia que te vas a cagar —le amenazó para luego darse media vuelta y enfilar hacia la puerta.

—¡Improcedente y una mierda! Has faltado al trabajo, es totalmente procedente.

—¡No! No es procedente hasta la tercera falta —miró a Álex, buscando aprobación; él asintió complacido—, así que, ya sabes, búscate un abogado.

—Mira, muñeca, conmigo no juegues, porque llevas todas las de perder. —La detuvo agarrándola del brazo según traspasaba la verja de la nave.

—Suéltame —le gruñó irritada, algo tan fuera de lo normal comparado con su habitual sumisión que Gabriel no dudó un segundo en soltarla—. Y no me vuelvas a poner un solo dedo encima —continuó andando hacia el coche.

—¡A mí no me des la espalda!

—Álex, por favor, abre el coche —solicitó Luka con la mano en el maletero.

—¡Te he dicho que no me des la espalda! ¡Te vas a enterar de lo que vale un peine!

Luka abrió el maletero, cogió lo que había dentro, se giró lentamente empuñando la escopeta de juguete con el corcho embutido en el cañón y miró con una sonrisa sesgada a Gabriel. Álex y Dani se quedaron petrificados al verla. Algo tramaba y no sabían qué.

—En fin, había pensado en darle otro uso a esto, pero se me acaba de ocurrir algo muchísimo mejor.

—¡Estás loca! —exclamó Gabriel riendo burlón al verla empuñar amenazadoramente el juguete contra él—. ¿Crees que un corcho de mierda me va a asustar?

—«Sabes,» siempre me he preguntado si tu cabeza se vería calva y sudorosa bajo ese horrendo peluquín…

No dijo más. Empuñó el arma, apuntó y apretó el gatillo. El corcho salió como una exhalación de la escopeta para impactar silencioso contra el peluquín. Este salió despedido hacia atrás, dejando libre de pelos postizos el cráneo pálido y sudoroso bordeado por matojos de pelo crespo y blanco a los lados. Como colofón a la hazaña y para mayor divertimento del personal, el peluquín acabó colgando inerte de la coronilla, sostenido apenas por una cinta adhesiva amarillenta.

—Lo que me imaginaba. Tienes una calva espantosa —sentenció Luka soplando el cañón de la escopeta al más puro estilo *cowboy*—. Ahora escúchame atentamente. Voy a entrar en la oficina; si me quieres despedir, me tienes que dar la carta de despido y la indemnización correspondiente. Si no lo haces así, iré al juzgado e interpondré una denuncia por despido improcedente.

Dicho esto se dirigió a la oficina con pasos poderosos y la espalda bien recta.

Gabriel tardó unos segundos en recomponerse de la sorpresa y arrancarse la tira del peluquín. Luego enfiló como un toro bravo hacía la oficina. Gritó, golpeó mesas, amenazó y, por último, habló por teléfono con sus asesores durante largo rato.

Luka esperó tranquilamente, sentada en su silla, con una pierna cruzada sobre la otra y balanceando el pie que colgaba, dispuesta a atender pedidos y presupuestos hasta que el despido fuera oficial.

Cuando Gabriel colgó el teléfono, pasada más de media hora, lo hizo con tal golpe que los bolígrafos saltaron sobre la mesa. Miró a su empleada y esperó. Sonó el fax. Era una carta de despido.

Luka la leyó y negó con la cabeza. No estaba de acuerdo con lo que ponía en la misiva. Ella no se iba, la echaban de forma improcedente y así era como tenía que constar.

Gabriel volvió a gritar y amenazar. Álex entró, carraspeó, se quitó la chaqueta y cruzó los brazos marcando músculos mientras una mueca feroz se reflejaba en su cara. Gabriel dejó de gritar y empezó a dialogar con Luka. Ella se negó a todas las propuestas; solo se iría voluntariamente con cuarenta días por año, la carta para el paro, los días pagados de las vacaciones que aún no había disfrutado, una pequeña compensación económica por el despido y una carta de recomendación. Gabriel acabó por romper la carta de despido y se giró para irse.

—Me debes quince días de vacaciones y quiero dejarlo todo zanjado; o me los tomo antes de fin de año o me los pagas —le indicó Luka cuando él abrió la puerta.

Volvieron a intercambiar opiniones durante otra media hora, discutir estaba fuera de lugar con Álex tan cerca marcando musculitos. Gabriel de tonto no tenía un pelo, aunque lo fuera.

Al cabo de una hora, Luka abandonó sonriente la oficina

y caminó a través de la nave despidiéndose de todos hasta el día dos de enero... y aun así regalaba un par de días a la empresa.

Consiguieron mantenerse serios mientras salían de la nave, lograron detener la sonrisa al montar en el coche, pero en el momento en que giraron la primera curva de la carretera las carcajadas irrumpieron en el interior del vehículo.

—¡Madre mía! Eres una jodida hacha negociando.

—Es que me lo puso muy fácil, joder, si cuando intentó llamar a los asesores no sabía ni qué teléfono marcar ni dónde buscarlo.

—¡No!

—¡Te lo juro! Tuvo que tragarse la rabia y pedirme que le diera el número. Es un puñetero inútil, tanto grito y tanto meterse conmigo y no sabe absolutamente nada de la oficina. Ni siquiera sabía cuál era nuestro fax para dárselo al asesor y que mandara el despido. ¡Ha sido increíble!

—¿Y sabes qué es lo mejor? —comentó Álex suspicaz.

—¿Qué?

—Que va a pasar quince días intentando hacer tu trabajo...

—¡Y ni siquiera sabe encender el ordenador!

Continuaron metiéndose con Gabriel todo el tiempo que duró el trayecto hasta la casa de Álex. Cuando aparcaron el coche les dolían las mandíbulas y Luka expelía una alegría contagiosa. Se sentía liberada, primero Enar, ahora Gabriel. ¡Era la reina del mundo!

Lo primero que hizo al traspasar el umbral del ático fue quitarse de una patada los zapatos, se sentía tan feliz que no estaba dispuesta a llevar nada que la oprimiese. Álex, riendo, le siguió el juego, aunque con peor puntería, pues los de ella habían caído a un lado del pasillo y los de él justo encima del aparador de la entrada tirando a su paso todo lo que había sobre este. Otro estallido de risa acudió a los labios de Luka al ver el desastre y, en vez de empezar a limpiarlo, entró corriendo en la cocina, abrió la nevera, sacó un par de latas de Coca-Cola y subió corriendo las escaleras al grito de:

—A la mierda con todo, ¡vamos a celebrarlo!

Álex la observó perplejo... ¿Iba a celebrarlo con dos latas de refresco? ¡Increíble! Se echó a reír y la siguió. Luka lo estaba esperando con los brazos en jarras y una mueca pensativa en la cara, justo la misma que ponía cuando tramaba sus travesuras.

—Estoy pensando en cómo voy a agradecerte la información que me has dado.

—¿Qué información? —preguntó él receloso, no sabía si le gustaba o no la sonrisa ladina que se dibujaba en el rostro de la joven.

—Lo de los despidos procedentes e improcedentes.

—Ah, eso —suspiró aliviado.

—Y también tengo que agradecerte la presencia de tus musculitos cuando estaba reunida con Gabriel —dijo acercándose a él y acariciándole los brazos.

—Eso sería muy adecuado. —Fuera lo que fuera lo que ella estaba tramando, indudablemente le iba a gustar, pensó Álex sintiendo crecer su erección.

—Me siento poderosa en estos momentos, llena de energía, dispuesta a todo… —Luka posó un dedo sobre la cinturilla de los vaqueros de Álex y comenzó a bajarlo por la bragueta.

—¡Estupendo! Ordéname lo que quieras y te obedeceré como tu humilde esclavo —le propuso él absorto en ese dedo juguetón que lo estaba volviendo loco.

—Perfecto. —Luka se alejó de él abruptamente y se cruzó de brazos con el dedo que antes lo atormentara apoyado en la barbilla—. Quítate los calcetines y la camisa y túmbate en el diván, la cabeza apoyada en el reposabrazos, un pie sobre el asiento y el otro en el suelo —ordenó sonriendo perversamente.

—Pero… —Álex la miró arqueando una ceja. ¡Ay Dios! Ya había aflorado la sonrisa siniestra… A ver qué se le había ocurrido.

—¡Ya! —exigió ella.

Álex se sentó en el diván, se quitó los calcetines y la camisa y a continuación se llevó las manos a los pantalones y comenzó a desabrocharse los botones.

—¿Qué se supone que estás haciendo? —inquirió ella frunciendo el ceño.

—Quitarme la ropa. —Álex la miró confuso.

—¿Te he dicho que te quites la ropa?

—Mmm, no.

—Eso pensaba. —Luka esperó unos segundos mientras él la contemplaba embelesado sin hacer nada—. ¿Y bien?

—¿Y bien qué?

—¡Por favor! Qué mala memoria tienes. Túmbate en el diván, la cabeza en el reposabrazos, un pie en el asiento, el otro en suelo. ¿Comprendido?

Él asintió con la cabeza y obedeció.

Luka escudriñó su obra pensativa, no era así como se lo había imaginado. Se acercó a Álex sinuosamente, él seguía inmóvil mirándola atentamente, sin atreverse a mover un músculo, impaciente por saber cómo iba a continuar el juego. Ella entrecerró los ojos.

—Coloca las manos detrás de la cabeza. —Álex obedeció—. Ahora está mucho mejor.

Se inclinó sobre él y le colocó la pierna que tenía sobre el diván haciendo que doblara la rodilla y la apoyara contra la pared, luego empujó el muslo de la otra pierna hasta que ambas estuvieron completamente abiertas y el tiro de los pantalones tenso. Asintió complacida, Álex ofrecía un espectáculo magnífico que ella pensaba utilizar a su antojo.

Álex gimió al sentir sus manos sobre él, cerró los ojos y esperó. En esa postura la bragueta le apretaba la erección casi dolorosamente.

—No te imaginas lo perfecto que te ves en estos momentos —comentó mientras recorría su muslo enfundado en vaqueros con las yemas de los dedos—. Estás imponente.

—Me alegro.

—Chist —le exigió silencio tapándole la boca con los dedos—. ¿Qué debería hacer ahora? —preguntó arqueando una ceja. Él se mantuvo en silencio, aceptando el juego—. ¿Sabes? Me gusta cuando tus pezones se ponen duros, quizá si les prestara un poco de atención me complacerían.

Se arrodilló sobre el diván, entre las piernas de él, para luego inclinarse perezosamente sobre su estómago, apoyando una mano a cada lado del cuerpo masculino hasta que sus propios labios estuvieron sobre el esternón. Comenzó a lamer lentamente cada tetilla, mordisqueándola con cuidado y apretando a la vez sus pechos contra el rígido pene comprimido bajo los vaqueros.

Álex apretó las manos en puños bajo su cabeza mientras sentía su polla arder bajo la presión a la que ella le sometía. Un gemido traidor escapó de sus labios y en ese momento Luka se alejó de él, eliminando la presión que tanto placer le proporcionaba.

Álex gruñó.

Luka le mordió con fuerza un pezón a modo de reprimenda.

Álex jadeó y elevó las caderas.

Ella se levantó de repente del diván.

El abrió los ojos, destilando deseo por todos sus poros. Luka estaba de pie mirándolo feroz, esperando. Álex cerró los ojos, relajó los puños y las caderas y esperó. Acababa de mostrarle las reglas del juego, sin movimientos ni sonidos. No sabía si iba a ser capaz de cumplirlas.

Luka volvió a arrodillarse entre sus piernas, pero esta vez olvidó los pezones y jugueteó con la lengua y los dedos en los abdominales de hombre, siguiendo cada surco, palpando cada músculo, lamiendo la suave piel mientras sentía los latidos acelerados de Álex en las yemas de sus dedos y absorbía su aroma embriagador. Arqueó la espalda hasta que sus senos enmarcaron la torturada erección y comenzó a frotarlos contra esta, y, mientras, dibujó con la lengua el ombligo del hombre, tentándolo y arañándolo con cuidado con los dientes.

Álex se mordió los labios para no gemir y volvió a apretar los puños. Lo estaba matando.

Luka deslizó su cabeza hasta el bulto que marcaba la erección bajo los pantalones y, una vez allí, frotó sus mejillas contra él mientras sus manos bajaban por los costados y le recorrían el interior de los muslos. Se apretó más contra él y clavó las uñas en los vaqueros, trazando surcos que se convertían en ramalazos de placer al llegar a la piel.

Álex luchó contra la necesidad de restregar su ardiente polla en la cara de su chica. Cerró los ojos e intentó calmar su agitada respiración; sus testículos se tensaban y alzaban, doloridos por la falta de atención, mientras todo su cuerpo se endurecía y vibraba.

Luka notó la tensión en el abdomen de Álex y sonrió, lo tenía justo donde quería. Colocó las manos sobre el botón del pantalón y lo desabrochó perezosa, besó despacio el centímetro de piel que mostraba. Los músculos de su chico temblaron y ella sonrió lasciva. Bajó la cremallera y fue lamiendo cada tramo, hasta que vio asomar el glande bajo la cinturilla del bóxer, que era incapaz de contenerlo. Entonces se separó y le dio un cachete en el culo. Álex levantó inmediatamente las caderas. Ella lo dejó esperar en tensión unos segundos antes de hundir los dedos en la tela y bajarle los pantalones y el bóxer hasta debajo del trasero. Luego se levantó del diván y se mordió los labios, pensativa.

Álex se mantuvo inmóvil, anhelando sus caricias.

Le tocó la rodilla que tenía apoyada en la pared y él inmediatamente la acercó hasta la otra, casi juntándolas. Le quitó lentamente los vaqueros y la ropa interior y los dejó en el suelo. Después apoyó los dedos en la rodilla de él y esta volvió hasta su posición inicial. Luka observó su creación bajo la mirada extasiada de Álex.

Estaba desnudo y respiraba agitadamente, su piel morena contrastaba sobre el blanco diván. El abdomen de músculos marcados brillaba húmedo por sus lametones. Las muñecas, colocadas bajo su cabeza, tensaban sus brazos ensalzando la dureza de sus bíceps y tríceps. Mantenía las piernas abiertas, el pene totalmente expuesto ante ella, erguido y erecto con cada vena marcada. El glande, terso y rosado, lloraba lágrimas de semen, mientras los testículos esperaban alzados y tensos.

Era perfecto. Sublime. Y total e irrevocablemente suyo.

Luka volvió a colocarse entre sus piernas, pasando lánguidamente los dedos por el interior de sus muslos. Estos se tensaron e iniciaron el ascenso, pero Álex logró contenerlos antes de que sus caderas se elevaran. Luka sonrió. Volvió a recorrerlos, pero esta vez clavándole ligeramente las uñas. Él jadeó. Acercó su boca y le lamió, el aire escapó de los pulmones de Álex. Ella continuó ascendiendo hasta el escroto y, abarcando un testículo en su boca, movió la lengua contra él. Álex hundió las uñas en las palmas de sus manos. Ella extendió la tortura al otro mientras sus dedos recorrían con caricias sutiles el perineo para luego abandonarlo a favor de la ingle. Trazó con la lengua el camino que tomaron los dedos, evitando en todo momento tocarle el pene, creando tal expectación que él apenas podía respirar.

Luka percibió cómo se le tensaban los brazos y le temblaba el torso y, sin ningún aviso, sin que él esperara otra cosa más que lánguidas caricias torturantes, abrió la boca y succionó con fuerza el glande. Álex elevó las caderas sin poder evitarlo, ella se las sujetó con las manos y apretó la boca contra la congestionada corona, para luego devorarle la polla con labios, lengua y dientes. Dibujó cada vena hinchada, arrastró los dientes delicadamente contra el frenillo y le absorbió el pene con descaro, introduciéndolo más en ella a cada momento.

Álex se olvidó de las reglas, de quedarse quieto y de todo, la aferró con fuerza del cabello y la empujó contra él mientras sentía el calor del orgasmo atravesarle la espalda hasta los testículos para luego quemarle la polla en su salida. Rugió cuando se corrió y ella tragó cada gota de semen mientras él se hundía desesperado en su cálida boca.

Ella siguió devorándole hasta que le sintió relajarse en su boca. Luego lo soltó. El pene reposó casi flácido sobre el nido de rizos púbicos. Sonrió. Álex estaba tumbado sobre el diván, los brazos caídos a ambos lados del cuerpo y las piernas todavía abiertas pero sin fuerzas.

Luka se levantó, cogió una lata de Coca-Cola y volvió a sentarse donde antes. Abrió la lata y bebió. Aunque no le disgustaba el sabor del semen, lo cierto era que tenía mucha sed y no solo de líquidos. Se sentía húmeda y acalorada. Cruzó las piernas apretándolas, buscando un poco de alivio.

Álex abrió los ojos atónito; había tenido un orgasmo devastador, el más potente de toda su vida, y ella estaba ahí, tan tranquila, sentada entre sus piernas y bebiendo a morro de una lata. Totalmente vestida. La observó atentamente, tenía el rostro sonrojado y la frente perlada de sudor. Su mano se movía inquieta sobre la lata, acariciándola como si de su polla se tratara. Las piernas cruzadas se tensaban y destensaban por debajo de la tela de los pantalones.

No estaba tan tranquila como aparentaba.

—Ha sido increíble —susurró—; rectifico, tú eres increíble. —Se levantó lentamente del diván y dio unos cuantos pasos hacia la escalera—. Me voy a dar una ducha. Necesito refrescarme, ¿no te importa, verdad?

—Eh… No, claro que no. Dúchate. —¡Hombres! Él estaba satisfecho y a ella que la partiera un rayo…

Luka se levantó renuente, esperando que él dijera algo más, pero no lo dijo. En su lugar se dio la vuelta mientras la dejaba sola, parada al lado del diván y más caliente que una hoguera en la noche de San Juan. ¡Hombres!

—Estoy pensando… —musitó él sin darse la vuelta.

—Dime —le instó ella, anhelante.

—Nada…

—Vale. —La desilusión era obvia en sus rasgos.

Álex dio un paso y de repente giró ciento ochenta grados, se abalanzó contra ella y la tumbó en el diván mientras la besaba apasionadamente. Un sonido de tela rasgada vibró en el aire cuando le abrió la camisa sin tocar los botones y hundió la cara entre sus exquisitos pechos.

22

Lunes 22 de diciembre de 2008

— $\mathcal{V}$eintidós mil quinientos trece... Miiiiiil euros —cantaba un niño en la radio.

—Otro número que noooo tocaaaaaaaaa —le contestaba cantando Luka mientras revisaba atentamente unos números de lotería apuntados a bolígrafo en un papel.

Eran las doce del mediodía, la voz de los niños del Colegio de San Ildefonso resonaba con potencia en la oficina mientras administraba el correo y hacía facturas entonando el conocido sonsonete.

Por supuesto, estaba trabajando.

El miércoles siguiente a la debacle, Dani, siguiendo las instrucciones del jefazo, le había mandado un correo electrónico. No había pasado siquiera un día y estaban desbordados.

Gabriel no era capaz de entenderse con el ordenador —ni con nadie, ya puestos—, no daba pie con bola con los presupuestos y la mayoría de los clientes que llamaban preguntaban específicamente por ella y, cuando averiguaban que Luka estaba de vacaciones, se despedían afirmando que ya volverían a llamar a primeros de año. Quizá fuera porque Gabriel cogía el teléfono con el mismo talante que trataba a los empleados, o a lo mejor era porque cuando vio que no estaba hecho para las relaciones publicas encargó a Antonio, el más antiguo y afable de todos sus empleados, que apuntara los pedidos y el abuelo lo hacía con todo el gusto del mundo solo que, además, de premio les contaba la vida y cotilleos de toda persona viva o muerta en cien kilómetros a la redonda.

La empresa se había convertido en un caos absoluto que nadie, excepto quizá Dani, sabía cómo llevar. Pero su amigo alegaba estar siempre demasiado ocupado como para hacer más todavía, y a Gabriel no le quedó otro remedio que solicitar, con humildad furiosa, su ayuda.

De: Daniel@cristalexpres.es
Para: C3PO
Asunto: Nuevo trato.
Hola, Luka, te escribo este correo al dictado de Gabriel. A partir de aquí trascribo sus palabras:
Te ofrezco un nuevo trato. Te pago siete días de vacaciones y trabajas el resto del mes.

De: C3PO
Para: Daniel@cristalexpres.es
Asunto: No me parece justo.
Si quieres que trabaje lo que queda de mes, me tienes que pagar los quince días de vacaciones.

De: Daniel@gristalexpres.es
Para: C3PO
Asunto: Me niego.
No te puedo pagar quince días de vacaciones porque te vas a coger varios. Mis cuentas no fallan, te has cogido el 16, 17, 18 y librarás el 24, 25, 26 y 31 de diciembre y el 1 y 2 de enero. Por tanto, solo trabajarás siete días. No te voy a pagar más que lo que trabajes.

De: C3PO
Para: Daniel@cristalexpres.es
Asunto: Error.
Los días que has dicho son fiesta nacional y puente bajo convenio, por tanto me pertenecen y no cuentan como vacaciones. Acepto que el 16 y 18 me los quites de vacaciones, el 17 estuve a mi hora en mi puesto de trabajo, pero el resto de días, es decir trece, me los tienes que pagar si quieres que trabaje.

De: Daniel@cristalexpres.es
Para: C3PO

Asunto: Crisis.

Estamos en crisis, el trabajo flojea, tengo la obligación de ahorrar por si esto fuera a peor. Me es totalmente imposible pagarte los trece días que me pides.

Los clientes preguntan por ti. Los presupuestos, pedidos y facturas están sin hacer... Piensa en todo el trabajo que tendrás atrasado el día que vuelvas tras tus vacaciones, será muy agobiante para ti. ¿No sería mejor que trabajaras estos días para evitar la acumulación?

De: C3PO
Para: Daniel@cristálexpres.es
Asunto: No me chupo el dedo.

No hay problema con la acumulación de trabajo; ya lo haré en mi jornada laboral de **cuarenta horas semanales** y, si no me da tiempo, pues se quedará atrasado hasta que pueda hacerlo.

Te propongo otro trato, aunque sé que me voy a arrepentir...

En vez de pagarme trece días, págame los siete que me proponías y trabajaré todas las **mañanas** que queden hasta fin de año, excepto las fiestas y puentes de convenio.

De: Daniel@cristálexpres.es
Para: C3PO
Asunto: seis.

Te pago seis días y todas las tardes libres hasta fin de año.

Y ese era el motivo por el cual Luka estaba escuchando el sorteo de Navidad en la oficina en vez de en su casa.

Álex llegó a las dos, puntual como siempre. Luka salió sonriente, le saludó con un beso y montó en el coche. Comieron en casa de ella ya que Álex había insistido en que no podían visitar el ático hasta el viernes, aclarando que era porque estaba preparando una sorpresa y la tenía en mitad del salón.

Luka se sentía como cuando era niña en las fiestas de Navidad: deseando ir de incógnito y revisar el salón para ver la sorpresa. Pero no podía hacerlo, más que nada porque no tenía las llaves para abrir la puerta. Al terminar de comer, Álex regresó a su trabajo y Luka aprovechó para buscar regalos, ya que, como la gran mayoría de la gente, los compraba a última hora. ¿No iba a ir contra corriente, verdad?

La tarde pasó en un suspiro y, cuando llegó la hora de la cena, Álex, como venía siendo habitual últimamente, estaba en la cocina enfundado en un delantal. Cenaron conversando de mil y una cosas, devorándose con la mirada y en el mismo momento en que el último cacharro estuvo colocado en el lavavajillas se ducharon por partes. El *jacuzzi* enano seguía siendo… enano, y se metieron en la cama, no a dormir precisamente.

Estaban tumbados de lado sobre el pequeño colchón de noventa centímetros de ancho, que, ciertamente, se veía muy escaso en comparación con el monstruo del ático. Luka tenía las nalgas encajadas en la ingle de Álex y este la abrazaba a la vez que le acariciaba la tripita con dedos juguetones.

—¿Duermes? —susurró ella.

—Todavía no, estoy disfrutando un poco de tu barriguita.

—¿Cuándo te irás? —le preguntó de sopetón.

—¿Me estás echando? —respondió irónico fingiendo diversión, pero en realidad estaba a punto de sufrir un infarto. ¿A qué demonios venía esto ahora? ¿Ya se había cansado de él y quería que cumpliera su promesa?

—¿Cuándo te irás a pasar las fiestas con tu familia? ¿El miércoles por la mañana? —especificó ella abatida, ajena a los pensamientos que asolaban la cabeza de su chico.

Aunque se había hecho a la idea de que él se iría por Navidad, seguía sin hacerle la más mínima gracia.

—No me voy.

—¿No? —El corazón se le aceleró esperanzado. ¡No se iba!

—No. Tengo muchos asuntos pendientes que terminar antes de que acaben las fiestas. La empresa está empezando y no es cuestión de que me largue y lo deje todo empantanado. —Por no mencionar que tenía su regalo a medio hacer, y que le estaba costando dios y ayuda terminarlo; menos mal que Javi y Dani le estaban echando un cable—. Así que he decidido pasar aquí las fiestas.

—Oh —susurró de repente, entristecida—, ¿no vas a ver a tu

familia? —Luka no podía imaginar unas Navidades sin su gente, sus amigos, sus padres… Tenía que ser deprimente.

—Sí los veré. Mis padres y mi hermana Iola, con su familia, vienen a pasar la Nochevieja y el Año Nuevo a mi casa. Y en Navidad les llamaré por teléfono. No estoy en el fin del mundo, ¿sabes?; puedo comunicarme con ellos en cualquier momento —aclaró sonriendo al ver como ella se preocupaba por que estuviera solo en esas fechas.

—Ajá. Y… —Luka se mordió los labios pensativa y al final se decidió—. ¿Tienes algún plan para Nochebuena y Navidad?

—Ninguno.

—¿Quieres venir a casa de mis padres? Mi madre prepara comida para todo un regimiento y además cocina muy bien —le propuso sin atreverse a girar la cara para mirarlo.

—Me encantaría.

—Bien. Pues ya está. Todo arreglado —bostezó relajada al fin.

—Duérmete —susurró él cariñoso.

Pero la sugerencia llegaba tarde, se había quedado dormida en el momento en que supo que no se iban a separar durante las fiestas.

Álex sonrió y se apretó más contra ella. Había soñado con que ella le ofreciera pasar esos días con él, lo había deseado con todas sus fuerzas, pero no se había atrevido a creerlo. Ahora era una realidad. Luka le acababa de abrir las últimas puertas de su mundo. Lo supiera o no, ella era suya. Para siempre.

23

Miércoles 24 de diciembre de 2008

Álex contempló satisfecho la sorpresa de Reyes, casi estaba terminada. La había trasladado desde el salón al dormitorio más pequeño, que ahora estaba inundado de cosas: la cama, la mesilla y la sorpresa. Le había costado un triunfo y muchas llamadas telefónicas a Javi y Dani llevar a cabo la idea, pero ya no quedaba nada. Esperaría a que se secara bien la silicona y al día siguiente le daría los últimos retoques. Después solo le quedaría esperar hasta Reyes para entregarla… Si es que era capaz de tener tanta paciencia.

Salió del cuarto y se duchó pensando en lo que le esperaba esa tarde; habían quedado en juntarse todos los amigos en casa de Pili, tomarían alguna copa, se felicitarían las fiestas y luego, sobre las nueve, cada cual se iría al sitio donde fueran a pasar la Nochebuena, en su caso a casa de sus futuros suegros. Comenzó a frotarse el abdomen con la esponja, ¿quién lo iba a pensar? Estaba nervioso cual adolescente que conoce a los padres de su novia por vez primera… que era exactamente su caso, pero sin ser adolescente. En fin, estaba seguro de que todo iría perfectamente.

Se encargaría de ello personalmente.

Se lavó el pelo mientras sonreía satisfecho; aunque Luka no se diera cuenta, hacía un mes exacto que habían empezado a vivir juntos. No juntos en una única casa… No, eso sería demasiado pedir. Pero dormían juntos de viernes a domingo en su ático, y de lunes a jueves en el mini piso de ella comían, pasaban la tarde y cenaban juntos. Y eso para él significaba que vivían como pareja... de un modo un tanto especial, lo reconocía, pero juntos al fin y al cabo.

Se aclaró el champú, terminó de ducharse y subió al ático para verificar que su regalo de Navidad estuviera perfecto. Lo estaba. Comprobó satisfecho la enorme cama que dominaba la estancia y su polla se irguió aprobadora. Pasó la mano por su pene desnudo pensando en cómo recibiría Luka lo que había preparado. Esperaba que bien.

Cuadró los hombros, relajó las piernas y se dirigió al armario que había comprado hacía una semana. Cuando Luka tenía razón, la tenía. El armario era imprescindible, lo mismo que las dos sillas que ahora hacían juego con la mesa. Sacó unos pantalones de pinzas, de color verde musgo, una camisa marrón y el bóxer, se vistió y fue a buscar a su chica.

Aparcó enfrente del portal de Luka y llamó al telefonillo, ella le contestó con un apresurado «sube». Al llegar al descansillo vio la puerta entornada y entró en el piso, se sorprendió al escuchar gemidos en la habitación y caminó intrigado por el pasillo hasta llegar al umbral del dormitorio. Lo que vio allí hizo que le subiera la temperatura corporal unos cuantos grados... y no fue lo único que «subió».

Luka estaba de espaldas a él, con un pie apoyado en la cama mientras intentaba acoplar unas medias grises de fantasía en el liguero que llevaba ajustado a las caderas. El tanga blanco de encaje, a juego con el sujetador y el liguero, asomaba entre las nalgas del precioso culo que no hacía más que moverse de un lado a otro mientras ella pasaba sus manos por el interior de sus muslos.

—Joder con la mierda esta. No hay manera de que se quede en su sitio, se me tuerce la puñetera raya —comentó enfadadísima.

—Ajá. —Álex consiguió alejar su mirada del tentador trasero y la bajó por las preciosas piernas enfundadas en fantasía. Tenía razón, la raya plateada y brillante que iba desde el muslo hasta el tobillo no bajaba recta por la pierna, aunque a él no le parecía tan importante.

—Demonios. Pues sabéis lo que os digo —dijo dirigiéndose a las medias—. Que os podéis ir a la mierdecita un rato.

Y acto seguido desenganchó las ligas y metió los dedos bajo las medias con la clara intención de cometer la locura de quitárselas. ¡Qué desperdicio si lo hace!, pensó Álex.

—Espera, déjame ver si puedo hacer algo. —La detuvo situándose contra su espalda y apoyó sus manos sobre las de ella.

—Inténtalo si quieres, pero será inútil; estas cosas la han tomado conmigo —contestó frustrada y apoyando las manos en las caderas.

—Verás como yo las convenzo para que se porten bien —susurró con voz ronca.

Luka sintió cómo los dedos de Álex recorrían el interior de sus muslos, tirando aquí y allá de las medias, a la vez que rozaba «sin querer» la tela del tanga, que, por cierto y sin venir a cuento, se estaba humedeciendo. Jadeó arqueando la espalda, apoyándose contra él y acomodando el bulto de sus pantalones en sus nalgas.

—¿A qué hora tenemos que salir de casa? —investigó él mientras colaba uno de sus dedos por debajo del elástico del tanga.

—Sobre las seis y media —contestó Luka con la respiración acelerada al notar ese dedo jugando con su clítoris.

—Aún queda un rato… y yo estoy bastante nervioso con eso de conocer a tus padres… —murmuró acariciándole con su cálido aliento la nuca—. Me vendría bien una distracción.

—¿En qué tipo de distracción estás pensando? —gimió al notar que retiraba el tanga a un lado y metía dos dedos en su interior a la vez que el pulgar trazaba espirales sobre el clítoris, desde el borde hasta el centro, una y otra vez.

—En una que nos haga olvidarnos de todo, incluso de nosotros mismos.

Luka oyó una cremallera bajarse y al momento sintió un buen pedazo de carne terso y suave apretarse contra el canal de sus nalgas.

—Adelante… —Se inclinó hacia delante poniendo el trasero en pompa y mostrando la abertura de su vagina, Álex no esperó más indicaciones.

Υ

«Es un milagro que ni mis medias, ni los pantalones de Álex hayan sufrido ningún desperfecto o mancha», pensó Luka un rato después mientras se ponía el vestido de fiesta. Revisó su aspecto en el espejo a la vez que veía a Álex reflejado al fondo; estaba tumbado sobre la cama, con la mirada fija en su espalda. Luka sonrió. El vestido era muy sencillo, plateado, y corto, por encima de las rodillas. El escote comenzaba en pico desde el inicio del canal entre sus pechos y subía en dos finas cadenas plateadas, por debajo de la clavícula, que se abrochaban en la nuca y dejaban toda la espalda al aire. Y cuando decía toda, era toda: la parte de atrás se quedaba a un escaso centímetro por encima del lugar en que la espalda pierde su nombre.

Álex no podía quitarle la vista de encima.

Se giró con las manos sujetándose el pelo por encima de la cabeza para preguntarle qué impresión le causaba, pero no fue necesario. Él había apoyado la palma de su mano sobre la bragueta, justo en el mismo lugar en que se destacaba su polla hinchada. Miró fijamente a Luka y comenzó a acariciarse lánguidamente con el deseo pintado en el rostro.

—Sigo nervioso —musitó sin parar de mover la mano.

—Pues tómate una tila —replicó Luka riéndose.

—¿No hay manera de convencerte? —preguntó Álex sabiendo que llegaban tarde.

—No —contestó ella sin dejar de mirar los movimientos hipnóticos que él hacía sobre su pene, arriba y abajo, lento y sinuoso.

—¿Me compensarás esta noche por el dolor que me estás haciendo padecer? —Su voz ronca llegaba hasta ella, haciéndola reflexionar sobre la importancia de llegar puntual.

—Mmm —se lamió los labios, y al momento se percató de que estaba cayendo en el juego—. ¡Álex, compórtate!

—No quiero… —dijo él haciendo pucheros.

—Vamos, sé un niño bueno y esta noche Papá Noel te dejará un regalo —prometió como haría una madre ante los nervios navideños de su hijo.

—Jopee… —refunfuñó él imitando a un niño a la vez que se levantaba de la cama—. Me portaré bien pero a cambio quiero… —se colocó frente a ella y le acarició los pechos con ternura— que esta noche la pasemos en mi ático.

—¿Por qué? —Lo miró intrigada.

—Tengo algo preparado…

—¿El qué?

—Ya lo averiguarás…

—Álex, si no lo vas a contar, no lo empieces a decir —le regañó irritada al ver que él cogía su chaqueta y salía del cuarto.

—Vamos, preciosa, llegamos tarde —repuso indiferente enarcando las cejas.

—Demonios… —Le esperaba una tarde llena de imágenes sobre lo que él podría haber preparado.

Salieron de la casa después de que Luka comprobara —unas mil veces— que sus niñas tenían comida de sobra. ¡Para no tenerla! Les había comprado a las tortugas un montón de gambas crudas que había pelado pacientemente para luego dejarlas en un platito sobre la rampa. *Lara* y *Clara* ya estaban dando buena cuenta de ellas. A la iguana le había preparado un exquisito plato lleno de verduritas colocadas por colores. A Álex le daban ganas de meter la mano y probarlas, de la buena pinta que tenían. Asistió por enésima vez a la despedida de Luka y sus niñas y por fin salieron por la puerta.

—Me extraña que no te las lleves con nosotros a pasar la fiesta juntos —comentó divertido.

—Créeme, lo haría si pudiera. Pero no tengo ningún sitio adecuado donde dejarlas en casa de mis padres y si las dejo con nosotros en el salón se ponen nerviosas por el ruido y la gente, es mejor así —contestó ella totalmente seria—. Parezco idiota, ¿verdad?

—No, ¿por qué dices eso?

—No sé, ¿conoces a alguien que se sienta triste por pasar la Nochebuena lejos de sus mascotas?

—Ahora sí. Está claro que quieres muchísimo a tus amigas, y eso está bien.

—Durante un tiempo fueron lo único que me animaba a volver a casa. Estaba tan vacía, tan solitaria antes de que vivieran conmigo, que cuando *Clara* y *Lara* aparecieron fue como si un poco de vida se colara entre las paredes. Sé que suena estúpido, pero es así.

—No suena estúpido. Ver cómo las tratas y cómo las quieres hace que me dé cuenta de que eres una mujer estupenda… y de que serás una madre maravillosa.

—¡Vaya! —Lo miró fijamente. Él también sería un padre maravilloso, luego sonrió y cambio la conversación—. Verás como te lo pasas bien en casa de mis padres, mi familia es de lo más normal.

Y lo era.

Pasaron un par de horas en casa de Pili y Javi acompañados por Ruth y Dani. Charlaron, rieron, soportaron las bromas de Dani y, por último, los chicos se quedaron a solas mientras ellas desaparecían como por arte de magia en la cocina, y el par de veces que intentaron hacerse con unas cervezas de la nevera fueron echados de allí sin contemplaciones. Intrigados, intentaron escuchar a través de las paredes. Nada. Susurros y un nombre aislado, Marcos. Javi frunció el ceño al oírlo y abrió la puerta de la cocina de golpe. Las chicas callaron inmediatamente, Pili le lanzó una mirada asesina y Javi, haciendo caso omiso, se cruzó de brazos en la entrada. Al final acabaron saliendo, pero, eso sí, no compartieron sus susurros con nadie más. Hacia las nueve Álex y Luka se pusieron en camino hacia la casa en la que celebrarían la Nochebuena.

Al aparcar el coche en la avenida de Lisboa, Álex sintió un nudo en el estómago. No estaba nervioso, se repitió una y otra vez, pero era mentira, mentira cochina.

Los padres de Luka resultaron ser unas personas muy agradables, ya entrados en su sexto decenio de existencia. Victoria era rubia, y Ángel, moreno. Ella impecablemente vestida de fiesta. Él con unos pantalones caídos por debajo de la cintura, una camisa mal remetida y unas zapatillas de andar por casa. Ella peinada de peluquería y él sin peinar. Punto.

La noche y el día, pero tan compenetrados que daba gusto verlos. El hermano de Luka era un hombre altísimo de alrededor de veinticinco años y su mujer una muchacha morena y bastante bajita. Vivían en Bilbao y, para alivio de Álex, resultaron ser, además de encantadores, divertidos.

Durante la cena entablaron una conversación agradable y distendida.

—¿No vas a ver a tu familia estas fiestas, Álex? —preguntó Victoria.

—Claro que sí. Mis padres, mi hermana, mi cuñado y mi sobrino vienen a Madrid en Nochevieja y se quedarán un par de días.

—Estupendo. ¿Cenáis todos juntos en tu casa?

—No. —Álex hizo un gesto de pesar antes de seguir hablando—. He pensado en ir al Vips o a algún sitio similar. Me temo que soy un poco inútil a la hora de hacer menús festivos, y ofrecerles unos huevos fritos en Nochevieja no me parece adecuado —explicó frunciendo esos preciosos y carnosos labios en un mueca de pobrecito.

—¿Vas a cenar en Nochevieja fuera de casa? —tronó Ángel nada conforme.

—¡Papá! —Luka miró a su padre avergonzada—. No te metas donde no te llaman.

—Me parece fatal. —Ángel continuó su arenga haciendo oídos sordos a la recriminación de su hija—. Tu familia viene hasta Madrid desde Barcelona y tú les ofreces una Nochevieja en un restaurante impersonal. Deplorable.

—¡Papá!

—No me callo. No me parece bien, Álex. Nada bien. Venid a cenar con nosotros —ofreció.

—Por supuesto que sí. Es una idea estupenda, Ángel —aseveró Victoria dando un golpe en la mesa. A ella tampoco le parecía bien el plan alternativo—. Vamos a estar los tres solos porque tu hermano pasará la Nochevieja en Bilbao, así que… tenemos toda la casa a vuestra disposición. —Sonrió complacida abriendo los brazos y señalando el salón.

—Bueno… —Álex se había quedado sin palabras. Le acababan de conocer y le abrían las puertas de su casa, a él… y a su familia—. Os estoy sumamente agradecido, pero la verdad es que no me parece justo. Nosotros somos seis y no estaría bien que cocinéis para mi familia cuando acabo de conoceros —se dirigió específicamente a Victoria—. Me daría mucho apuro. No, muchísimas gracias, pero no. —Y volvió a poner la mueca de pobre niño solitario y perdido.

—Pues entonces, por qué no le dices a Luka que os haga su maravilloso cochinillo para cenar. Con un poco de marisco y algo de ibéricos, tendríais una cena perfecta y estaríais todos juntos en tu casa —improvisó Ángel.

—¡Papá!

—¿Haces un maravilloso cochinillo, Luka? —preguntó Álex divertido viendo su azoramiento y aprovechando la situación que se le presentaba.

—El más rico que hayas probado nunca —terció su hermano—. Podrías hacerlo para tus suegros, seguro que los dejas impresionados.

—¡Pepe! —volvió a gritar ella abochornada—. No son mis suegros. Por favor, comportaos.

—Ah, pero lo serán, vaya que sí —dijo el padre guiñando un ojo a Álex.

—No soy quién para llevar la contraria a una persona mayor —se desentendió Álex con una gran sonrisa de complicidad en la boca. Su suegro tenía en mente lo mismo que él.

—¡Álex! ¡Papá!

—No les hagas caso, cielo; solo están bromeando. Además, lo mínimo que puedes hacer para corresponder a la amabilidad de Álex al cenar con nosotros es ayudarle un poco con ese cochinillo estupendo que haces. Y, de paso, quedarte a cenar con ellos. Siempre es bueno conocer a la familia de los amigos. —Y esto último lo dijo haciendo con los dedos el gesto de las comillas a la vez que sonreía intrigante. Conocía demasiado bien a su hija, Álex parecía ser un muchacho maravilloso y Luka necesitaba algún que otro empujoncito.

—¡Mamá!

—A mí me parece una idea estupenda, cariño —dijo Álex sin darse cuenta del apelativo afectuoso con que la llamaba—. Mis padres están deseando conocerte y si te encargas del cochinillo yo puedo comprar todo lo que haga falta, previa lista de tu madre, claro. —Adular a la suegra nunca estaba de más—. Y también prepararé la casa para la cena. Se van a quedar en casa hasta el viernes.

—¿Están deseando conocerme? ¿Les has hablado de mí? ¿Van a quedarse en tu casa, en nuestra habitación del ático? —interrogó Luka sin pensar.

—¡Luka! —Ahora era el turno de su padre de asombrarse.

—Huy. —Ella se puso colorada como un tomate.

—Les he hablado de todos mis nuevos amigos de Madrid —contestó Álex divertido, le había gustado el detalle de «nuestra habitación del ático»; de hecho, se estaba poniendo duro al recordar lo que había preparado para esa noche y eso no podía ser, y menos cuando los padres de Luka le estaban mirando fijamente. Así que recolocó el mantel sobre su regazo y continuó hablando—. Y por supuesto también les he hablado de ti, largo y tendido…

—Ay, Dios —susurró Luka tapándose la cara, muerta de vergüenza al pensar en Álex hablando a sus padres de ella.

—Y sí, he pensado que en la planta baja de mi casa hay espacio de sobra para los cinco. Mi hermana Iola, su marido y su hijo dormirán en la habitación de matrimonio. Y mis padres lo harán en el cuarto de la esquina. —Bajó la voz, pero todos lo oyeron perfectamente—. El ático estará libre y aislado de todos. —Carraspeó al ver la cara de asombro de su chica—. He pensado en todo —le susurró al oído.

—¿Y bien? —inquirió su padre enarcando una ceja, incómodo.

—¿Y bien… qué? —Luka no tenía ni idea de lo que le estaba preguntando.

—¿Cenarás en Nochevieja con Álex?

—Eh… sí, pero, si ceno con él, vosotros estaréis solos —dijo en un último intento de escaparse, aunque, pensándolo bien, le encantaría cocinar e impresionar a Álex… y a su familia.

—Claro que no, tus padres cenarán con nosotros. Y no admito un «no» por respuesta —afirmó observando fijamente a la pareja mayor, que lo miraba sonriendo.

Y sin más preámbulos se dedicaron a escribir una lista con todas las cosas que Álex tendría que comprar para Nochevieja. Luka no sabía si estaba complacida por el interés de Álex en que conociera a sus padres, asustada por lo que estos pensarían de ella o aterrorizada por si ambas familias se aliaban para convertirse en consuegros. Aunque eso era muy improbable, ¿no?

Eran más de las tres de la madrugada cuando, tras abandonar el domicilio familiar, llegaron a casa de Álex. En el mismo momento en que Luka entró por la puerta se quitó los zapatos. ¡Malditos tacones!

—Voy a ducharme, no tardo nada —avisó a Álex—. Estoy sudando como un pollito por culpa del calor que hacía en casa de mis padres.

—Yo haré lo mismo —contestó él dirigiéndose al baño que quedaba libre.

A Luka le extrañó que no hubiera propuesto una ducha juntos, pero… ¿Quién sabía las intenciones de su semental? Ella no, desde luego.

Al salir del cuarto de baño la casa estaba a oscuras y en silencio. Se dirigió al comedor; una tenue luz se filtraba desde la escalera de caracol indicándole que Álex estaba arriba, esperándola. Subió intrigada las escaleras, envuelta en el albornoz masculino que había convertido en suyo durante las últimas semanas.

Cuando llegó al ático se quedó asombrada.

Estaba iluminado solo con las velas que rodeaban la cama. Por debajo de la tarima que hacía de armazón al colchón sobresalían un par de pañuelos de seda, a los lados y a la altura de la cabeza. El resto del lugar estaba totalmente a oscuras.

No vio a Álex por ningún sitio.

—¿Confías en mí? —sintió su voz desde algún lugar más allá de la luz de las velas.

—Sí —susurró atónita… y excitada.

—Quítate el albornoz y acércate a la cama.

Luka obedeció sintiéndolo caminar tras ella. Se quedó quieta, esperando, percibiendo su aroma un segundo antes de que le colocara un largo cordón de oro alrededor del cuello.

—Vi esto en una joyería y no me pude resistir a comprarlo; sabía que quedaría perfecto rodeando tu cuello —musitó lamiéndole el lóbulo de la oreja, sin tocarla en ninguna otra parte del cuerpo.

—Es precioso —agradeció Luka cogiendo el cordón entre sus dedos.

—Túmbate en la cama boca arriba —ordenó él, ella se apresuró a obedecer—. Estira los brazos hacia el borde del colchón.

Ella lo hizo y en ese momento fue recompensada con la visión del cuerpo de su amante.

Estaba desnudo, la luz de las velas danzaba sobre su piel haciéndola parecer dorada mientras su pene se erguía majestuoso sobre el nido de rizos que cubría su ingle. Se acercó hasta el borde de la cama y asió un pañuelo.

—¿Confías en mí? —reiteró.

Luka asintió con la cabeza.

Álex le extendió los brazos en dirección a las esquinas del colchón y le ató las muñecas con los pañuelos, dejándole las piernas libres. Luego la recorrió con la mirada… era como un caramelo enorme que no sabía por dónde empezar a lamer. Entonces el cordón dorado destelló en su clavícula y él sonrió. Se arrodilló a su lado y pasó los dedos por su nuca buscando el enganche del colgante; se lo quitó, deslizándolo lentamente por la piel, trazando con él estelas ígneas que iban desde los hombros hasta el estómago. Se detuvo en el ombligo, alzó la joya para a continuación dejarla en él y desde ahí arrastrarla lentamente hasta los rizos castaños que cubrían el pubis femenino.

Luka sintió que sus piernas se abrían por voluntad propia mientras sus caderas cimbreaban, intentando mostrar el camino al dorado cordón.

Álex deslizó este a los labios vaginales, para a continuación abandonarlos en favor de los muslos. Su intención era adorar el cuerpo femenino con él y no pensaba dejar que nada lo distrajese. Subió de nuevo por las caderas hacia los pechos dejando una huella de fuego en el camino, rodeó la garganta y lo dejó reposar allí. Uno de sus pulgares acarició los labios femeninos hasta que se abrieron introduciéndolo dentro, succionándolo como si de su verga se tratase. Álex sintió un ramalazo de placer en los testículos mientras veía la boca de Luka ondularse y apretarse contra su dedo, el pene latió dolorido y se balanceó, impaciente por ser tomado en cuenta.

Luka absorbió con fruición el dedo, imaginando excitada que era otra cosa lo que lamía y chupaba. Sintió el cordón ponerse en movimiento nuevamente y apenas si pudo contener un jadeo de anticipación; la volvía loca sentir el oro, frío contra su piel. Álex enroscó el metal en uno de sus pechos, y acarició el pezón erguido con el pulgar humedecido mientras bajaba la cabeza y lamía el otro seno.

Luka arqueó la espalda facilitándole el acceso, sintiendo los dientes arañando con ternura su carne para después consolarla con lánguidos lametazos. Percibió las manos masajeando y comprimiéndole los pechos, palpando por debajo de ellos el esternón y siguiendo un recorrido invisible hacia el abdomen, con la cadena oscilando tras ellas. Notó los dedos recorrer su vello púbico a la vez que el cordón resbalaba por la vulva.

Unos dedos curiosos se colaron entre sus labios vaginales esparciendo la humedad que los bañaba y separándolos cuidadosamente.

Álex miraba ensimismado la preciosa vulva que brillaba por efecto del placer, enredó el cordón en el anular y lo introdujo en la vagina; las caderas de Luka saltaron impacientes. Meció el dedo envuelto en metal dentro de ella y comenzó a introducir poco a poco toda la longitud del cordón. Los espasmos de placer recorrieron el cuerpo de la joven mientras sentía su vagina llenarse poco a poco con el metal ya cálido.

Álex dejó el broche fuera, sujetándolo entre dos dedos, y tapó la vulva con la palma de su mano, presionando y aflojando sobre ella rítmicamente. Luego comenzó a besarle el clítoris, lentamente al principio, con fruición después, alternando dientes que rozaban, lengua que acariciaba y labios que succionaban. La quería más húmeda, más dispuesta, más excitada, si es que eso era posible.

Luka jadeaba y gemía sin poder controlarse mientras sus caderas intentaban subir a pesar del brazo que las mantenía inmóviles. Sintió cómo la mano que reposaba en su vulva se alejaba poco a poco llevándose con ella el cordón, arrastrándolo lentamente por toda su abertura, sobre su clítoris.

Álex puso un dedo en cada uno de los labios vaginales, abriéndolos, permitiéndole ver el clítoris terso y rosado del que emanaba un aroma embriagador, a mujer, a Luka. Parte del cordón seguía hundido en la vagina; la otra parte reposaba entre los labios, sobre el clítoris, sujeta entre sus dedos. Agachó la cabeza y lamió de nuevo, notando el sabor y la textura del oro sobre ese centro de placer, apreciando en la palma de la mano, que reposaba sobre la vagina, el líquido que fluía por ella hasta empaparle los dedos, cómo la abertura se abría y cerraba impaciente, y entonces se le ocurrió.

Luka sintió alejarse los dedos que la mantenían abierta.

Álex se levantó de la cama y al momento volvió a ella. Llevaba en las manos un cojín del diván, lo colocó bajo las caderas femeninas, haciendo que se alzaran, luego sacó el resto del cordón de la vagina y lo asió con una mano por cada extremo y, afianzándolo entre sus dedos, colocó el inicio sobre el pubis, y situó el resto de manera que recorriera la vulva, hundiéndose en ella, y terminara sobre el ano. Presionó con un dedo enfundado en oro el fruncido orificio.

Luka retuvo la respiración al notar el metal, húmedo y caliente a la vez. Álex comenzó a moverlo sobre su piel, arriba y abajo, introduciéndolo cada vez más en la vulva, presionando el clítoris con una cadena formada de oro y lujuria, apretándose sinuoso contra su ano. No pudo resistirlo más, elevó las caderas venciendo la fuerza del brazo que la mantenía esclava y gritó, sintiendo cómo el orgasmo la recorría desde la columna vertebral hasta la ingle en un torrente de éxtasis que la hizo estremecer.

Álex sintió los temblores bajo su mano y, sin detener el ritmo oscilante del cordón, acercó su boca a la vagina y libó cada uno de los jugos que emanaban de ella, impregnándose la lengua con el sabor de su amada. Cuando la sintió relajarse retiró el cordón, se colocó sobre ella y la besó apasionadamente a la vez que clavaba su impaciente pene profundamente dentro de ella.

Eso iba totalmente en contra de lo que había planeado hacer, pero necesitaba sentirla a su alrededor durante unos instantes, complacerse con su calor, aliviarse con su ternura. Se prometió a sí mismo que solo serían un par de embestidas y luego se retiraría para llevar a término su fantasía.

Luka se sintió arder de nuevo al notarlo en su interior, arremetiendo lentamente, recorriéndola por dentro hasta casi tocar su matriz. Arqueó la espalda y le ciñó las caderas con las piernas, tirando de los lazos que mantenían sus muñecas presas. Quería abrazarlo, quería sentirlo tan pegado a ella que jamás pudiera separarse, pero él tenía otra cosa en mente.

Salió abruptamente de su interior y se tumbó de espaldas en la cama, jadeante, con todos los músculos en tensión. Respiró profundamente, intentando controlarse, intentando volver al punto en el que se había quedado antes de introducirse en ella. Inspiró, exhaló y poco a poco consiguió hacer retroceder la bruma de deseo que lo cegaba. La observó apasionado; ella lo miraba con el corazón asomando en el rostro, sus pechos subiendo y bajando acordes con la respiración agitada que la dominaba. Álex la besó y a continuación se giró extendiendo un brazo fuera de la cama. Cuando regresó a su lado, llevaba en la mano una vela que no había sido encendida, la miró ardientemente y se la acercó a la cara.

—¿Confías en mí? —preguntó por tercera vez esa noche, con los ojos llenos de deseo y amor.

—Sí —gimió ella. Las palabras apenas salieron de su boca, volvía a estar excitada y ansiosa y él no estaba en su interior.

Álex asintió satisfecho y se colocó de rodillas a su lado; su verga se meció impaciente en el aire, palpitante y dolorida por la pasión insatisfecha. Pero él rechazó su pertinaz requerimiento y recorrió con la vela los labios de la mujer que le robaba el sentido. Esta sacó la lengua y lamió la vela como si se tratara del pene de su amado. Él gruñó cuando su polla pulsó impaciente en respuesta, y alejó la vela de la boca que la albergaba para recorrer con ella el valle entre los pechos, el abdomen y el pubis.

Luka jadeó estremecida ante el tacto de la cera suave y resbaladiza por su saliva. Sintió cómo recorría una y otra vez su vulva para acabar introduciéndose en su vagina, llenándola apenas con su finura.

Álex buscó su boca y le introdujo la lengua, febril. Le acarició el paladar, entrando y saliendo de ella, imitando los movimientos de la vela en la vagina. Se apartó para lamerle los pechos y enredarse a continuación con el ombligo mientras la vela seguía ahondada en el interior de Luka, hasta que por fin abandonó sus húmedas caricias y se situó entre las piernas femeninas. Cogió cada uno de los delicados pies y se los colocó sobre los hombros, dejándola totalmente abierta y expuesta. La vela aún asomaba por la rosada abertura, la sacó lentamente y la hizo resbalar por el perineo hasta que acabó oscilando sobre el ano. Luka se tensó. Álex extendió la humedad, haciendo espirales alrededor del orificio prohibido, acercándose cada vez más a su fruncido centro.

Luka se fue relajando al alcanzarla el placer de la íntima caricia.

Álex deslizó un dedo en su vagina, humedeciéndolo para luego apretarle el ano con él. Ella gimió, él insinuó la yema, presionando, penetrando apenas un centímetro. Luka jadeó y él cambió su dedo por la vela; acercó la punta al esfínter y presionó, penetrándola sin esfuerzo. Luka se quedó inmóvil. Álex bajó la cabeza hasta tocarle el clítoris con la nariz, olisqueó su esencia, lo tentó lentamente con la lengua. Luka dejó escapar un suspiro mientras notaba que todo su cuerpo se encendía mientras el placer hacía presa en su vagina. Álex continuó penetrando con cuidadosa lentitud el ano, hasta que la vela estuvo firmemente insertada en él.

Rápidamente se deslizó sobre el cuerpo de ella. Las piernas sin fuerza de Luka resbalaron de sus hombros hasta quedar atrapadas en los antebrazos de él. Sentía el ano lleno, completo y, mientras, su vagina clamaba por ser colmada, poseída. Un intenso espasmo la recorrió cuando él se introdujo en ella. Todos los músculos de su cuerpo se tensaron al notarlo dentro, bombeando una y otra vez. Sentía la punta de la vela tocando un lugar muy dentro y sensible mientras Álex presionaba con su pene contra esa misma zona pero desde el otro lado. Los sentidos se le desbordaron haciéndola temblar espasmódicamente, las caderas se levantaron impacientes y su vagina aprisionó el pene invasor.

Álex rugió, las venas de su cuello y su frente se hincharon, y sus ojos miraron desenfocados a la mujer de la que estaba locamente enamorado. Intentó controlarse, ella debía gozar del orgasmo antes que él. Esperó con los músculos en tensión hasta que sintió que se convertían en una sola persona, hasta que no fueron solo cuerpos enlazados ni piel acoplada con piel, sino un solo corazón y una única alma.

Entonces y solo entonces, se dejó ir, llenándola con su esperma, colmándola con toda su pasión, adorándola en silencio, esperando que ella se diera cuenta de cuáles eran sus verdaderos sentimientos.

24

Miércoles 31 de diciembre de 2008

«*E*s increíble las vueltas que da la vida, cómo el tiempo lo cambia todo tan inexorablemente que cuando te quieres dar cuenta tu mundo se ha transformado por completo», pensó Luka mirando su imagen reflejada en el espejo.

Su cuerpo era el mismo, su cabello quizá un poco más largo, pero por lo demás físicamente seguía inmutable. Entornó los ojos, pensativa, pero nada era igual. Todo había cambiado. Apoyó la frente contra el frescor del cristal.

¿Cuánto tiempo hacía que no se permitía confiar en un hombre? Años.

¿Qué había cambiado? Ella. Ambos. Todo.

¿Cuánto tiempo habían pasado juntos? ¿Cuántos días? Apenas sesenta con sus noches.

¿Cuántas veces había latido su corazón a lo largo de su vida? Muchas.

¿Cuántas veces había sentido esos latidos? Nunca hasta hacía sesenta días. Desde entonces, notaba cada una de las pulsaciones. Todas desde que conocía a Álex. Antes, su corazón era una máquina que se movía y hacía ruido. Ahora era algo vivo dentro de ella.

Y ella ya no era la misma. Confiaba en un hombre, lo quería y adoraba con todos sus sentidos. En silencio, con cautela, aterrada al pensar que algún día él pudiera descubrirlo. Sabiendo a ciencia cierta que jamás utilizaría su amor contra ella, pero, aun así, temiendo el momento en que él se fuera y ella tuviera que volver a su antigua soledad. Soledad en la que no sabía que vivía hasta que él llegó.

Todo era tan complicado y tan sencillo a la vez. Suspiró. Solo tenía que dejar fluir el tiempo, esperar los acontecimientos y rezar para que él llegara a quererla algún día. Y mientras tanto, callaba. Callaba y soñaba con una vida juntos, una vida entera, completa. Porque ahora vivía a medias.

Existía entre dos mundos.

Su mundo, en su casa, con sus animales, sus fotos, sus muebles viejos y todos sus recuerdos.

El mundo que había creado con Álex, en el ático, con paredes medio vacías que iban llenando de fotos, dibujos y recuerdos comunes, con muebles nuevos en los que iban colocando retazos de su vida en común y con su rincón privado en el ático, ahora con sillas, armarios y una caja de velas bajo la mesa.

Su mundo, en el que vivía media semana, durmiendo en su propia y diminuta cama de lunes a jueves. Esfumándose al llegar el viernes y regresando esporádicamente a mediodía en fin de semana para alimentar a sus niñas y jugar con ellas.

El mundo creado con Álex, durmiendo abrazada a él, compartiendo cama, cuerpo y corazón de viernes a domingo. Despidiéndose cada lunes al llegar al trabajo, para reencontrarse cada mediodía durante la comida y volver a despedirse hasta la tarde, cuando él iba a visitarla a su pisito pequeño y abarrotado de cosas, para jugar como un niño con ella y sus animales y acabar quedándose a dormir apretujado en su cama, ligado a su vida.

Habitaba a medias en dos mundos, ambos eran suyos y ella se sentía dividida en dos.

No podía continuar así.

Cuando estaba en el ático echaba de menos a sus niñas, las añoraba con tanta fuerza que no podía evitar regresar a su pequeño piso un par de veces al día para comprobar que la seguían queriendo, que tenían comida y que eran felices.

Cuando estaba en su propia casa, con sus animales, anhelaba el tacto de su amante, su sonrisa ágil y sincera, su presencia alegrando el ambiente y deseaba con todo su corazón que él acudiera a ella, que la visitara y que se quedara a pasar la noche entre sus brazos.

No podía continuar así. Incluso dejando de lado añoranzas y anhelos, esa media vida era demasiado complicada; tenía ropa, champús, peines y una larga lista de enseres repartidos en ambos domicilios. Se pasaba el día con la mochila a cuestas llevando cosas de un sitio a otro, quedándose sin ropa limpia sin darse cuenta y teniendo que correr hasta la otra casa para poder ir al trabajo vestida pulcramente. Era un lío tremendo.

Pero ¿qué podía hacer? ¿Llevar a sus niñas al ático de Álex? ¿Pedir a Álex que se fuese a vivir a su minipiso? Ambas posibilidades eran inviables. ¿Cómo pedirle que aceptara introducir en su hogar unos animales que hasta hacía pocos días apenas si soportaba? Aunque, últimamente, parecía que hombre y reptiles se llevaban más o menos bien. Pero aun así, ¿cómo compaginar sus salidas de los viernes con Pili y los domingos con Mar, si vivían juntos y compartían casa? Al principio todo sería miel sobre hojuelas, lo sabía, ya había pasado por eso, pero después comenzaría a pedirle explicaciones, a hacerla sentir mal por dejarlo abandonado en favor de sus amigos. Y ella comenzaría a buscar excusas, él no se las creería… y al final todo se iría a la mierda.

Mejor dejarlo todo como estaba; mientras ella mantuviera parte de su vida en su piso, él no podría pedir explicaciones ni exigir nada, pero… ¿y si se arriesgaba a dar un paso más? Tendría que dar un gran paso de fe, fe en él.

¿Confiaba en Álex lo suficiente como para dar ese paso? Sí. Siempre tendría su piso y su trabajo, sus amigos y su familia. Confiaba en él, pero no era idiota, y era mejor tenerlo todo bien hilado.

Y eso lo reducía todo a una sola pregunta. ¿Lo amaba lo suficiente como para compartir su vida con él? Categóricamente, sí. Con las condiciones antes expuestas, por supuesto.

Bien. Al menos una cosa tenía clara, ahora solo hacía falta que sucediera un milagro y él le pidiera que vivieran juntos. Y dudaba que eso fuera a suceder en un futuro cercano.

Luka sonrió para sí misma, tantas dudas y preguntas para nada. En fin, así es la vida.

—Luka, estás en las nubes. Te he llamado varias veces. —Álex la abrazó por la espalda atrayéndola hacia su pecho.

—Ah, perdona; estaba pensando en mis cosas. —Y tanto, ni siquiera lo había oído.

—Te veo melancólica, ¿algún problema? —preguntó acariciándole las mejillas con su barba de recién levantado.

—Ninguno.

—No estarás asustada, ¿verdad? —Enarcó una ceja a la vez que le recorría con las manos la tripita que tanto adoraba.

—¿Por qué iba a estar asustada? El que vaya a venir tu familia para comer mi estupendo cochinillo no es motivo suficiente para estar nerviosa —comentó con una risita histérica.

—No te quejes. Tú te ofreciste. —Álex deslizó las manos sobre la cinturilla del pantalón del pijama, abandonando la tripita y buscando otra clase de dulzura.

—Ah, no. Eso sí que no. Yo no me ofrecí a preparar cochinillo asado; fue un caso claro de acoso y derribo por parte de mis padres, contigo como elemento instigador.

—¿En serio? No me había percatado —susurró él—. Vamos, seguro que no es tan malo como parece.

—¿Cocinar para unas personas a las que no conozco y a las que quiero causar la mejor impresión? Noooo, por supuesto que no me siento presionada ni asustada ni nerviosa…

—¿Así que quieres crear buena impresión? ¡Vaya! —Le lamió la vena que latía acelerada en el cuello, inhaló su esencia y se sintió enloquecer por ella—. No te preocupes, los impresionarás tanto como a mí.

—¿A ti te he impresionado?

—Cariño, te has metido dentro de mi piel, has rodeado con tus dedos mi corazón haciendo que se agite con cada una de tus sonrisas y miradas. Si eso no es impresionarme… —Terminó la frase con un beso dulce y apasionado que le hizo olvidar que era una entidad ajena a él.

Se dejaron llevar por la pasión, olvidando el día que era, la noche que les esperaba y que el mundo seguía su paso por el tiempo, hasta que sonó el teléfono. Álex contestó entre jadeos, asintió y le pasó el auricular a su mujer, su amiga, su amante… Luka contestó, asintió y frunció el ceño. Era su madre ultimando los detalles de la cena.

—¡Joder! —exclamó cuando por fin pudo colgar—. ¿Por qué nos hemos dejado liar de esta manera?

—Sinceramente, querida, no tengo ni la más remota idea.

—Aunque si su futuro suegro no hubiera puesto la idea en las cabezas de todos en Nochebuena, él se las habría apañado para conseguirlo de otra manera. Luka no era la única que sabía trazar planes sinuosos.

La mañana pasó rápidamente entre compras, preparativos y limpieza de última hora. Comieron muy pronto y, después, Luka se puso inmediatamente con su especialidad, cochinillo asado. El día anterior lo había limpiado, quemado todos los pelillos que pudiera tener y untado con mantequilla. Le había dado masajes para conseguir la piel más crujiente y jugosa y lo había dejado toda la noche macerando en ajo machacado regado con limón y aceite de oliva virgen. Y ahora estaba listo para ser metido en el horno. Mientras comprobaba una y otra vez que todo fuera perfecto, coció el marisco, fregó las copas y platos que iban a usar para que no tuvieran ni la más mínima imperfección, planchó el mantel y las servilletas, y recolocó los adornos y fotos que habían comprado para rellenar el mueble vacío del salón. En fin, todas esas cosas que hacen las amas de casa nerviosas ante una inminente cena familiar con sus suegros.

Antes de que pudiera darse cuenta, eran las seis de la tarde.

—¡Madre mía! —exclamó echándose las manos a la cabeza.

—Tranquila, respira hondo. No pasa nada, todo está perfecto. —Álex no se había separado de ella en todo el día, pendiente de cada uno de sus movimientos, cooperando en cada operación que ella llevaba a cabo y asustándose al ver como poco a poco se iba poniendo más nerviosa, más pálida y, por qué no decirlo, más histérica.

—¿Cuándo llegan tus padres? —preguntó agarrándole por la pechera de la camiseta con dedos engarfiados y los ojos desorbitados.

—En una hora y media más o menos —contesto él, posando sus manos sobre las de ella, acariciándole los dedos hasta que los sintió relajarse—. Han salido de Barcelona poco antes de las dos, en cuanto han cerrado la empresa, y el viaje no creo que dure más de seis horas.

—¡Ay, Dios! —gritó ella agarrotando los dedos otra vez—. ¡Me he olvidado totalmente y ahora no me puedo ir! Señor, señor, señor… ¡No hay tiempo!

—Tranquila. ¿Qué se nos ha olvidado? —La vio sonreír cuando él usó el plural—. Seguro que no es tan grave.

—¡Mis niñas! Me he olvidado por completo de mis niñas, no les he dado de comer desde esta mañana. —No habían ido al minipiso y por tanto no habían puesto comida en los cuencos de los animales.

—No pasa nada. Vamos ahora a darles de comer y ya está. No es tan grave. Tranquila —repuso él viéndola realmente alterada y frenética.

—¡No lo entiendes! Está todo a medio hacer. El marisco, el cochinillo… ¡ahora no puedo irme! —Lo miró durante un segundo y después salió corriendo hacia el aparador de la entrada, cogió las llaves de su casa, esas que había cambiado por desconfianza después de la primera noche que pasaron juntos, y se las puso entre las manos—. Ve tú, sabes dónde está todo, pon mucha comida en cada comedero y —corrió hacia la cocina, sacó un plato de gambas crudas y comenzó a pelarlas—, espera, pelo las gambas y te las llevas para *Clara* y *Lara;* les encantan, ya lo sabes.

—Ey, deja eso. —Le agarró las manos para que soltara las gambas y la besó tiernamente en la boca—. Ya las pelo yo cuando llegue a tu casa.

—Gracias, gracias, gracias. —Le pasó las manos manchadas por detrás del cuello y le fue dando besos en la comisura de los labios con cada «gracias», hasta que Álex se impacientó y la agarró de la cintura metiéndole la lengua hasta el paladar, pegándose a ella, haciéndole sentir lo duro que se había puesto.

—En fin —suspiró sobre los labios de Luka—, mejor me pongo en marcha o no seré capaz de irme.

—¿Te he dicho alguna vez que eres un sol?

—No. Me has dicho que soy un semental, que te vuelvo loca, que soy enorme, pero no que soy un sol. Parece que vamos ampliando cumplidos —contestó guiñándole un ojo desde la puerta mientras salía.

—¡Tonto! —Se rio a la vez que le tiraba el paño de cocina que llevaba enganchando en el delantal.

—Cuando estás cerca… Siempre. —Sonrió esquivando el proyectil de tela.

En el momento en que insertó la llave de Luka en la cerradura de Luka, en la casa de Luka, sintió que su pecho reventaba. Cerró la puerta con el pie, fue absorto hasta el comedor y se dejó caer sobre el sillón. Enredó las llaves entre sus dedos y alzó la mano, dejando que estas colgaran frente a sus ojos. Una tímida sonrisa se fue formando en sus labios hasta acabar convertida en una enorme e histérica carcajada.

—Joder, joder, joder —les dijo a los animales, aunque estos no le prestaron ni la más mínima atención.

Mientras conducía el coche hasta la casa de su chica no se había permitido pensar en ello por temor a acabar chocando contra alguien. Cuando subía en el ascensor, sus dedos habían apretado las llaves con fuerza, haciendo que estas se le clavaran en la palma mientras intentaba por todos los medios no gritar como un desequilibrado, no fuera a ser que la Marquesa saliera al descansillo y le llamara la atención. Pero ahora estaba solo en casa, él y sus pensamientos. Nadie más. Y joder, iba a hacer lo que necesitaba hacer.

Se levantó de un salto del sillón y comenzó a recorrer el reducido espacio sin mirar a nada en particular mientras sus dedos se cerraban en un puño sobre las llaves y su brazo subía y bajaba en el gesto universal de toma ya.

—¡Joder, sí! —Se giró hacia la tortuguera y miró a *Clara* y *Lara*—. ¿A que no sabéis quién confía en mí? ¿A que no os imagináis quién me ha dado las llaves de su casa? —Les enseñó las llaves a las tortugas, triunfante. Estas estiraron el cuello y volvieron a encogerlo al ver que no era nada comestible—. Sí, Luka. ¿Sabes lo que eso significa? —preguntó a la que antaño fuera su principal detractora, la iguana *Laura*—. Significa que las barreras han caído, que Luka es mía.

Porque esa era la realidad, se diera cuenta ella o no. Luka era suya. Su mujer, su amiga, su amante, su todo. Acababa de darle las llaves de su casa, de su corazón, de su alma y él no pensaba dejar pasar la oportunidad. Era suya, eterna e irrevocablemente. Había llegado la hora. Antes de lo esperado, sí. Pero era el momento. Miró a los animales fijamente.

—Necesito vuestra ayuda.

Y les contó su plan mientras lo miraban indiferentes; si no había comida en mano, no tenían ningún interés.

Luka miraba el reloj impaciente, esperaba que aún faltase un buen rato para la llegada de los padres de Álex. Lo esperaba con todas sus fuerzas, porque si aparecían en ese momento se iban a llevar una pésima impresión de ella. El pelo recogido con una cinta al más puro estilo Rambo contra el polvo, una camiseta de Álex que le llegaba escasamente por encima de las rodillas y unos calcetines gruesos de lana. Esa era toda su indumentaria. Había pensado en vestirse de manera más o menos adecuada, pero, qué narices, hacía un calor insoportable en la cocina y al final se decidió por acabar de preparar la cena —más o menos— y cambiarse cuando regresara él. Pero Álex no había regresado todavía y su histérica mente no hacía más que decirle que él había calculado mal el viaje y que sus padres se presentarían antes de que él llegase y la pillarían en bragas —en todos los sentidos— y que directamente le pondrían mala cara, y que… «¡Basta!», se regañó a sí misma, no iban a llegar. Aún no.

—Por favor, por favor, por favor, date prisa, cariño —le rogó en silencio aunque Álex estuviera a miles de kilómetros —bueno, a trescientos metros escasos— y no pudiera oírla.

Volvió a mirar el reloj, se había ido hacía media hora, tenía que estar a punto de llegar. En ese momento sonó el timbre y ella dio un respingo.

¡Ay, Dios!

Sus temores se habían hecho realidad. ¡Ya estaban ahí sus futuros suegros! Porque Álex no podía ser. Él tenía llaves, pensó histérica; no llamaría. Echó a correr hacia el dormitorio de arriba y el timbre volvió a sonar insistente en una rápida sucesión de timbrazos que le pusieron los pelos de punta. Paró en seco y volvió a la puerta, no tenía tiempo de cambiarse.

—¡Que sea lo que Dios quiera!

Respiró hondo y abrió la puerta.

No eran sus suegros.

Era Álex. Sonriente. Con la cadera pegada al timbre. Con el trasportín de *Laura* en una mano y *Clara* y *Lara* sujetas de manera inestable en la otra.

—¡Ay, Dios! —exclamó Luka estupefacta llevándose las manos a la boca—. Te has equivocado. Tenías que darles de comer, no traerlas aquí.

No obstante, y a pesar de lo dicho, cogió rápidamente las tortugas y el trasportín y se dirigió al salón; se dejó caer de rodillas en el suelo y sacó a la iguana de su prisión. Luego comenzó a hacer carantoñas a sus niñas, mientras estas trepaban por su regazo sacando las cabecitas unas y enredándole la cola en la cintura la otra.

—Me habéis echado de menos, preciosas. Sí, claro que sí. Yo también a vosotras. Uy, *Laura*, cuidado con esas uñas, que me arañas —dijo separando las zarpas de la iguana de sus muslos—. Ay, Álex, ¿cómo se te ha ocurrido traerlas?

—Pensé que te haría ilusión verlas —comentó él, contento.

—Claro que sí, mi vida. Pero… ahora tienes que llevarlas de regreso a casa.

—¿Por qué? Déjalas aquí, así no las echarás de menos —insinuó él.

—¿Qué? ¿Y dónde las dejo? —Sonrió haciendo que el corazón de Álex le saltara en el pecho—. Cariño, muchas, muchísimas gracias por traerlas, pero… no se pueden quedar aquí; no tienen un espacio adecuado para ellas y si las dejo sueltas entre tanta gente se pondrán nerviosas. Eres un encanto, de verdad… pero no se pueden quedar. —Adoraba a Álex, acababa de ofrecerle tener a sus animales en su casa, ese hombre era lo mejor que le había pasado nunca.

—Mmm, quizá ese problema tenga fácil solución —respondió él a su alegato—. Ven. —Y le tendió la mano.

Luka se levantó y tomó intrigada su mano, Álex cogió a una tortuga mientras ella llevaba la otra. *Laura* los siguió con parsimonia y curiosidad esperando su ración de verdurita, fresca a poder ser.

Álex las guio hacia la habitación misteriosa, ese cuarto que llevaba cerrado con candado desde hacía quince días.

Luka aún estaba indignada por ese tema El listo de Álex había puesto un candado, como si ella fuera a intentar abrir la puerta para mirar su sorpresa… Cosa que a Luka se le había pasado por la cabeza unas mil veces, pero el maldito candado no cedía con las horquillas y la puñetera llave no aparecía en ningún lugar de la casa y no es que la hubiera buscado mucho… Qué va…

Álex sacó una llave del bolsillo de su pantalón y la introdujo en el candado. Antes de abrir la puerta, observó detenidamente a su chica.

—Eh… mmm… Esto debería ser tu regalo de Reyes, pero he pensado que quizá te haga más ilusión verlo hoy.

Tras tantos días trabajando en la sorpresa con ilusión y esperanza, de repente le asaltaron algunas dudas, muchos nervios y bastante miedo. Solo cabían dos finales: o ella se enamoraba perdidamente de él o lo dejaba con un palmo de narices mandándolo a la mierda por meterse donde no le llamaban. Rezó para que ocurriera la primera opción.

—Jo, vaya, yo no tengo el tuyo aquí —comentó atorada, intrigada y alucinada.

Álex se mesó el pelo y abrió la puerta de par en par. Luka inspiró asombrada, se agachó para dejar la tortuga en el suelo y entró con pequeños pasos en la habitación, dispuesta a tocar la sorpresa, más que nada para comprobar con el tacto que sus ojos no la engañaban.

Pegadas a la pared oeste de la habitación estaban ubicadas sus dos sorpresas. Lo sabía, porque un enorme lazo rojo rodeaba ambas y, porque en casa de Álex, antes de ese día, no había un terrario ni una tortuguera. Y mucho menos de esas dimensiones.

Tocó los cristales con las yemas de los dedos, casi esperando que desaparecieran con el roce, pero no, eran reales. Se dio la vuelta para mirarlo con los ojos como platos, él estaba apoyado en el quicio de la puerta con la cara más asustada que le había visto nunca.

Luka se dejó caer hasta quedar sentada en el suelo y siguió observando la sorpresa. La tortuguera era enorme, de más de un metro y medio de largo por cincuenta centímetros de ancho y otros setenta de altura, y tenía de todo menos agua. Un filtro especial, piedras de río en el fondo, una rampa inmensa para que sus niñas tomaran el sol, algunas plantas artificiales, un calentador de agua, la lámpara UVB… Además, se notaba claramente que había sido hecha a medida, al igual que el terrario. Este era altísimo, del suelo al techo, de más de un metro y medio de largo y otro de ancho, con su piscinita de arcilla para los baños de *Laura*, su tronco artificial con ramitas para que se posara a tomar el sol, sus piedras grandotas para que no se las pudiera comer y unas poquitas plantas naturales que *Laura* se encargaría en breve de destrozar.

Luka volvió a mirar a Álex, asombrada, sin que las palabras escaparan de su boca… ¿Qué significaba este regalo? ¿Que estaba harto de que tuvieran que ir y venir mil veces en fin de semana a cuidar a sus niñas? ¿Indicaba que quería que se fuera a vivir con él? Aunque… tal vez no quería decir nada.

Álex se acercó hasta ella, observándola asustado. Seguía sin decirle nada. Se arrodilló entre sus piernas y alzó las manos para acariciarle las mejillas.

—¿No te gusta la sorpresa? —le preguntó intranquilo—. Las he hecho yo mismo, con algo de ayuda de Javi y Dani —confesó.

—Sí, claro que sí… Yo… me he quedado sin palabras —musitó Luka girando la cara para acariciarse contra las manos de Álex. Lo había hecho con sus propias manos, le entraron ganas de llorar de la emoción—. ¿Cómo… cómo se te ha ocurrido? Es decir… ¿Por qué lo has hecho? —preguntó esperanzada.

—Bueno… me he dado cuenta de que echas de menos a tus niñas… Siempre estamos de aquí para allá para alimentarlas y tal… y se me ocurrió construirles un refugio en casa. —Torpe, torpe, torpe, se riñó él cuando pronunció la última palabra. No había dicho lo que quería decir.

—Vaya. —La esperanza murió en los ojos de Luka. Él estaba harto de darse paseos… No la invitaba a vivir con él, solo se ahorraba viajes—. Genial…, muchas gracias.

—No.

—¿No?

—No me he explicado bien. Lo que quiero decir es… echas de menos a tus animales. —Torpe, eso ya lo has dicho, se enfadó consigo mismo—. Y siempre estamos entrando y saliendo para ir con ellos. —Joder, macho, lo estás arreglando, se regañó.

—Ya lo sé… y lo siento…

—Mierda —la interrumpió—, lo que quiero decir es que te quedes conmigo, todos los días, a todas horas. Para siempre.

—¿Yo? ¿Contigo? ¿Aquí?

—Sí. Y tus tortugas también y la iguana y tus amigos, lo que quieras, pero quédate conmigo. Te quiero en mi vida. Para siempre. —Luka no dijo nada—. Si te parece bien, claro… —terminó Álex con pesar. Lo iba a mandar a la mierda por meterse donde no le llamaban.

—Me parece bien —aceptó Luka con timidez.

—¿Te parece bien? —Álex se quedó pasmado.

—Sí, pero… no pienso vender mi casa… —le advirtió Luka con un deje de duda en la voz… rogando para que Álex no se lo tomara a mal.

—Y yo no quiero que la vendas —afirmó muy serio. Por supuesto que no la podía vender; si Luka se asustaba y desaparecía, él sabría dónde encontrarla: en el minipiso… aunque eso no se lo iba a decir ni loco.

—Genial —suspiró ella con una gran sonrisa en la boca.

—Te quiero —confesó él mirándola con atención; quería que quedara todo muy claro, que nunca tuviera dudas.

—¿Me quieres? Como «te amo» y todo eso…

—Te amo. —No quería ningún tipo de confusión—. Te quiero, te deseo, te anhelo cuando no estás, me consumo por tocarte cuando te tengo a mi lado, adoro tu mente, anhelo tus caricias, aguardo tus miradas, idolatro tus pensamientos… —Quizá se estaba pasando un pelo o quizás no, pero lo cierto es que no se le ocurrían más sinónimos del verbo «querer» y ella aún no le había confesado que le quería. Porque de una cosa estaba seguro. Sus sentimientos eran recíprocos. Tenían que serlo.

—Te quiero. No concibo mi vida sin ti —zanjó ella todo el espantoso, penoso y sensiblero discurso con solo seis palabras. Las seis palabras más hermosas que Álex había oído jamás, dejándolo totalmente anonadado e inmóvil durante unos segundos.

—¿Qué narices hago aquí parado como un poste? —pensó en voz alta un segundo antes de reaccionar.

Aún estaba de rodillas ante ella, entre sus piernas, con las manos posadas en sus mejillas… Acababan de declararse su amor mutuo y eterno, y… ¿no iba a hacer nada? ¡Ja! Se abalanzó sobre ella y la besó con toda su ansia, su miedo a perderla y su pasión.

Fue un beso tierno, apasionado y casi salvaje que enseguida devino en manos que acariciaban, y dedos que rasgaban camisas y tangas, desabrochaban pantalones y eliminaban camisetas de la ecuación, dejando solo piel y deseo, labios unidos, lenguas peleando, piernas entrelazadas y brazos que sostenían. Él hundido en ella y ella pulsando contra él.

Y

Estaban tirados en el suelo, disfrutando aún de los estertores del orgasmo, cuando la banda sonora de la película *El exorcista* empezó a sonar en la habitación. Parpadearon confusos y se miraron el uno al otro, entonces Álex reaccionó.

—¡Mi móvil!

Salió de ella pesaroso y se arrastró gateando hacia sus pantalones, sacó el móvil y contestó. Su cara palideció. Se disculpó y colgó.

—¡Joder! Era mi madre. —En ese momento sonó el timbre insistentemente—. Está en la puerta… Me pregunta que por qué no abrimos…

—¡Mierda! No he oído el timbre.

—Ni yo. —El timbre seguía sonando y el móvil comenzó a emitir la cancioncita de marras—. Joder, ¡ya voy! —gritó cogiendo los pantalones y saliendo de la habitación.

—¡Espera, estoy en bolas!

Pero el aviso llegó tarde, él ya se había ido.

Luka cerró la puerta y miró a su alrededor. Su pesadilla se iba a hacer realidad, la iban a pillar en cueros, en fin… Lo primero era lo primero.

Las tortugas se estaban comiendo lo poco que quedaba de su tanga. ¿Y *Laura*? Miró hacia arriba, la iguana estaba colgada de las cortinas. Cogió a cada animal y lo colocó en su alojamiento. Tomó nota de no olvidarse de llenar el acuario de agua y de poner comida en los comederos. Luego buscó su ropa, los calcetines seguían en sus pies, la camiseta estaba en un rincón, y el tanga no se lo podía poner; estaba roto —como casi todos sus tangas desde que conocía a Álex—. Se vistió —y eso sí que era un eufemismo—, se peinó el pelo con los dedos, pegó el oído a la puerta, no escuchó nada y salió intentando por todos los medios pasar desapercibida.

—Pues que quieres que te diga, hijo. No sé cómo no has podido oír el timbre, hemos llamado miles de veces —comentaba una pensativa Helena a Álex. No se tragaba la excusa presentada, menos aún viéndole desvestido con solo unos pantalones, sin abrochar para más inri. El cabello alborotado, los labios hinchados y la cara roja como un tomate. Ella no había nacido ayer.

—Déjalo ya, mujer; sus motivos tendrá el crío para no haberlo oído —manifestó Fernando, el progenitor compasivo, estirando el cuello para ver sobre los hombros de Álex si salía alguien de la única habitación que permanecía cerrada. Bingo. La puerta se abrió, y tras ella asomó una hermosa mujer, igual de desvestida que su hijo—. ¿Luka?

—Eh… Sí. —Luka se quedó petrificada al oír su nombre, la habían pillado en bragas, bueno, sin ellas.

—Hola, preciosa. Soy Iola, la hermanísima de Álex —la saludó una mujer joven y bajita vestida con un chándal enorme—. Y esta es Helena, nuestra madre; y Fernando, nuestro padre, Lolo, mi marido y David nuestro hijo —presentó a todos los presentes.

—Eh… Hola —dijo Luka sacando la mano derecha de detrás de su espalda para estrechar las otras manos que se presentaban, sin recordar, hasta que tuvo la mano alzada, que justo en ella guardaba el tanga desgarrado—. Ay, qué tonta, es el trapo de la cocina… Esto… —se calló coloradísima.

—Es la primera vez que veo un paño de encaje… —comentó Iola divertida.

—Amén —asintió Helena mirando a Luka fijamente.

—Bueno, lo mismo en Madrid es algo normal… ¿quién sabe? —intentó quitar hierro Fernando a la vez que dejaba que las gafas le resbalasen por la nariz hasta la punta y estudiaba a Luka por encima de ellas.

—Suficiente —cortó Álex irguiendo la espalda—. Luka y yo nos vamos arriba a cambiarnos. Os sugiero que dejéis vuestras cosas en las habitaciones y aprovechéis para ducharos, enseguida bajo y os enseño todo.

—Álex, no te vas a cambiar de ropa. Te vas a vestir. Por favor, hijo, habla con propiedad. —Helena le lanzó una mirada divertida. Le encantaba picarlo como cuando era niño.

—¡Mamá! —Álex asió a Luka por el codo y tiró de ella hacia la escalera de caracol—. Vámonos antes de que nos despellejen.

Bajaron al cabo de pocos minutos. Luka se entretuvo en llenar el acuario de agua y, cuando hubo acabado, se asomó tímidamente al comedor. Álex enarcó las cejas y movió la cabeza, indicándole que entrara a socorrerlo y ella así lo hizo, aunque no de muy buena gana… sino totalmente acojonada. Charló un poco con cada uno, esperando ansiosa la llegada de sus padres para que hubiera más gente con la que conversar y distraer a sus suegros y, gracias a Dios, sus oraciones fueron atendidas. El resto de los invitados, es decir, Victoria y Ángel, llegaron enseguida y entre las dos familias surgió un entendimiento inmediato. Luka cayó tan en gracia a los padres de Álex como este había caído a los de Luka, y, por si fuera poco, todos estuvieron de acuerdo en que el cochinillo estaba estupendo, la cena era maravillosa y ambos hacían una pareja encantadora y muy bien avenida.

Al final de la cena los cuatro progenitores se dedicaban a intrigar sin disimulos y lanzar indirectas a la joven pareja. Victoria y Ángel abogando una y otra vez por el matrimonio, sin darse cuenta de que Luka iba palideciendo más y más cada vez que lo mencionaban.

Dieron las doce campanadas, tomaron las uvas y llegó el inevitable brindis.

—Por el nuevo año. —Alzó la copa Ángel.

—Por la familia. —Acompañó Fernando.

—Por los matrimonios. —Victoria fue directa al grano… por enésima vez.

—Solo si hay embarazo por medio —terció Helena, la de las ideas progresistas.

—¿Cómo? —preguntaron los padres de Luka mientras Fernando sonreía… Se lo veía venir.

—Pues eso, que yo brindo por el matrimonio siempre y cuando este se celebre después de que Luka se haya quedado embarazada. Antes es una tontería casarse y atarse a un hombre —explicó Helena, que, aunque pareciese lo contrario, estaba protegiendo precisamente los intereses de su hijo.

—¡Mamá!

—¡Álex! No gruñas a tu madre, tiene toda la razón. Me parece una de las cosas más sensatas que he oído en mi vida —declaró Luka intrigadísima. Sonaba tan bien lo que Helena decía…

—¿Qué? —exclamó Álex mirando con ojos asesinos a su madre. Al menos no había saltado con el sonsonete de «mira que liarse tan joven».

—Sí, los tiempos han cambiado. Mira, Álex, entre tú y yo —y todos los presentes—, no me hizo mucha gracia cuando me hablaste de tu interés por Luka.

—Helena, cielo… —La advirtió su marido aparentando enfado, solo para disimular ante Álex. Quería que el muchacho pensara que estaba de su parte para que se relajara y dejara hablar a su madre.

—Un segundo, querido —lo ignoró ella—. Como iba diciendo, no me hizo mucha gracia, pero ahora que te conozco bien, querida, creo sinceramente que mi niño no podría haber hecho mejor elección.

—¡Vaya! Gracias, mamá —comentó Álex irónico ante la estupefacción de sus suegros, los cuales aún no conocían del todo a su madre. Diablos, él la conocía desde hacía treinta años y todavía no la comprendía ni siquiera un poco.

—De nada, cielín. Pero… aunque me doy cuenta de que estáis hechos el uno para el otro, como decía mi madre, lo cortés no quita lo valiente, y creo sinceramente que el matrimonio, hoy en día, sirve para poco más que para demostrar ante todos, con una firma y un anillo en el dedo, que la mujer pasa a ser propiedad exclusiva de un solo hombre y, aunque ese hombre sea mi maravilloso hijo, no veo qué ganancia obtiene Luka de ello cuando salta a la vista que Álex ya es total e irrevocablemente suyo —finalizó, mirando a Luka con una expresión que venía a decir: ¿entiendes, mi niña? No tienes que preocuparte, es tuyo.

—¡Mamá! No me estás ayudando nada.

—Oh, cállate, Álex. Me interesa muchísimo lo que dice tu madre —le cortó Luka totalmente embelesada con la conversación. Así que era suyo, qué bien sonaba eso—. Continúa, Helena.

—¡Ay, Dios! —susurraron al unísono Fernando, Victoria y Ángel.

—Para la única cosa que veo viable el matrimonio es para cuando se esperan bebés; entonces sí es algo necesario, por la protección de los niños.

—Ajá… —la instó a continuar Luka, su suegra le caía muy pero que muy bien.

—Papá, voy a matar a mamá —susurró Álex a su padre, aunque lo oyeron todos los comensales.

—Hijo, si alguna vez lo haces, te prometo que yo la sujeto para que la mates sin problemas —sentenció su padre.

Helena lo miró y bufó.

Fernando sonrió, porque, aunque no compartía las ideas de su mujer, él también había visto cómo Luka se ponía más y más nerviosa según sus padres iban mencionando con mayor insistencia el matrimonio. Si la charla de Helena le daba un respiro, bien por ella.

Su hijo tendría que aprender a ser paciente si quería casarse con esa chica, eso, o follar como conejos; cualquiera de las dos opciones era válida, e imaginaba que Álex optaría por la segunda.

25

31 de octubre de 2009

*E*staban celebrando su primer aniversario juntos, por cuarta vez aquella noche. Álex jadeó rendido, Luka había cabalgado salvaje sobre él y en ese momento reposaba agotada sobre su pecho, con su polla aún en el interior. La notaba relajada, casi adormilada. Era el mejor momento para lo que tenía en mente.

—Estoy pensando…

—No, cariño, no lo pienses ni por un segundo. No soy capaz de tener otro orgasmo hasta mañana. Así que, por favor, cierra los ojos y duérmete —interrumpió besándole la mandíbula y moviéndose sinuosa sobre él. Para no tener fuerzas, con esos movimientos le estaba haciendo revivir.

—Déjame acabar —sonrió mientras se endurecía—, estoy pensando en que me estoy haciendo viejo.

—¿Viejo? Los viejos no son capaces de reaccionar cuatro veces en una noche —movió un poco las caderas— … mmm, cinco veces en una noche.

—No me refiero a eso. —Bueno, sí, qué coño. Alzó las caderas tentando. No iba mal la cosa, un par de minutos más y estaría listo de nuevo—. Me refiero a que tengo más de treinta años y se me está pasando el arroz.

—¿Qué? —Luka le miró, riéndose—. Tienes treinta y uno recién cumplidos, y no hay ninguna paella puesta en el fuego.

—¡Ay, Dios! Álex no quería decir eso, ¿verdad?

—Sabes perfectamente lo que estoy intentando decir… Me gustaría ser padre, a ser posible de una niña preciosa, intrigante y traviesa que sea tu viva imagen —dijo retirándole un mechón de la cara.

—Bueno… no tenemos prisa… y, de todas maneras, yo preferiría un mocoso burlón y divertido. Las niñas somos muy complicadas.

—Sea, pues. Un niño. Decidido. —Alzó de nuevo las caderas, perfecto; su pene estaba en su punto, ni muy duro ni muy blando, un par de empujones y vuelta al trabajo.

—Ey, yo no he dicho que sí —protestó ella apretándose más contra él.

—Tampoco has dicho que no. —Pasó una mano entre sus cuerpos y comenzó a acariciarle el clítoris, cualquier ayuda era buena cuando tenía que tratar con esa testaruda.

—Pero… —jadeó al sentir el primer roce.

—Podemos probar… —Álex se acomodó sobre un codo, acercó la cabeza a sus pechos y comenzó a mamar de ellos como si fuera un bebé—. Como bien has dicho, no hay prisa. —Dio un lametazo haciendo que el pezón se irguiera—. Muchas parejas tardan años en conseguir un embarazo… —Los frotó contra sus mejillas para luego mordisquear los pezones delicadamente—. Yo solo digo que dejes la píldora y vayamos probando… —Comenzó a levantar las caderas rítmicamente para embestir contra ella—. Por si las moscas… —La sintió cada vez más húmeda y excitada mientras le dibujaba el clítoris con la yema de un dedo—. Quiero ser padre, no abuelo —sentenció besándola apasionadamente.

—Mmm, probaremos —gimió en sus labios.

Epílogo

25 de junio de 2010

Álex estaba sentado en la cama con las piernas abiertas y encogidas, y la espalda apoyada en la pared. Luka estaba ubicada entre sus muslos, con la espalda apoyada en su pecho, sus propias piernas abiertas con la enorme tripa entre ellas y las manos agarrando las rodillas de su chico.

—Esto es una chorrada —siseó enfadada. No le salía.

—No. No lo es; vamos, prueba otra vez —reiteró por enésima vez un Álex muy, pero que muy paciente comenzando a jadear, esperando que ella le siguiera un poco el ritmo.

—¡Lo odio! —Luka empezó a jadear con respiraciones superficiales y agotadoras. Supuestamente cuando se pusiera de parto debería respirar así… Ni loca. Antes moriría asfixiada por falta de aire. Que pariera Álex, a él se le daba de puta madre hacer el perrito faldero. El embarazo la estaba volviendo un poco gruñona.

—Vamos, lo estás haciendo muy bien —la animó.

—¡Ja! —contestó perdiendo el ritmo—. ¡Mierda!

Siguieron con su tabla rutinaria de respiraciones: Luka se quejaba y Álex respiraba… ¿No debería ser al contrario?, pensó él mirándola ensimismado; cada día estaba más hermosa. La tripita que le cautivara al principio se había convertido en el hogar de su hijo —varón, hasta en eso se había salido ella con la suya—, las mejillas sonrosadas, el cabello largo y alborotado, la felicidad reflejada en sus ojos. Sintió una punzada de placer tensarle en el vientre, que logró que su pene reaccionara con fuerza. La deseaba. Mucho.

Hacía casi dos meses que no tenían relaciones sexuales completas, y lo echaba de menos, pero le daba miedo. Al principio del embarazo todo había seguido como siempre; hacían el amor cuándo, cómo y dónde les venía en gana, pero en el quinto mes la cosa cambió.

Aún recordaba ese mágico día.

Estaban tumbados en la cama, la espalda de ella contra su pecho, las piernas enredadas, colmados después de haber compartido sus cuerpos y entonces ella dijo las palabras mágicas:

—Se está moviendo.

Le asió la mano y se la colocó sobre la barriguita… y él lo sintió, una patadita, dulce y cariñosa. Su hijo le decía «hola».

Desde entonces, esperaba ansioso cada minuto que estuvieran tumbados o sentados o reposando para colocar la cabeza o las manos o la espalda o el abdomen contra la enorme barriguita de Luka y sentir a su hijo jugando y saludándole. Pero este milagro había tenido un inesperado efecto secundario en él, se sentía remiso a tener relaciones sexuales completas con Luka.

Tenía la impresión de que su hijo podía sentirse incómodo si él se introducía dentro de ella, que podía de alguna estúpida manera dañarle. Así que últimamente se negaba a penetrarla, con gran insatisfacción por parte de ambos, sobre todo de Luka, que incluso le obligó a hablar con la matrona y, aunque esta le aseguró una y mil veces que no pasaba nada si lo hacían con cuidado… el miedo era libre, y él tenía miedo.

Luka se pegó más a Álex, le sentía endurecerse contra su espalda.

Él la aferró por los hombros e intentó tumbarla sobre la cama, practicarían sexo oral.

¡Otra vez!, pensó fastidiada Luka… Lo quería dentro de su vagina, no dentro de su boca; bueno, ahí también, pero sobre todo en su vagina.

—Estoy pensando… —Se alejó de sus manos, esta vez se haría como ella quería. Llevaba dos meses de abstinencia y se le estaba acabando la paciencia.

—Dime. —Álex le lamía el cuello mientras pegaba más la ingle contra su trasero; en definitiva, no le hacía ni caso.

—En lo que comentaste el otro día.

—¿El qué? —Acariciaba sus grandes pechos sin cesar. Desde

que le habían crecido hasta proporciones descomunales, Álex sentía fijación por ellos.

—Lo de casarnos —comentó ella como quien no quiere la cosa, imaginando su polla dura y jugosa metiéndose hasta el fondo en su coño húmedo y ansioso. ¡Dos puñeteros meses! Esto tenía que acabar ya.

—¡Lo dices en serio! —Álex la abrazó y se la comió a besos. Literalmente.

—Con una condición —le advirtió con firmeza. La imagen de él sobre ella, dentro de ella, estaba grabada a fuego en su mente. Le necesitaba dentro en ese mismo instante.

—La que sea. —Le había pedido matrimonio seis veces desde que se enteró de que esperaban un niño y todas y, cada una de esas veces, ella le había dicho, entre temerosa y sonriente, que no había ninguna prisa. Y ahora por fin parecía que llegaba la hora.

—Quiero sexo. Ya.

—Perfecto, yo quiero lo mismo. —La tumbó sobre la cama y colocó la cabeza entre sus muslos, olía increíblemente bien, admiró su sexo hinchado y su clítoris inhiesto un segundo antes de hundir la lengua en él. Dos segundos después, Luka le cogió por las orejas y le obligó a levantar la cara de su pasatiempo favorito.

—No me has entendido. Quiero tu polla dentro. ¡Ya!

—Joder. —Álex se sentó sobre los talones—. ¿Por qué?

—¡¿Por qué?! ¡¿Me estás preguntando por qué?! —Le dio tal empujón que lo dejó tumbado en la cama—. Porque hace dos meses que no la cato. —Se subió sobre él con torpeza, la tripa era un verdadero incordio.

—Eso no es cierto. Hemos tenido sexo. —La agarró por la cintura y la paró antes de que lo insertara en su interior sin misericordia.

—¡No! Hemos tenido sucedáneos de sexo. Es como tomar café descafeinado cuando lo que quieres es un café bien cargado.

—Pero no podemos.

—¿Por qué? Te lo he dicho yo, te lo ha dicho la matrona… hasta le dije a Helena que te llamara y te lo comentara.

—¡Dios! ¡Fuiste tú! —Aún recordaba la vergonzosa conversación con su madre. Que su chica y su madre fueran tan amigas era peligroso.

—Sí. Fui yo. Si quieres boda me la metes. Y si no, no hay boda.

—Vale —asintió dándose por vencido. No podía luchar contra ella ni contra él mismo, tanta abstención le estaba volviendo loco.

—Mmm. —Lo miró desconfiada… ¿Tan fácil?

Álex la desnudó lentamente, acariciándole todo el cuerpo, deteniéndose un ratito en sus pechos —realmente estaba obsesionado con ellos— y cuando la tuvo excitada y sudorosa la tumbó de lado en la cama y se desnudó ante su atenta mirada. Tenía el pene duro como el acero, hinchado hasta decir basta. El glande se veía sonrosado y húmedo, las venas marcadas, los testículos tensos… Joder, no creía que pudiera aguantar ni dos envites antes de correrse.

Se colocó de lado, apoyando su pecho contra la espalda femenina, y sumergió su pene en el canal entre los muslos; avanzó lentamente hacia la vagina. En el momento en que la oyera quejarse lo sacaría rápidamente, se prometió un poco asustado por lo que estaba a punto de hacer.

La primera impresión fue devastadora. En el momento en que sintió la tierna vulva acoger su dolorida polla un gemido escapó de su garganta.

—¡Por fin! —jadeó Luka pegándose más a él, sintiendo como entraba poco a poco en ella, casi con timidez.

Onduló las caderas y se apretó contra el pene invasor, sí… casi… casi… ¡Joder! Ese pene ni era invasor, ni conquistaba, ni nada. Solo se asomaba tímidamente, para al segundo siguiente retroceder. ¡Cobarde!

—¡Álex! —gruñó.

—Luka —gimió él totalmente concentrado en no entrar más de un centímetro en esa vagina apetitosa, estrecha, húmeda y perfecta… Le estaba costando Dios y ayuda contenerse.

—No hay boda —sentenció dando un brinco, sacándolo totalmente de ella.

—¡Qué! —exclamó sorprendido y dolorido. ¿Y ahora qué mosca le había picado?

—O te comportas como un hombre o desapareces de mi vista. No me pienso casar con un niño.

—¡Eh! Yo no soy ningún niño.

—¡Ah, no! Pues entonces comienza a usar eso que te asoma entre las piernas —gritó cogiéndole la polla y apretándola entre sus dedos.

Álex no pudo contener el jadeo que escapó de su pecho cuando Luka comenzó a subir y bajar por su pene, apretando y soltando, recorriéndole el glande con las yemas de los dedos, agachando la cabeza para lamerlo entero, deleitándose con la abertura del capullo, recorriendo cada vena con las uñas, sosteniendo y acariciando los testículos hasta dejarlo jadeante y a punto de correrse. Y justo en el momento en que su verga tembló y el calor se aposentó en sus testículos dispuesto a ser disparado en un incontenible orgasmo, ella paró. Simplemente se detuvo. Lo miró, se dio la vuelta y quedó tumbada de espaldas a él.

—¿Qué…?

—Los niños se hacen las pajas ellos solitos, ¿no? Pues acaba el trabajo con tu propia mano.

—¡Joder! —gritó exacerbado.

La agarró de las caderas, le hizo darse la vuelta y, una vez la tuvo tumbada de espaldas mirándolo desafiante, le abrió las piernas con brusquedad y la penetró. Hasta el fondo. Más o menos. Luka jadeó y se abrazó a él, ciñéndole las caderas con sus piernas en la medida que la tripa le dejaba.

Era fabuloso sentirlo dentro de nuevo, embistiendo con potencia, llenándola por completo. El orgasmo fue inminente. No duraron ni dos minutos.

—Más —solicitó Luka cuando pudo volver a hablar.

—Te casarás conmigo —aseveró Álex. Si era necesario se lo haría firmar.

—Sí.

—En la primera fecha disponible que nos dé la iglesia.

—No.

—¿No?

—No. Solo me casaré por lo civil.

—Vale. En la primera fecha disponible que haya por lo civil, da igual la ciudad, si es en un parque, en un castillo o en una sala del ayuntamiento.

—Vale —aceptó Luka agarrando el pene semierecto que parecía decirle: «estoy aquí, solito; hazme algún mimo». Y ella no podía dejarlo abandonado, ¿verdad?

—¿Quieres algún banquete, ceremonia o algo por el estilo? —le preguntó gimiendo.

Aún no, pensó él; todavía no. Tenía que dejar el tema de la boda bien atado antes de continuar a lo suyo. Tan atado que ella no pudiera salirse por la tangente en ningún asunto.

—No, no hace falta. Solo nuestra familia más cercana y nuestros amigos.

—Vale. —Sintió una patada contra el abdomen y se alejó un poco de ella—. Se ha quejado. Bagoas se ha quejado —reiteró renuente y asustado de nuevo. Ese era el nombre que iba a llevar su hijo.

—No, en absoluto; yo creo que con tanto movimiento se ha animado y está tan feliz como su madre.

—¿Segura?

—Absolutamente.

—Tema cerrado. Le cogió la pierna, la colocó sobre su cadera y la penetró con cuidado.

Tenían que recuperar el tiempo perdido.

Viernes 6 de agosto de 2010

Estaban en el Parque de las Naciones, en Alcorcón. Hacía media hora escasa que se habían dado el «sí, quiero» ante el teniente de alcalde de Villaviciosa de Odón, y ahora estaban haciéndose las fotos de rigor con amigos y familiares. Después irían al restaurante a celebrar el banquete de bodas y al día siguiente saldrían para pasar en Torrevieja su luna de miel. Se miraban el uno al otro embelesados, si una cosa quedó clara a todos los presentes era que ambos estaban perdida e irremisiblemente enamorados.

Pili y Ruth se acercaron a su amiga sonriendo.

—Quien lo iba a imaginar, casada y a punto de ser madre —comentó Pili sonriendo feliz.

—Y yo me pregunto —enarcó las cejas Ruth— ¿cómo ha logrado convencerte Álex?

—Pues, sinceramente, ¡yo qué sé!

TARDE DE CHICOS

Relato inédito

31 de julio de 2011

—*E*stás enamorado, Dani —dijo Álex tendiéndole una cerveza.

Dani frunció el ceño y miró a su amigo. ¿Estaba enamorado? No lo sabía. Solo sabía que desde hacía un par de años todos sus pensamientos se centraban en una sola persona. No sentía deseos de acostarse con nadie más que con él. No quería que sus labios rozaran otros labios que no fueran los de él, ni que sus manos acariciaran otra piel que la de él. ¿Eso era amor? Ni idea. Pero, fuera lo que fuera, era un verdadero fastidio. Sobre todo ahora, que le iba a tocar pasar solo todo el mes de agosto.

—Si tú lo dices… —comentó encogiéndose de hombros y estirando sus largas piernas.

Álex lo miró con una sonrisa ladina en los labios. Definitivamente, su amigo estaba total e irremediablemente enamorado. Quisiera o no reconocerlo.

—¿Qué vas a hacer?

—¿Qué voy a hacer con qué? —inquirió Dani mirándole confuso.

—¿Qué vas a hacer con tu chico? ¿Vas a declararle tu amor, o vas a permitir que se largue de vacaciones él solo?

—No es mi chico —gruñó Dani.

—Si tú lo dices… —le devolvió Álex sus palabras.

El silencio se instaló entre los amigos y Álex aprovechó para asomarse a la terraza del ático. Había dejado a su hijo, Bagoas, jugando tranquilamente en el arenero que habían instalado allí y quería comprobar que siguiera tranquilo. A veces el pequeño daba muestras de ser digno sucesor de Luka.

Dani observó a su amigo salir y, consciente de que no podría verle, se llevó las manos a la cabeza y dejó que sus dedos se enredaran en su cabello, alborotándolo más todavía, tal y como solía hacer él cuando hacían el amor, no, cuando follaban. Porque Dani no hacía el amor. Dani follaba. ¿O no? Ya no lo sabía. No estaba seguro de nada, excepto de una cosa. Hacía dos años que solo se acostaba con la misma persona. Con él, y ahora él se iba a ir de vacaciones, dejándolo solo.

Tampoco era que importara demasiado. Su amante volvería al cabo de un mes. Solo serían treinta días de separación. Al fin y al cabo no vivían juntos. Lo suyo era solo una aventura sin compromisos. Entonces, ¿por qué se sentía como si le estuvieran arrancando el corazón?

—De verdad que tienes mala cara, Dani —afirmó Álex entrando de nuevo en el ático—. Deberías dejarte de chorradas y hacer lo que te dicta el corazón. Míranos a Luka y a mí, no podemos ser más felices.

Dani elevó la mirada y observó a su amigo. Se le veía radiante, feliz. No cabía duda de que casarse con Luka y tener un hijo le había colmado de dicha.

Miró a su alrededor. El ático que Álex había decorado para ser un reducto de placer ya no lo era. Una vez, hacía más de un año, había conseguido burlar la vigilancia de sus amigos y había subido allí. Y se había quedado estupefacto al observar la enorme cama de dos metros cuadrados y las paredes forradas de espejos. Todo en ese espacio hablaba de placer, de sexo, de lujuria.

Álex había montado en cólera al descubrirle allí, pero había merecido la pena, porque ahora, en su casa, en su propia habitación, tenía una pared forrada de espejos, en la que podía ver cada milímetro del cuerpo de su amante cuando le ataba a los postes de la cama con pañuelos de seda.

Parpadeó rápidamente para eliminar la imagen que se dibujó bajó sus párpados. ¡Por Dios! Había ido allí a pasar una tarde de chicos con Álex, no a llorar por las esquinas porque su amante pensara irse de vacaciones a la playa solo, sin molestarse en preguntarle si quería acompañarle.

Recorrió con la mirada el ático. Las paredes, antaño forradas de espejos, ahora estaban pintadas de azul, con nubecitas blancas, osos voladores y ratoncitos alados. La enorme cama de dos metros cuadrados había sido sustituida por un enorme parque infantil lleno de peluches. En el lugar que antes ocupaba el diván, ahora había un enorme garaje infantil lleno de coches a medio destrozar. Donde estaba la mesa de cristal, habían colocado un diminuto tobogán amarillo, y todo el suelo estaba cubierto de una mullida moqueta con el dibujo de una ciudad, carreteras incluidas.

¡Sus amigos habían convertido el paraíso del placer en una habitación infantil! La única concesión para los adultos que habían dejado en la estancia era el sillón en el que estaba sentado y la televisión plana anclada en la pared. Nada más.

Incluso en ese momento, en que supuestamente estaban disfrutando de una tarde de chicos, lo que realmente estaban haciendo era cuidar de Bagoas, para que su madre, Luka, pudiera salir de compras con sus inseparables amigas. Y ahí estaban, sentados en un sillón morado con vaquitas blancas, viendo en la tele una insípida película y atentos a los juegos de un niño de poco más de un año.

¡Menos mal que él no pensaba formar nunca una familia! No le gustaría renunciar a su libertad, a hacer lo que le daba la gana en el momento en que le diera la gana.

Observó a Álex levantarse por enésima vez e ir a comprobar que el pequeño no estuviera haciendo de las suyas. Sus amigos habían vallado la terraza con una fuerte red de casi dos metros de altura, con la intención de que Bagoas tuviera un sitio seguro donde jugar al aire libre mientras ellos se sentaban tranquilamente sobre las gordas vaquitas para hacer lo que hacen las personas adultas: hablar de su precioso hijo.

Una sonrisa embelesada se insinuó en los rasgos normalmente pícaros de Dani. Adoraba al bebé; de hecho, le encantaban los niños, aunque, eso sí, solo de visita. No para tenerlos, criarlos y soportarlos el resto de su vida. Aunque ojalá pudiera hacer eso, pasar el resto de su vida, junto a él.

Elevó la cabeza y abrió los ojos como platos, asombrado por esa revelación. La sonrisa que se dibujó en sus labios se convirtió rápidamente en una enorme e histérica carcajada.

—Dani, ¿qué te pasa? —le preguntó Álex mirándole preocupado.

Desde que «el amigo con derecho a roce» de Dani le había informado que pensaba irse de vacaciones todo el mes, este había perdido la sonrisa, y verlo ahora así, riéndose como un loco, era, cuanto menos, inquietante.

—Soy un idiota, Álex.

—Ah, ¿y ahora te das cuenta? —inquirió este mirándolo divertido.

—No, hablo en serio. Soy el hombre más imbécil del mundo mundial. El más tonto.

—¿No crees que estás exagerando, aunque solo sea una pizca?

—Mírame. Estoy aquí, lamentándome por mi mala suerte, cuando en realidad tendría que estar de compras con Luka, Pili y Ruth.

—¿De compras? ¿Con las chicas? —Álex saltó del asiento, estupefacto. Su amigo odiaba ir de compras tanto como él. Por eso siempre les tocaba quedarse a cuidar de Bagoas—. Dani, ¿cuántas cervezas te has tomado?

—Necesito bañadores, los que tengo están tan viejos que se me transparenta el culo. Y también unas chanclas para andar por la playa. ¡Y una toalla! ¡No tengo toallas para tumbarme sobre la arena! —exclamó haciendo caso omiso de su amigo—. ¿Qué hora es?

—Las nueve y media.

—¡Mierda! ¡No me da tiempo a ir al centro comercial!

—¿Para qué quieres ir a un centro comercial?

—Para comprar toallas, bañadores, pantalones cortos… —respondió el interpelado dando histéricos paseos por el ático—. Pero es tarde, demasiado tarde. Joder, ¡por qué seré tan idiota! ¿Cómo voy a irme mañana de vacaciones, si no tengo ni bañadores ni toallas? Pensará que soy imbécil. —Cesó su errático deambular y entornó los ojos, pensativo—. Los puedo comprar cuando lleguemos a Cádiz… Sí, eso haré. Me presentaré esta noche en su casa y le diré que he decidido ir con él, aunque no me lo haya pedido. —Frunció el ceño, disgustado—. No le daré opción a negarse —decidió dándose un suave puñetazo en la palma de la mano—. Y cuando lleguemos a El Puerto de Santa María, compraré lo que me haga falta.

Álex observó a Dani, sonrió para sí y abandonó el ático. Este no se percató de su partida, seguía dando vueltas, murmurando sobre lo estúpido que era.

—Dani —le llamó Álex cinco minutos después. Este se dio la vuelta y lo contempló aturdido—. He pensado que esto te puede servir. Pruébatelo y, si te vale, ya me lo devolverás. Eso sí, cuida mucho la toalla; Luka le tiene cierto aprecio.

Dani se acercó despacio, tomó las prendas que le tendía y las extendió ante sí. Unos cuantos bañadores de hombre, pantalones cortos y una enorme toalla.

—¿No habréis hecho guarrerías sobre ella, verdad? —le preguntó con una sonrisa maliciosa.

—Si no la quieres, no hace falta que te la lleves —respondió Álex colorado como un tomate. Dani tenía un sentido del humor único, que siempre conseguía cabrearle.

—¡Pues claro que la quiero! —exclamó aferrándola entre sus puños antes de que Álex se la quitara.

La dejó sobre el tobogán amarillo, lejos de su querido amigo, que en esos momentos le fulminaba con la mirada, y comenzó a desabrocharse los botones de los vaqueros.

—¿Qué haces? —le preguntó Álex con los ojos abiertos como platos.

—Me voy a probar tus bañadores —le respondió sonriendo—. No pretenderás que baje las escaleras para probármelos y después las suba para ver cómo te parece que me quedan, ¿verdad? Y tampoco creo que puedas convencer a Bagoas para que deje de jugar en el arenero y baje con nosotros al primer piso.

—Pero ¿para qué narices quieres saber mi opinión? —preguntó Álex estupefacto. Eso era algo que hacían Luka y sus amigas, no ellos.

—Bueno… —Dani se quedó inmóvil, con los pantalones a medio desabrochar—. No sé, me gustaría que me dijeras cómo me quedan. Hace años que no llevo bañador —odiaba las piscinas— y no sé cuál de todos estos me puede quedar mejor.

—¡Vaya si estás pillado! —exclamó Álex asombrado. Era la primera vez que veía a Dani preocupado por su apariencia.

—¡Eh! No estoy pillado, es solo que no quiero hacer el ridículo.

—Vale, tranquilo —alzó las manos sonriente—. Pruébatelos, y yo te daré mi experta opinión.

—De acuerdo —aceptó Dani bajándose los pantalones y los bóxers—. No se te ocurra ponerte cachondo, que aún recuerdo aquella vez que me tirabas los tejos… —comentó ladino.

—¡Serás cabrón!

Luka dejó las llaves en el aparador de la entrada y arqueó las cejas al escuchar las carcajadas que provenían del ático. ¿Qué estaba pasando allí? ¿Por qué sus chicos no estaban abajo? Bagoas en su cuarto, dormido, y Álex y Dani en el comedor, viendo alguna película espantosa llena de violencia, sangre y sexo.

Subió la escalera de caracol y se asomó lentamente al ático.

Dani estaba de pie, frente al sillón de vaquitas, vestido… bueno, desvestido con un bañador de Álex. Y estaba haciendo posturitas extrañas, como si fuera un modelo posando en una sesión fotográfica. Un modelo de ademanes muy exagerados, todo había que decirlo.

—¡Guau! Con ese modelito le vas a poner a cien —le decía en esos momentos Álex a su amigo, con cierto tonillo no carente de sorna—. Aprieta un poco más los abdominales, a ver si consigues marcarlos un poco. No te queda mal —declaró cuando Dani hizo lo que le pedía—, lástima de ese enorme grano purulento que tienes en mitad del culo y que se te marca a través del bañador.

—¿Qué grano? ¡Yo no tengo ningún grano! Mi culo es perfecto —refutó Dani, a lo que Álex negó rotundo con la cabeza.

—No. Está flácido y caído. No te vas a comer una rosca en la playa.

—¿Sabes lo que te pasa, Álex? Que te mueres de envidia. Desde que te has convertido en padre y te has dejado llevar por la buena vida, te cuelga la papada y parece que estés embarazado por culpa de esa enorme tripa que luces.

—¡Eh! Yo no tengo tripa —aseveró este levantándose la camiseta y mirándose el vientre—. Si acaso una pequeña barriguita, nada más.

—Por supuesto que sí, una panza enorme.

—¿Qué estáis haciendo? —preguntó Luka apoyada contra la pared, mirándolos como si estuvieran locos.

Álex se dio la vuelta al escucharla. Dani dio un brinco hasta el sillón y se apresuró a taparse con una enorme toalla, la misma sobre la que ella y su marido habían «jugado» hacía un par de años en la playa… de noche… a solas…

—Eh… Dani está haciéndome un pase de modelos —explicó Álex aturullado, utilizando la misma expresión que Luka usaba cuando regresaba de una tarde de chicas y se probaba las prendas que había comprado para que él le diera su opinión.

—Ah… Muy… interesante —señaló ella, patidifusa. Jamás hubiera imaginado que vería a su marido y a su mejor amigo haciendo eso.

—Pero ya hemos acabado. De hecho, se me ha hecho tardísimo; tengo que hacer la maleta e ir a casa de… bueno… Al final he decidido que me voy de vacaciones a Cádiz —farfulló Dani recogiendo los bañadores que habían elegido entre él y Álex y metiéndolos en una bolsa.

—¡Eso es estupendo, Dani! Me alegro de que al final te hayas decidido —exclamó Luka acercándose a su amigo, abrazándole y dándole un cariñoso beso en la frente—. Ya era hora de que te dieras cuenta de que estabas haciendo el tonto. Él te quiere, y tú le quieres. No tienes que pensar en nada más.

—Lo sé. Gracias, Luka, Álex; no sé qué haría sin vosotros —confesó mordiéndose los labios, avergonzado de que sus amigos le conocieran mejor que él mismo—. Voy a despedirme de Bagoas.

Salió a la terraza, dejando atrás a unos acaramelados Luka y Álex. Dio un paso con la intención de despedirse del pequeño y, antes de dar el segundo, se giró de golpe y entró en el ático.

—Me voy, ¡adiós!

Luka y Álex fruncieron el ceño, asombrados por la repentina y vertiginosa despedida.

—Tiene prisa —resolvió Álex encogiéndose de hombros.

—Eso parece —coincidió Luka al escuchar la puerta de la casa abrirse y cerrarse—. ¿Qué tal se ha portado Bagoas?

—Como un santo. No ha hecho ninguna travesura. De hecho, lleva toda la tarde jugando en el arenero sin decir ni mu.

—¿Sin decir ni mu? Eso no me lo creo.

Luka entornó los ojos, suspicaz, y salió a la terraza, dispuesta a comprobar con sus propios ojos si lo que afirmaba su marido era cierto.

Álex sonrió a su mujer, satisfecho y confiado. Su hijo se había portado de maravilla. Era un niño encantador, con mucho carácter, pero encantador al fin y al cabo. Y no había hecho ninguna trastada en toda la tarde.

—¡Álex! ¡Ven aquí ipso facto!

El grito de su esposa le puso sobre aviso. Algo había hecho el pequeño. Seguro.

Se apresuró a salir a la terraza y, una vez allí, entendió por qué Dani había huido de la casa. El muy cabronazo no se había ido corriendo porque tuviera prisa. No, señor. Se había escabullido como un canalla, dejándole solo ante el peligro, al ver que el pequeño se había quitado el pañal para luego hacerse caca en el arenero y rebozarse todo el cuerpo con…

—¡Álex!

Nota de la autora

$\mathcal{M}$is amigas de Facebook me acusan de ser una bruja piruja (de hecho tengo hasta un grupo con ese nombre: Noelia Amarillo es una bruja piruja). No lo soy… o tal vez sí.

Cuando escribí *Falsas apariencias*, me enamoré de Dani y deseé darle su propia historia, pero no lo hice. Y llevo esa espinita clavada desde entonces.

Poco después escribí *Cuando la memoria olvida* (segunda novela de la serie «Amigos del barrio»), y pensé en darle a Dani un *partenaire* a su altura, pero, por problemas de espacio (el libro era demasiado extenso), tuve que dejarle de nuevo a dos velas.

Cuando Terciopelo me confirmó su intención de editar las dos primeras novelas de la serie «Amigos del barrio», me armé de valor y les propuse escribir un relato exclusivo para los libros. Aceptaron. Como no podía ser de otro modo, el protagonista del relato es Dani. Yo creo que se lo merece, y mucho.

Pero… el espacio volvía a ser un problema. *Falsas apariencias* y *Cuando la memoria olvida* son libros extensos de por sí y no podía añadir muchas páginas. Por tanto, se me ocurrió una solución digna de la mayor bruja piruja del mundo mundial: escribiría el relato dividido en dos.

La primera parte, *Tarde de chicos*, está incluida en la novela *Falsas apariencias*. La segunda, *Noche de amantes*, en el siguiente libro, *Cuando la memoria olvida*.

Espero que no me odiéis demasiado…

P. S.: Se me olvidaba comentarlo; ambas partes del relato se pueden leer por separado, tanto de los libros como de ellas mismas. Por tanto, ya veis; no soy tan mala como aparento.

Noelia Amarillo

Nació en Madrid el 31 de octubre de 1972. Creció en Alcorcón (Madrid) y cuando tuvo la oportunidad se mudó a su propia casa, en la que convive en democracia con su marido e hijas y unas cuantas mascotas.

En la actualidad trabaja como secretaria en la empresa familiar, disfruta cada segundo del día de su familia y amigas y, aunque parezca mentira, encuentra tiempo libre para continuar haciendo lo que más le gusta: escribir novela romántica.

Es autora de éxitos como *Quédate a mi lado*, *¿Suave como la seda?*, *Cuando la memoria olvida* y *Ardiente verano*, con las que ha obtenido multitud de galardones como el Premio Rincón Romántico al Mejor Romance Erótico, el Premio Colmillo de Oro a la Mejor Novela Erótica y también el Premio Rosa, todos ellos en 2011.

Falsas apariencias